FynyLawr

MELERI WYN JAMES

Gomer

Cyhoeddwyd yn 2006 gan
Wasg Gomer, Llandysul, Ceredigion SA44 4JL

ISBN 1 84323 760 1
ISBN-13 9781843237600

Dymuna'r cyhoeddwyr gydnabod cymorth
Cyngor Llyfrau Cymru.

Argraffwyd a rhwymwyd yng Nghymru gan
Wasg Gomer, Llandysul, Ceredigion

I
Eleanor

Diolch i'r tameidiau hyn am gyfrannu at y cyfanwaith:
Eleanor Pegg, Menna James, Mererid Jones, Hefina Jenkins, Eirian Youngman, Sion Ilar, Dorry Spikes, Bethan Mair, Gwasg Gomer, ac i Gyngor Llyfrau Cymru am eu cefnogaeth.

Ond yn arbennig i Catrin Wyn Champion am y siwgr yn ystod y creu.

Fe ddaeth yr amlen trwy'r post fel unrhyw amlen arall. Ac eto doedd e ddim fel fy mhost arferol.

Fel arfer, roedd hwnnw'n cynnwys –

> A. Catalog dillad isaf thermal ar gyfer hen lêdi oedd yn byw yn y tŷ o mlaen i. Doedd dim angen thermals arna i achos ro'n i wedi gwario ar wres canolog yn syth ar ôl i mi symud fewn, yn lle'r un hen dân nwy yn y parlwr y mae rhai hen bobol yn meddwl sydd . . .
>> i) yn dderbyniol yng nghanol gaeaf rhewllyd.
>> ii) yr oll y maen nhw'n gallu ei fforddio ar eu pensiynau pitw.

Fyddwn i ddim yn gwisgo thermals hyd yn oed petawn i'n rhewi. Does dim angen MWY o haenau o ddillad arna i i wneud mi edrych yn fwy nag ydw i!

> B. Hysbysiad oddi wrth *Reader's Digest* (neu'i debyg) yn fy llongyfarch ar beidio ag ennill £100,000. Ond fyddwn i ddim yn ffeindio mas fy mod i heb ennill £100,000 nes i mi danysgrifio am weddill fy mywyd (*non-refundable*, wrth gwrs).

> C. Llythyr yn begian am arian i dalu am driniaeth feddygol amgen i roi heddwch corff a meddwl i gŵn truenus. Gweler y llun amgaeedig. (Ro'n i'n amau bod hyn wedi dod trwy'r ddynes *hippy* ar y stryd fawr y bues i ddigon dwl i roi iddi – arian (derbyniol) a nghyfeiriad (camgymeriad mawr!).

Wrth gwrs, fe fyddai C yn cael arian gennyf petawn i'n ennill B.

Roedd y post yma'n fwy cyffrous na'r pethau hyn. I ddechrau roedd fy enw i ar yr amlen. Judith Myfanwy Evans. A doedd dim stamp. Roedd wedi ei gludo â llaw ac roedd hynny'n fwy cyffrous byth.

Roedd yr hyn oedd yn yr amlen yn galed fel carden. Ond doedd hi ddim yn ddiwrnod pen-blwydd na Dolig. Doeddwn i ddim wedi bod yn sâl. (Cyn belled ag ydw i'n gwybod, dydy bod dros bwysau ddim yn salwch meddygol cydnabyddedig – oni bai eich bod yn fawr iawn, iawn fel y bobol yna yn America. Pwr dabs â nhw. Dwi ddim mor fawr â hynny. Ond dim ond mater o amser yw hi os ydw i'n parhau i dyfu ar y rât yma!)

Agorais i ddim mo'r amlen, rhwygais hi ar agor fel rhyw anifail rheibus. Roeddwn i'n clywed fy nghalon yn curo. Roedd fy mochau'n boeth fel tân. Do'n i ddim wedi teimlo mor gyffrous â hyn ers i mi a Mair Eleni Watkins gael cydradd drydydd ar y ddeuawd gerdd dant yn Eisteddfod gylch yr Urdd yn *form one.*

Ddylen i wybod yn well, yr un peth â phan fydd parsel mawr â phapur lliwgar arno fe ar ddiwrnod pen-blwydd yn cuddio bocs hanner gwag â siwmper salw wedi'i gwau gartre ynddo fe.

Pan welais beth oedd yn yr amlen licen i petawn i heb ei agor. Licen i petawn i wedi ei daflu i'r bin a'i gladdu gyda thomen o sborion llysiau a bagiau te pydredig. Neu ei gladdu'n ddwfn ym mhen pella'r ardd fel y bydd crwc yn cwato drygiau neu lofrudd cyfres yn cuddio corff.

Achos pan welais beth oedd wedi cael ei

sgrifennu ar y garden yn y sgrifen fân gam, ro'n i'n teimlo mor euog â chrwc.

Ac ro'n ni'n gwybod wedyn beth o'n i'n amau ynghynt. Ro'n i'n gwybod bod rhywun arall yn gwybod.

Ro'n i'n gwybod mai mater o amser fyddai hi cyn y byddai pawb yn gwybod ac y byddai fy mywyd i ar ben.

TAMED 1

'Gormod o bwdin dagith gi.'

'Pwsh!'
  'Yyyyygh!'
  'Pwsh, Judith!!'
  'Wy *yn* pwsho!'
  'Un anadl fawr nawr!'

Roeddwn i'n goch-biws gydag ymdrech fel petawn i wedi gwthio bws llawn eirth anferth i fyny'r Wyddfa.

'Galli di wneud hyn, Judith!' Gafaelodd yn fy llaw a'i gwasgu'n dyner.

Licen i fod wedi dweud wrthi am gau ei phen, na fyddwn i ddim yn y cawl 'ma oni bai amdani hi! Ond, wrth gwrs, ddywedais i ddim mo hynny.

'Wy'n iawn,' sibrydais, dipyn bach yn bigog.

Ces sioc o glywed fy ngherydd. Doedd e ddim fel fi i fod mor hy. Ro'n i'n teimlo'n waeth pan welais yr wyneb uwch fy mhen.

'Sdim isie bod fel'na.' Pylodd y llygaid glas babi'n drist. Ro'n i'n difaru'n syth.

'Sori. O'n i ddim yn meddwl . . . Jest . . . Yyyyygh!' Gwthiais gyda phob gewyn ac asgwrn yn fy nghorff.

'Sdim byd yn symud.'

Edrychodd y ddynes ddierth arna i'n geryddgar. Roedd ei hiwnifform yn hongian oddi ar ei chorff esgyrnog. Ro'n i'n gwybod ei bod yn gweld bai mawr arnaf a gallwn deimlo'r y cywilydd fel poen yn fy mol.

Gollyngodd Erin fy llaw a phletio'i gwefusau'n siomedig.

'Wy'n gwneud fy ngorau!' plediais.

'Chi'n gwneud yn wych.'

Llais newydd. Codais fy mhen a thrwy'r rhaeadr o chwys oedd yn ffrydio oddi ar fy nhalcen gwelais bod criw bach o bobol wedi ymgynnull mewn hanner cylch o nghwmpas, pob un yn gegrwth fel parti llefaru.

Trodd yr iwnifform esgyrnog ei chefn arna i. Edrychodd ar Erin, ei llygaid yn llawn gofid.

'Sdim dewis. Pasiwch y siswrn,' meddai'n chwyrn.

Nodiodd Erin ei phen a chydsynio a dyna pryd dychrynais i go iawn.

Dewch i mi ddechrau yn y dechrau. Y lle gorau i ddechrau stori, yn fy marn i.

Do'n i ddim yn cael babi. Ond man a man fy mod i. Byddai'n llai o stryffîg o wthio a thagu. Byddai'n llai o embaras cael fy nghoesau ar led a hanner yr ysbyty lleol yn procio a phwtio fy mannau preifat. Rwy'n beio Erin. Roedd Erin yn dweud bod gen i neb i'w feio ond fi fy hun. Hi oedd yn iawn, sbo.

Ro'n ni'n cerdded yn y dre brynhawn dydd Sadwrn. Dôs o Rioja a siopa ffenest i ni'n dwy. Awr fach o lonydd oddi wrth yr efeilliaid i Erin. Wrth i ni basio'r siop sgidiau synhwyrol fe gydiodd Erin yn fy mraich yn sydyn a stopio'n stond.

'Shgwl!' meddai'n llawn rhyfeddod, ei llygaid yn serennu fel petai hi wedi gweld y peth gorau erioed.

Yr unig beth y gallwn i ei weld oedd pâr o sandalau pinc rhyfeddol o wirion i'r siop sgidiau synhwyrol a chwbwl, gwbwl anymarferol i redeg rownd y tŷ yn cwrso dau blentyn bach.

'Dere,' dywedais gan feddwl am ginio a Rioja, ond yn bennaf am ginio.

'Shgwl ar y blodyn bach pinc 'na!' gwaeddodd Erin.

'Artiffisial,' sniffiais.

'Pryd gwelest ti flodyn go iawn ar esgid erioed?!' Taflodd ei mwng melyn yn ôl gyda'i llaw. Am eiliad fach siglai o ochr i ochr fel gwallt mewn hysbyseb shampŵ.

'Ascot?' Heb feddwl, triais sythu fy mop brown innau. Gallwn ei ddychmygu'n bownsio 'nôl i'w le fel rhaff wedi datod.

'Ac, wrth gwrs, rwyt ti'n mynd fan'ny bob blwyddyn.'

Ro'n i'n siŵr nad oedd hi'n bwriadu bod yn gas. Ond ro'n i'n teimlo'r ergyd achos doedd dim byd yn fy wardrob i fyddai'n siwtio digwyddiad ffasiwn fel Ascot.

Teimlais fy mol yn cnoi gyda newyn. Aeth amser hir iawn heibio ers i mi gael y Weetabix a'r llaeth *semi-skimmed* a siwgr. (Oes yna bobol sy'n bwyta Weetabix heb siwgr? Man a man bwyta blawd llif.) Yn sydyn, ro'n i'n teimlo'n flinedig. Roedd hi wedi bod yn wythnos hir yn y gwaith ac fe fyddwn wedi gwneud unrhyw beth y funud honno i gael eistedd.

'Well i ni siapo'n stwmps neu bydd *The Grapevine* yn dechrau llenwi,' dywedais i drio ei styrio.

'Sdim hast.' Safodd Erin wedi ei hudo'n llwyr, fel petai'n gwylio Siôn Corn yn ei ogof llawn anrhegion.

'Ond beth os bydd rhywun yn eistedd yn ein sêt ni? Ti'n lico bod yn y ffenest i ti gael gweld pwy sy'n mynd heibio gyda pwy. A ta beth, ma' llond cwpwrdd o sandalau 'da ti,' dywedais.

'Ti'n swnio'n gwmws fel Brei,' atebodd yn sur.

Ro'n i'n gallu gweld oddi wrth y cleme ar ei cheg nad oedd hyn yn beth da heddiw. Es i ddim i holi pam rhag cael fy nal mewn magl o ymddangos fel petawn yn beirniadu Brei ac yna gweld Erin yn gwneud tro pedol a dechrau ei amddiffyn yn fy erbyn i!

Fe wnaeth meddwl am Brei ei sbarduno a dyma hi'n brasgamu trwy ddrws y siop sgidiau synhwyrol â golwg benderfynol iawn ar ei hwyneb. Roedd sêl yn y siop. Roedd Erin yn sgut am sêl ers iddi gael yr efeilliaid.

'Hanner cant y cant i ffwrdd!' meddai'n llawn rhyfeddod.

'Ar sgidiau gaeaf,' rhybuddiais. Achos ry'n ni i gyd wedi bod yno, on'd do? Cael ein cyflyru gan bris isel i wario ar rywbeth na fyddwn yn gallu ei wisgo achos nad yw'n dymhorol. Ac erbyn iddi newid tymor ac i ni allu ei wisgo fe fydd wedi mynd allan o ffasiwn!

'Shgwl ar y bŵts 'ma! Fydde'r rhai brown 'ma'n mynd yn neis 'da'r sgert hir M&S 'na sy 'da ti. Gwell o lawer na'r sgidie fflat 'na ti'n wisgo. Ma' isie 'bach o hîlen pan ti seis ni'n dwy.'

Syllais ar y bŵts fel petawn i'n gweld drychiolaeth. Ro'n nhw'n uchel at y pen-glin. Ro'n nhw'n swêd. Roedd ganddyn nhw sawdl fel hoelen hir. Ond gwaeth na hyn. Gwaeth o lawer na hyn i gyd . . . roedd zip arnyn nhw.

Byddai fy ngelyn pennaf wedi cael mwy o groeso gennyf.

'Pwy seis wyt ti?' gofynnodd Erin, wedi anghofio popeth am y sandalau pinc perffaith roedd 'rhaid' iddi eu cael.

'Chwech,' ochneidiais. Doedd gen i ddim mo'r bwriad lleia o'u trio ymlaen.

'Chwech draw fan hyn!' gwaeddodd Erin ar bolyn brwsh o gynorthwy-ydd a edrychai fel petai'n gwisgo iwnifform cawr.

'Erin, sai'n credu . . .'

'Dere mlân. Bach o sbort yw e. Ta beth, ma' isie secso ti lan tam' bach.'

Roedd fy nghalon yn drom. Ro'n i'n dal i gofio beth ddigwyddodd i'r person diwetha driodd secsio rhywbeth fyny . . .

Ond roedd hi'n rhy hwyr i ddadlau nawr. Roedd y gynorthwywraig – mewn rhyw bwl annaturiol o effeithiolrwydd na welwyd ei debyg mewn siop erioed – wedi dod â'r bŵts yn eu bocs. Fe gyflwynodd nhw i mi fel y Corn Hirlas gyda gwên fawr ddanheddog. Beth oedd hon yn ei wybod am drio cael bŵts hir â zip am goesau mawr, meddyliais? Roedd hi'n denau fel llinell yn y pellter.

Ro'n i'n methu deall Erin. Ry'n ni rhywbeth yn debyg o ran siâp. Y corff Cymreig clasurol. Yn fronnau a phen-ôl i gyd. Dim ond bod Erin dipyn bach yn llai yn gyffredinol a bod y ddau hanner yn fwy cyfartal.

'Mae deg y cant ychwanegol i ffwrdd ar rhain. Mae marc bach ar y swêd ar y sawdl,' meddai'r gynorthwywraig yn wên-deg.

Amneidiodd Erin arna i, fel petai hynny'n beth da!

Eisteddais, wedi ymlâdd. Tynnais fy sgidiau a gweddïo bod yr hylif troed persawrus, drud 'na ro'n i wedi ei wisgo am y tro cynta y bore hwnnw wedi gwneud ei waith. Derbyniais fy nhynged a pharatoi i wisgo'r bŵts.

Y peth yw, ro'n i'n gwybod beth oedd yn mynd i ddigwydd cyn i mi feddwl eu gwisgo! Roedd e fel gwylio ffilm *cine* ohonof fy hun fel croten fach yn cael codwm o ben cadair. Ro'n i'n gwybod mai syrthio fyddwn i a hynny'n glatsh ar fy mhen-ôl, ond ro'n i'n gwbwl ddiymadferth. Ac, a bod yn gwbwl onest, ro'n i'n meddwl efallai y byddai pethau'n wahanol y tro yma, er i mi chwarae'r olygfa sawl gwaith yn fy meddwl dros y blynyddoedd.

'Dere mlân. Mae'n amser cinio, bydd sêt y ffenest wedi mynd,' meddai Erin, wedi anghofio mai hi oedd wedi mynnu dod yma ac mai hi oedd yn gyfrifol am y sioe oedd yn ein cadw ni yma. A meddyliais am funud y byddai pethau'n ocê. Roedd angen bŵts arna i (wel, at y gaeaf o leia) a doedd rhain ddim yn edrych yn rhy dynn. Roedd y droed yn ffitio'n berffaith. Ac roedd y zip dychrynllyd yn dringo hanner ffordd. Yna, sticiodd.

''Na ni! Dy'n nhw ddim yn ffito. Trueni mawr,' meddwn yn wan. Roedd bloneg yn gorlifo dros dop y zip ac roedd e'n dechrau gwneud dolur.

'So ti 'di trio,' meddai Erin yn benderfynol. 'Ma'n nhw'n newydd. Strêt mas o'r bocs. Siŵr bod 'na 'bach o *give* 'set ti jest yn rhoi cyfle iddyn nhw.' Gafaelodd yn y zip a thynnu nerth ei hesgyrn. Roedd hi'n pwffian ac yn chwythu fel morfil ar fordaith hir.

Dim.

'Dewch i mi weld,' meddai'r gynorthwywraig, yn gwynto sêl (yn hytrach na 'nhraed i, gobeithio). Rhaid ei bod ar gomisiwn neu fyddai hi byth wedi cynnig helpu. Gofynnodd i Erin afael yn y swêd bob ochr i'r bloneg tra oedd hithau'n tynnu'r zip fel petai ei bywyd – ac nid ei chomisiwn – yn dibynnu ar hynny. Dreulion nhw bum munud dda yn halio a chwythu fel petaen nhw'n gwthio eliffant anfodlon i gaetsh bwji.

Fyddai hynny ddim yn rhy ddrwg petai'r siop yn wag. Ond, fel dywedais i, roedd hi'n amser cinio ac yn amser sêl a'r lle yn orlawn. Roedd gweld eliffant yn trio stwffo i gaetsh bwji wedi denu sylw cwsmeriaid eraill yn y siop, yn rhyfedd iawn. Ro'n nhw'n syllu fel petaen nhw'n gwylio anifail yn gwneud triciau yn y sw.

Ond nid dyna'r peth gwaetha.

Roedd y zip yn gwrthod symud modfedd, ac ar ôl hir a hwyr roedd yn rhaid i hyd yn oed Erin a'r gynorthwywraig ildio a chyfadde'r hyn ro'n i'n ei wybod o'r cychwyn, sef bod y bŵts ddim yn ffitio.

Ond nawr roedd ganddyn nhw – a minnau – broblem go iawn. Roedd y zip yn gwrthod symud o gwbwl. Roedd e'n sownd fel hen *chewing gum*. Yn wir, roedd y zip wedi torri llif y gwaed i'r goes a do'n i ddim yn gallu teimlo fy nhroed. Ro'n i'n mynd yn fwy a mwy chwyslyd nes mod i'n hollol saff na fyddai'r persawr atal oglau yn gallu ymdopi ac yna fydden nhw byth yn gallu gwerthu'r bŵts i neb arall!

Fe alwodd y gynorthwywraig ar yr is-reolwraig a'r is-reolwraig ar y rheolwraig, a fan yna y buodd y tair ohonyn nhw'n cael trafodaeth fawr ar fy nhynged.

Yn y diwedd – ac rwy'n cochi o hyd wrth feddwl am y peth – roedd yn rhaid iddyn nhw dorri'r bŵt oddi ar fy nghoes gyda'r siswrn mwya welsoch chi erioed yn eich byw, a hynny o flaen cynulleidfa dda o fusnesgwn gorau'r dre.

Erbyn tynnu'r bŵts oddi arnaf ro'n i'n goch fel blwch llythyrau oedd newydd ei baentio'n goch llachar. Ac a dweud y gwir, doedd dim byd am y bŵts yn y lle cynta. Yna clywais fy hun yn dweud hyn,

'Peidiwch â phoeni. Wna i dalu amdanyn nhw.'

Ac mae 'na reswm da dros ddweud y stori hon wrthych chi, er bod ail-fyw'r peth yn hunllef llwyr. Oni bai am y cywilydd yna, fyddai Erin byth wedi fy mherswadio i fynd yn y lle cynta. Fe allech chi ddweud ei bod wedi fy nal yn fy ngwendid.

TAMED 2

'Dwi ar ddeiet seafood. I see food and I eat it.'

O'r diwedd fe gyrhaeddon ni'r bwyty. Ro'n i'n mynnu ei alw'n hynny er mai bistro oedd yr enw ffasiynol arno.

Chi'n gwybod y math o le rwy'n ei feddwl: hen labeli gwin mewn rhes ar y trawstiau; arogl coffi a garlleg; coed mewn potiau mawr yn cuddio ôl brys y paentio ym mhob cornel; gweinyddion mewn ffedogau, a chanddyn nhw acenion canoldirol ffug (er eich bod chi'n gwybod yn iawn eu bod nhw'n Gymry glân gloyw achos roeddech chi yn yr ysgol gyda nhw).

Roedd rhywun arall yn eistedd wrth y bwrdd ger y ffenest. Fe fuon ni'n lwcus i gael lle i eistedd o gwbwl. Ddywedodd yr un ohonon ni ddim byd am hyn. Prin o'n ni'n gallu siarad ar ôl y sioe siop sgidiau.

Fe ddarllenon ni'r fwydlen yn dawel. *Ciabatta. Risotto. Linguini.* Roedd y bwyd mor Eidalaidd â'r pizza caws a phinafal brynais i ym Morrison's ddydd Sadwrn.

Roedd gwydraid o win yr un ar y bwrdd mewn dim. Fe wnaeth Erin yn siŵr o hynny. Roedd hi am wneud y mwya o'i hoe heb yr efeilliaid. Ro'n i wedi fy ngwahardd rhag holi amdanyn nhw. (Ond roedd hi'n amlwg wedi anghofio am ei chynnen gyda Brei achos roedd hi eisoes wedi ei ganmol am ofalu ar eu hôlau. Ei ganmol? Onid fe yw eu tad?!)

Roedd Erin yn llowcio'r gwin ac yn ymosod ar y bara Ffrengig. Doedd dim menyn ar y bwrdd. Ond roedd hynny'n beth da. Ar ôl y profiad ro'n i newydd ei gael, doedd dim tamaid o chwant bara gyda fy menyn arna i.

'Beth ti'n ffansïo?'

Roedd Erin yn craffu ar y fwydlen win er ein bod ni'n dwy yn gwybod y byddai'n archebu'r un peth â phob tro arall. Cefais chwiw sydyn i archebu dŵr *fizzy*. Yr unig beth stopiodd fi oedd dychmygu'r syndod ar wyneb Erin – yn syth oddi ar lwyfan drama'r Clwb Ffermwyr Ifanc. Y ffordd ro'n i'n teimlo y funud honno, byddai actio amatur ac unrhyw arwydd bach o anghymeradwyaeth parthed fy arferion yfed a bwyta wedi fy ngwthio dros y dibyn.

Llowciodd Erin weddillion ei gwydraid cynta a gwneud llygaid llo bach ar y gweinydd ifanc golygus. Roedd Erin yn caru Brei â chariad perffaith, ond unwaith y byddai hi ar y gwin byddai'n troi mewn i'r fflyrt perffaith. Fe lwyddodd i wneud i'w harcheb am botel o Rioja swnio fel clyweliad ar gyfer *Blind Date*.

'Sdim dewis 'da ti nawr, o's e?' meddai gan dorri pen-ôl o fara a'i stwffio i'w cheg, ar ôl rhyddhau'r gweinydd.

'Nag oes, sbo,' atebais, yn syllu'n ddiflas ar y toes.

'Gwd. Wy'n falch bod ti'n cytuno. Ma' dy fam yn iawn am un peth – ti mor stwbwrn ag asyn! O'n i'n meddwl y bydde hi'n mynd yn drafodaeth fowr cyn i fi dy berswadio di.'

'Wel, alla i mo'u gwisgo nhw, a nhwthe 'di torri'n rhacs. Man a man i'r bŵts 'na fynd yn y bin – 'sach bo fi 'di talu'n ddrud amdanyn nhw.'

'Dim y bŵts! Wy'n siarad am, wel, ti'mod . . .' Sibrydodd Erin fel petai'n rhannu cyfrinach fawr, '. . . y clwb colli pwyse.'

Mae'n dod fel taran heb fellt. Ro'n i wedi trafod mynd i glwb colli pwysau wythnosau 'nôl. Wel, roedd Erin wedi siarad a finnau wedi gwrando, a bod yn fanwl gywir. Ond ro'n i'n meddwl ein bod ni wedi cytuno ein bod ni tu hwnt i rhyw baranoia am bwysau.

'Ti'n gwbod shwt wy'n teimlo am golli pwysau,' dywedais.

'Odw, odw,' atebodd Erin a thorri'r awyr gyda'i llaw, fel petai'n hel oglau drwg i ffwrdd. 'Sdim cwilydd mewn bod isie bod 'bach yn fwy, wel, siapus, ti'mod – nage bo fi'n awgrymu bo ti ddim yn siapus, cofia.'

'Wy'n hapus fel odw i,' atebais.

'Ti sy'n gwbod. Ond o't ti ddim yn dishgwl yn hapus iawn pan oedd yr ast denau 'na mewn iwnifform yn torri dy goes di mas o bâr o fŵts 'da siswrn – o flaen y siop i gyd!'

'O'n i meddwl ein bod ni wedi cytuno i beidio sôn am 'ny 'to. Byth. Dim hyd yn oed ar ein gwely angau. Dim hyd yn oed 'sen ni'n cael ein harteithio â phoceri chwilboeth gan derfysgwyr diegwyddor.'

'Jest wynebu'r gwir am bethe, 'na i gyd. Ma'r ŵydd wedi mynd yn dew – dim bo fi'n dweud dy fod ti'n dew . . .'

'Na, wrth gwrs 'ny. Ond fydda i byth yn sgimren denau. Ma' hynny'n wir 'fyd. Sai'n deall yr obsesiwn 'ma 'da ffasiwn sginni. Ma' dynion yn lico 'bach o . . . wel . . .'

''Bach o afael?' Pigodd Erin ddarn o grwstyn o'i dannedd a'i ollwng ar lawr.

'Yn gwmws,' cytunais. Roedd hi'n dechrau gweld sens o'r diwedd!

'Petai hynny'n wir, bydde rhes hir o ddynion yn ciwo i fynd â ti mas. A'r tro diwetha dryches i, ro'dd y *bus-stop* yn wag – dim bo fi'n dweud bo ti mor fowr â bws, cofia.'

'Na. 'Thgwrs ddim.'

Daeth y gweinydd golygus â'r botel win. Cymerodd Erin lond ceg a chymryd arni ei olchi rhwng ei dannedd, fel clamp o arbenigwr o glwb gwin. Mewn gwirionedd roedd ei pherfformiad yn debycach i *porn star*. (Nid mod i'n gyfarwydd iawn â phethau fel'ny!) Nodiodd ei phen ac amneidio ar y gweinydd i ail-lenwi ein gwydrau i'r top, gan ddechrau gyda'i gwydryn hi ei hun.

Roedd fy wyneb yn llyn llonydd. Ond yn fy mhen ro'n i'n rhythu arni gyda chyllyll miniog. Roedd Erin bob amser yn dweud y gwir. Hyd yn oed os oedd y gwir yn brifo. Roedd hi'n ymfalchïo yn y peth! Lot gwell dweud wrth rhywun yn blwmp ac yn blaen bod eu hanadl yn drewi i uffern na gadael iddyn nhw fynd o gwmpas eu pethau yn anadlu nwyon cyfoglyd dros bawb.

Ro'n i'n deall yr hyn oedd ganddi. I raddau. Ac, eto, roedd yna adegau pan ro'n i'n ysu am dipyn bach o *diplomacy* pan oedd hi'n dod at bethau fel pwysau a dynion a Mam.

'Ma' dynion yn dweud pethe fel'na jest i ymddangos yn PC, fel bod menwod mawr yn gollwng gafael ar lastic 'u nicers,' meddai Erin. Roedd yr un gwydraid yn amlwg wedi mynd i'w phen. Doedd hi ddim yn gyfarwydd ag e y dyddiau hyn. 'Ond pan mae'n dod i'r glo mân, sdim neb isie mynd mas 'da lwmpyn fawr dew . . . Dim bo fi'n dweud –'

'Na. Wy'n deall beth sy 'da ti,' dywedais, yn galetach nag arfer.

Roedd yr hyn roedd hi newydd ei ddweud yn ofnadwy! Roedd e'n sarhad ar fenywod call! Ro'n i'n gwybod hynny. A byddai Erin yn gwybod hynny hefyd petai hi'n codi'i phen am ennyd a gwynto rhywbeth heblaw cewynnau brwnt a chŵd babi.

'Mae'n amlwg nad wyt ti wedi bod ar y We yn ddiweddar 'te,' dywedais wedyn. 'Ma' safleoedd di-ri i gael – menwod mawr o bob siâp. A tase dynion ddim yn ein lico ni bydden nhw ddim yn chwilio amdanyn nhw.'

Agorodd Erin ei cheg fel petai'n mynd i ddweud rhywbeth, ond clepiodd ei gwefusau ar gau unwaith eto yn syth. Roedd hi'n lico meddwl ei bod hi'n lot mwy profiadol na fi ym mhethau'r byd. Rwy'n siŵr ei bod hi'n methu deall sut o'n i'n gwybod y fath bethau. Wnes i ddim cyfadde mai wedi clywed dau grwt hormonal yn eu harddegau yn siarad am y peth oeddwn i yn yr adran pizzas 'di'u rhewi yn Morrison's.

Daeth y cwrs cyntaf. Salad i mi. Bara garlleg i Erin. Ac nid bara garlleg yn unig, ond bara garlleg yn drwch o gaws.

'Dresin?' gofynnodd y gweinydd. Roedd ganddo groen tywyll a gwallt du tonnog a gwên i dorri calonnau.

'Well i mi beidio,' dywedais i, yn gwenu'n gam.

'Ein *speciality* ni. Olew'r olewydd â chaws glas . . .?'

'Tamaid bach lleia 'te.'

Cafodd y dail letys eu boddi mewn olew cyn i mi gael cyfle i ofyn iddo ymatal tipyn bach. Sugnais ar letysen soeglyd.

'Dresin? Llawn calorïe,' meddai Erin yn geryddgar a chrenshian yn hunangyfiawn ar ei bara garlleg caws. Roedd hi'n ei gnoi'n swnllyd ac yna dywedodd fel fflach o nunlle, 'Fel ma' Brei yn dweud . . .'

'A shwt ma' Brei y dyddiau 'ma?' gofynnais gan obeithio newid y pwnc o golli pwysau.

'Wel, ti'n gwbod fel mae e. Ar y compiwter bob whip-stitsh. Dyn a ŵyr beth sy mlân 'da fe . . . Dyw hi ddim yn cymryd dwy awr i jeco dy e-bost, sdim ots beth.'

'Beth? Ti'n meddwl 'i fod e'n neud rhywbeth arall ar y We . . .?' Do'n i ddim yn dwp. Do'n i ddim yn mynd i ofyn yn uniongyrchol a oedd Brei yn edrych ar, wel, bobol noeth.

'Synnen i fochyn,' atebodd Erin gan drio bod yn ddidaro. Llowciodd ei gwin yn ffyrnig.

'A sdim ots 'da ti?'

Roedd fy marn i ar y mater yn amlwg yn nhinc fy

llais. Ond ro'n i wedi dysgu o brofiad i beidio â lladd ar Brei. Ro'n i wedi dysgu i beidio â lladd ar unrhyw gariad, cymar, partner na gŵr. Ydych chi eisiau colli ffrindiau? Wel, bwrwch eich sen ar eu hanwyliaid.

Mae hyn yn swnio'n hawdd, wrth gwrs. Ond mae'n dir peryglus iawn a rhaid troedio'n ofalus. Mae'n ffin denau rhwng cydymdeimlo â ffrind sy'n dweud wrthych chi shwt fochyn yw eu cariad / partner / cymar / gŵr a swnio fel mai chi eich hun sydd wedi ymosod arnyn nhw. Ac os y'ch chi'n cael eich temtio i ddweud rhywbeth sydd dipyn bach yn feirniadol am y cariad / partner / cymar / gŵr, ry'ch chi'n mynd i ddarganfod eich bod ar eich pen eich hun yn nhir neb pan fydd yr anochel yn digwydd a'r rhyfel cartre ar ben.

Roedd Erin wedi dihuno!

'A dweud y gwir, ro'n i'n falch i ddechre,' meddai, gan guro'i dwylo'n uchel a pheri i'r gweinydd droi'i ben rhag ofn ein bod angen rhagor o sylw. 'Achos ar ôl hala trwy'r dydd 'da'r ddau ddiawl bach 'na, yr unig beth wy isie neud yw cysgu. Ond nawr wy'n dechre becso.' Dywedodd hyn i gyd yn dawel drwy'i dannedd. Gyda'i gwallt melyn a'i hamrannau hir doedd Erin erioed wedi cael trafferth cael sylw dynion. Ro'n i'n gallu dychmygu bod cyfadde gwendid yn y maes yn anodd ofnadwy iddi.

'Ddechreues i gyfri y nosweth o'r blaen – pryd geson ni, wel, ti'mod, ddwetha . . . A ti'n gwbod pryd oedd hi?'

Siglais fy mhen, ddim yn siŵr a oedd hyn yn

fusnes i fi er ein bod yn ffrindiau gorau ers iddi lanio yn yr ysgol gyfun a ninnau yn y chweched dosbarth.

'Sai'n gwbod,' dywedais, a hithau'n dal i aros am ymateb.

'Yn gwmws!' Bron i Erin fwrw ei gwydr ar lawr. 'Sai'n gwbod chwaith! Ma' cyment o amser â 'ny!'

Roedd hi'n disgwyl i mi ddweud rhywbeth. Yn swyddogol, ro'n i ar dir peryglus iawn, iawn.

Mentrais, 'Wel, mae pob perthynas yn mynd trwy rhyw gyfnodau . . .' Stopiais. Ro'n i'n gwybod beth oedd yn mynd trwy ei meddwl. Sut fyddet ti'n gwybod, Judith? Ond doedd hyd yn oed Erin ddim yn ddigon hy i ddweud hynny yn fy wyneb.

'Dwi ddim yr un fenyw â'r un briododd e.' Roedd ei llygaid yn loyw.

'Shgwl arnat ti. Efeilliaid, a dwyt ti ddim yn edrych fel taset ti 'di rhoi genedigaeth i wy!' dywedais yn fywiog.

'Dwyt ti ddim 'di gweld fy mola i.'

'Wel, nid pawb sy'n gallu fforddio cael *tummy-tuck* gyda'u Caesarian fel Victoria Beckham.'

'Yn gwmws! Ond ma' fe'n dala mlân am y peth. *Jelly belly*. 'Na beth ma' fe'n galw fi! 'Y mhen-ôl i yw'r obsesiwn diweddara. Ddoe, o'n i'n eistedd ar y soffa. Byta'r fisgïen leia welaist ti erioed. Pum munud i'n hunan am unwaith. Wrth gwrs, ddalodd Brei fi a bygwth ffono Greenpeace – rhag ofn 'u bod nhw am fynd â fi 'nôl i'r môr . . . fel 'sen i'n forfil yn sownd ym mae Aberteifi!'

'Ma' hynny'n beth ofnadwy i'w ddweud!'

Roedd y geiriau allan o mhen cyn i mi feddwl. Ro'n i wedi torri fy rheol euraidd a chodi fy mhen uwch y parapet. Ymosod ar y cariad / partner / cymar / gŵr. Ro'n i bownd o gael fy saethu! Y gwir yw bod Brei yn afresymol tost. Supermodel? Nagyw. Ond fe fyddwn i wrth fy modd yn cael ffigwr fel un Erin.

'Ma' hynna'n ofnadwy i ti,' cywirais.

Rhy hwyr. Roedd Erin wedi teimlo'r gwenwyn yn fy ngeiriau. Trodd ar ei chynffon a dechrau amddiffyn Brei.

'Jocan ma' fe. Ma' Brei yn lico'i jôcs. 'Na ni. Ddangosa i 'ddo fe – pan fydda i mor dene â Kate Moss.' Ond doedd dim tân yn ei dweud. Edrychai fel petai wedi ymlâdd a suddodd yn ôl yn ei chadair.

Roedd fy nghalon yn gwingo drosti. Dim ots faint o bwysau y collai hi neu finnau, fydden ni byth o fewn asgwrn i Kate Moss. Roedd yna reswm pam mai ni oedd y diwetha i gael ein dewis i'r tîm pêl-rwyd yn yr ysgol. Roedd yna reswm pam mai ni oedd yn amddiffyn y gôl ar y cae hoci.

'Wy'n siŵr bod Brei yn dy garu di. Wy'n gwbod ei fod e,' dywedais.

'Wel, pam dyw e ddim yn fy nhaflu i ar y gwely a 'ngharu i'n wyllt 'te? Fel oedd e'n arfer gwneud!'

Gwingais wrth feddwl amdanyn nhw, er fy ngwaetha. Daeth y prif gwrs. *Penne* tomato a basil i Erin. Stecen mewn saws menyn i fi.

'Ti'n siŵr ein bod ni'n colli pwysau am y rhesymau iawn?' gofynnais wrth dorri cynffon o gig. 'Os y'n ni'n mynd i roi ein hunain drwy'r artaith o golli pwysau, mae'n bwysig ein bod ni'n ei wneud e i ni ac nid i neb arall.'

Ffrwydrodd Erin, 'Ti mor ffycin PC! Os wyt ti'n teimlo'n well, ddwedwn ni ein bod ni'n ei wneud e "i ni". Ond wy moyn secs! A wy'n fodlon gwneud unrhyw beth i'w ga'l e . . . o fewn cwlwm sanctaidd priodas, wrth gwrs.'

Arllwysodd Erin ragor o win. Cynigiodd y botel i mi. Rhois fy llaw fel tarian ar ben fy ngwydryn. Yn sydyn iawn, ro'n i'n teimlo'n hollol ddigalon.

'A ti'n gwbod beth maen nhw'n ddweud. Diffyg rhyw yw dechre'r diwedd. Peth nesa – fydd rhywun arall 'da fe.' Chwipiodd ei gwallt, ei harf pennaf, yn ôl yn benuchel.

'Byth!' ddywedais, dipyn bach yn rhy glou.

Edrychodd Erin arna i'n slei, 'Ti byth yn gwbod,' meddai gan grymu'i hysgwyddau.

Gwyliais Erin yn pigo ar ei *penne* am amser. Roedd golwg ar goll arni nawr. Ces bwl o gydwybod. Os na allwn i ei helpu hi – yn anialwch ei bywyd rhywiol, yn ei hawr fawr – wel, pa fath o ffrind o'n i?

'Ti sy'n iawn. Falle dylen ni fynd,' dywedais yn araf.

'Grêt!' Gloywodd wyneb Erin fel plentyn bach yn cofio ei bod hi'n ddydd ei ben-blwydd.

'Ffinda di mas yn iawn pryd ma' fe . . .'

'Nos Lun. Hanner awr wedi wyth o'r gloch,' meddai Erin, yn annisgwyl o sydyn, yn annisgwyl o fywiog o gofio'i gofid mawr am ddiffyg rhyw.

Yn amlwg, roedd y manylion ar flaen ei bysedd.

Ro'n i'n dechrau teimlo'n annifyr, fel petawn i wedi cael fy nal.

'Nos Lun hyn! Falle bod well i ti ffonio – rhag ofn eu bod nhw'n llawn,' dywedais yn obeithiol.

'Pwy sy'n dweud bod mamau ifanc yn deall dim am drefn? Wy wedi rhoi'n enwau ni lawr yn barod . . . Www – a cofia ddod ag arian ychwanegol – i'r raffl.'

'Raffl?' Teimlais y fagl yn cau.

'Bydden i'n dweud 'thot ti nawr, ond sai isie sbwylo'r syrpreis.'

A chyda hynny ro'n i wedi fy nal. A welais i neb hapusach nag Erin yn nghanol ei gofid. Roedd yn rhaid i mi gredu er mwyn ein cyfeillgarwch mai rhyddhad oedd y rheswm dros hynny.

TAMED 3

'Trwy'r stumog mae mynd at galon dyn.'

Unwaith i mi gydsynio doedd dim troi 'nôl. Aeth yr amser yn gyflym, fel petawn i'n deithiwr mewn cerbyd oedd yn cael ei dynnu gan ddau geffyl carlamus (a chryf). Ro'n i'n gweld y byd yn gwibio heibio, allan o'm rheolaeth; ro'n i'n dechrau chwysu.

Pan gyrhaeddais i'r gwaith dydd Llun, roedd e-bost yn fy nisgwyl.

I: uncneuen-fach!@enildram.co.uk
Oddi wrth: mam_fach@hatmail.com
Pwnc: Marw!

Ti'n mynd i ladd fi!
Erin

Ro'n i'n amheus o hynny. Y noson gynt, ro'n i methu dod â fy hun i daro cleren oedd yn chwyrnu fel hen ddyn ag emphysema amser omnibws *Pobol y Gwm*. Yn y diwedd, bu'n rhaid i mi dapio *Pobol y Gwm* ac agor pob ffenest a drws yn y gobaith y byddai gan Miss Cleren y synnwyr i gymryd y goes. O ganlyniad roedd hi'n hanner nos arna i'n gorffen gwylio'r 'Gwm' a chan fy mod i'n ddau ddeg wyth ac, felly, ddim mor ifanc ag y bûm, ro'n i fel wew pan oedd rhaid i mi godi'n blygeiniol.

I: mam_fach@hatmail.com
Oddi wrth: uncneuen-fach!@enildram.co.uk
Pwnc: Marw?!

Be ti di neud?
Judith

I: uncneuen-fach!@enildram.co.uk
Oddi wrth: mam_fach@hatmail.com
Pwnc: Ie, marw!

Fe ddaliodd hi fi ar foment wan.
Erin

I: mam_fach@hatmail.com
Oddi wrth: uncneuen-fach!@enildram.co.uk
Pwnc: Hi

Pwy yw hi?
Judith

Es i wneud dished, a chan fy mod i'n gwneud un i
mi fy hun cynigais un i'r lleill hefyd.

Canlyniad hyn oedd mod i'n gorfod gwneud wyth
paned. Yn y diwedd, roedd yn rhaid i mi nôl papur a
phen a gwneud rhestr. Roedd dau newydd ar
hyfforddiant gwaith. Roedd Lowri (eisiau bod yn Fòs
un dydd) wedi rhoi'r gorau i gaffîn ac roedd Andrea (y
Bòs) wedi rhoi'r gorau i gymryd *sweetener* gyda'i
choffi. Trueni. Byddai rhai'n dweud bod angen tipyn
o siwgr arni.

Dyma'r rhestr: un coffi du dim siwgr (Andrea –
potel arall o win neithiwr ac ar nos Sul a chwbwl?

30

Twt, twt.) Un *cappucino* ac un siocled poeth. (Ble roedd y pethau hyfforddiant gwaith 'na'n meddwl o'n nhw? Starbucks?) Un te cryf, un siwgr, dim llaeth. Un te gwan, dau siwgr a llaeth. Dau de llaeth, dim siwgr. Un te echinacea a loganberry (Lowri – roedd rhai pobol yn gwneud gyrfa o fod yn wahanol, bendith arni).

Ro'n i'n eistedd yn ôl wrth fy nesg cyn i mi sylweddoli mod i heb wneud dished i fi fy hun. Allwn i fentro ail-lenwi'r tegell? Sbeciais dros dop y cyfrifiadur a dal llygaid llwynog Andrea'n edrych yn ôl trwy sgrin ffenest ei swyddfa. Na, penderfynais. Roedd Andrea'n sgut am arbed egni. Roedden ni'n defnyddio dwy ochr y papur wedi ei ailgylchu, ond dim ond mewn argyfwng! Gwell gan Andrea i ni beidio defnyddio papur o gwbwl. Trwy gil fy llygaid, gwelais Lowri'n teipio fel petai ei bywyd yn dibynnu ar hynny. Diolch i'r paneidiau, roedd hi eisoes wedi ennill y blaen arnaf o hanner awr.

Roedd tair neges yn fy nisgwyl 'nôl wrth fy nesg. Gwnes fy ngorau i edrych yn brysur.

I: uncneuen-fach!@enildram.co.uk
Oddi wrth: mam_fach@hatmail.com
Pwnc: Marw!

Helo Judith
Lowri yw hi.
Paid bod yn grac.
Erin

Ro'n i'n methu addo – a finnau ddim yn gwybod beth roedd Erin wedi ei wneud eto.

I: uncneuen-fach!@enildram.co.uk
Oddi wrth: mam_fach@hatmail.com
Pwnc: Dal i farw!

Fi wedi gwahodd Lowri i'r clwb colli pwysau.
NB. Dim fy mai i oedd e.
Erin

O'r mawredd!

I: uncneuen-fach!@enildram.co.uk
Oddi wrth: mam_fach@hatmail.com
Pwnc: Ti'n fyw!!!

Judith?!!!
Tin siarad â fi?! Plîs Judith! Madde i fi!
Erin

Nawr, do'n i ddim eisiau bod yn fên. Os oedd rhywun eisiau mynd i glwb colli pwysau am y rhesymau cywir, wel, popeth yn iawn. Os oedd rhywun eisiau mynd i golli pwysau er mwyn cael 'bach o 'gwmni' ei gŵr – fel Erin – wel, pawb at y peth y bo.

Ond roedd Lowri'n stori arall. Er cymaint ro'n i'n ei hoffi, roedd Lowri'n sgimren denau. Roedd mwy o floneg gan hen gath strae! Roedd mwy o floneg gan fenyn di-floneg!

Do'n i ddim yn gwybod pam ei bod hi eisiau mynd i glwb colli pwysau. Na. Ro'n i'n gwybod yn

gwmws pam roedd Lowri eisiau mynd i'r clwb colli
pwysau – er mwyn iddi allu eistedd yno fel coes
lolipop rhwng dau fochyn bras yn cwyno mor dew
oedd hi!

I: mam_fach@hatmail.com
Oddi wrth: uncneuen-fach!@enildram.co.uk
Pwnc: Byw!!!

Iawn. Joiwch!
Judith

I: uncneuen-fach!@enildram.co.uk
Oddi wrth: mam_fach@hatmail.com
Pwnc: Dim gwerth ei fyw!

Judes! Alli di ddim. Alli di ddim gadael i fi fynd 'da honna!
Dwi ddim yn gryf fel ti!
Plîs Judes!! Er mwyn fi! Er mwyn priodas fi!
Ti yw ffrind gorau fi!!!
xxx

Ac efallai eich bod yn pendroni pam bod Erin
(oedd adre) yn e-bostio Lowri (oedd yn yr un swyddfa
â fi). Mwy am hynny nes mlaen. Roedd gen i
broblemau amgenach. Roedd Andrea'n camu'n fras
tuag ataf. Roedd ffeil yn ei llaw. Ffeil drwchus. Canodd
y ffôn. Cilwenais ar Andrea a chodi'r derbynnydd.

'Ti'n siarad â fi?' meddai Erin. Roedd côr yn crio
yn y cefndir. Sut y gall dau beth mor fach wneud
cymaint o sŵn?

'O, helô Mrs Bennet. Shwt y'ch chi?' meddais.

'Mrs Bennet?! Erin sy 'ma'r ffŵl . . .'

'Odw, wel, wy'n lico bod yn fishi.'

'O wy'n gweld. Ma' Andrea Ast 'na yw hi? Stopia hi Gwen! Ma' Mami wedi dweud wrthot ti am beidio batho tedi yn y toilet. A Gwern – dim brwsh llawr yw brwsh dannedd Dadi!'

'Odi, odi. 'Na chi . . .' dywedais gan nodio fy mhen yn ffug. Gwenais eto ar Andrea.

'Ffona fi pan fydd hi 'nôl yn ei chwt. Paid anghofio. Ma' isie gwneud trefniade ar gyfer heno.'

Clywais fonllef ar ben arall y ffôn. Rhaid bod ysgyfaint plentyn yn datblygu cyn gweddill ei gorff. Doedd yr efeilliaid ddim llawer talach na fy mhen-gliniau, ond gallen nhw guro Bryn Terfel mewn cystadleuaeth weiddi.

'Rhaid i fi fynd!' Mae panic yn llais Erin. 'Ma' Gwen wedi cael ei llaw yn sownd yn yr u-bend.'

'Diolch yn fawr Mrs U-bend, y, Bennet. A diolch yn fawr i chi am ffono.'

Doedd Andrea ddim yn gwenu ac ailosodais y derbynnydd yn ei grud yn ddiseremoni.

'Wy'n gweld bo ti'n brysur. Ond ti'n meddwl bod amser 'da ti i wneud bach o waith ychwanegol heddiw?'

Gosododd Andrea Ast ffeil carreg fedd glatsh ar y ddesg.

'Thgwrs. Cwsmer oedd 'na, isie pris, wrth gwrs; dywedais wrthi am eich ffonio . . .'

Torrodd ar fy nhraws.

'Wy'n gwbod yn iawn pwy oedd 'na. *Hanes Waliau Cerrig Trwy'r Oesoedd*. Eisiau addasiad Cymraeg erbyn dydd Gwener. Llyfr tew arall fydd neb yn 'i ddarllen, siŵr o fod. Ond nid ein problem ni yw hynny. Mond eu bod nhw'n talu. Alla i ofyn i Lowri os oes gormod 'da ti ar dy blât . . .'

Suddodd fy nghalon. Ac i feddwl mod i'n credu bod *Problemau Seiciatryddol yn y Blynyddoedd Hŷn* yn ddiflas yr wythnos gynt.

'Na, mae'n iawn,' meddais a gorfodi fy hun i wenu. ''Nes i, y, hanes yn yr ysgol.'

Rhoddoddd Andrea ei dwylo ar y ddesg a phwyso tuag ataf. Ro'n i'n gallu arogli ei hanadl garlleg a gweld ei bronnau pitw yn y gofod rhwng ei blows a'i brest. Un peth oedd bod yn denau. Ond o'n i wir eisiau bronnau ffilets ffowlyn?

'Sut mae dy fam?' sibrydodd Andrea.

'O, lot yn well, diolch,' atebais gan edrych yn bositif.

'Gartre nawr?'

'Odi, odi. Ers rhyw wythnos.'

'Da iawn. Fyddi di 'nôl i normal te.'

'Byddaf. Diolch am ofyn.'

Chwarae teg, meddyliais, ar ôl iddi fynd. Doedd hi ddim yn ddrwg i gyd. Ond wrth i mi agor y clorwth *Hanes Waliau Cerrig Trwy'r Oesoedd* a thynnu mysl yn fy mraich wrth wneud jest â bod, roedd amheuon annifyr yn fy mhigo. Gwnes ymdrech i'w hanghofio ym mherfedd y paragraff cynta o, sai'n gwybod, deg mil o eiriau o leia!

'Ni all ffens, sy'n para rhyw bum mlynedd ar hugain, gystadlu â wal gerrig sy'n para am o leiaf gant a hanner o flynyddoedd . . .'

Dydy Andrea ddim wedi dweud dy fod ti heb fod yn tynnu dy bwysau tra oedd dy fam gyda ti, Judith fach! Na, dydy hi ddim wedi dweud hynny. Ond, rhyw ddweud heb ddweud yw steil Andrea.

Beth arall o'n i fod i'w wneud, pan ffoniodd y meddyg fi yn y gwaith? Roedd niwmonia ar y fenyw! Roedd angen rhywun i ofalu amdani. A phwy arall allai hi ddibynnu arni mewn creisis ond ei hunig ferch? (Wel, ocê, ei gŵr efallai, ond dyn yw e!) Roedd hi'n ddyletswydd arna i i chwarae bod yn nyrs.

Roedd Erin yn angharedig iawn yn dweud mai dim ond Mam allai gael salwch sydd wedi darfod ers yr Oesoedd Canol. Ac roedd hi'n gwbl, gwbl annheg iddi ganmol Mam am ffeindio ffordd mor giwt o gadw llygad arna i, a minnau wedi cael caniatâd i brynu lle fy hun ar ôl byw adre yr holl flynyddoedd.

'Mae'r waliau cerrig i gyd yn sych, ond mae rhai'n dechrau dirywio . . .'

Nid dyna'r gwaetha.

Rwy'n cochi hyd fy nghlustiau wrth gofio.

Gad iddo fynd, groten. Nid dy fai di oedd e. Ond *roedd* bai arna i. Fe ddylwn i fod wedi dweud yn blaen beth oedd yn bod ar Mam pan adewais y swyddfa ganol bore yn fy nagrau ar ôl i'r doctor ffonio gyda'r newydd. Beth arall oedd Andrea a gweddill yr uned i fod i feddwl, yn arbennig a ninnau'n gweithio fel lladd nadroedd i ddod â *Talu Treth – y Camau Cyntaf* i fwcwl cyn y dedlein y diwrnod hwnnw? Beth arall o'n nhw fod i feddwl ond bod Mam wedi marw?

Fe ddylwn i fod wedi sylweddoli pan ddaeth y tegeiriannau gwynion pert 'na i'r tŷ. Fe ddylwn fod wedi sylweddoli cyn i mi ffonio i ddiolch â'm llais yn gryg. Gallwn fod wedi arbed fy hun rhag sefyllfa annifyr iawn pan ofynnodd Andrea i mi pryd oedd yr angladd.

'Gellir galw llawer enghraifft o gerrig sylfaen a chlogfeini yn feini hirion (monoliths) . . .'

Dim ond Erin allai ddweud y dylai Dad ofalu am Mam yn ei gwaeledd. Ond beth fyddai hwnnw'n ei wneud ond dweud wrthi ei bod hi'n bryd codi ar ôl awr neu ddwy o adferiad? Nid am ei fod e'n ddyn cas, ond am ei fod yn gweld pethau'n ddu a gwyn. Yn ddydd a nos. Byw neu farw. Ac os mai byw oeddech chi fe ddylech fod ar eich traed. Niwmonia neu beidio.

Allwn ni ddim gofyn i Robin – er bod Mam wedi awgrymu hynny yn ei thwymyn achos bod y ddau yn ffrindiau mynwesol ers iddo ei nyrsio yn yr ysbyty (swyddogol) a chynnig sesiynau reiki iddi (yn answyddogol). Dim byd i Dad boeni yn ei gylch, nid bod llawer yn ei boeni yntau ffwl-stop. Roedd Mam yn gwadu'n ffyrnig bod Robin yn hoyw. Doedd e jest heb gyfarfod y ferch iawn eto, meddai hi. Ond roedd llawer o bobol yn ansicr yn ei gylch achos ei ymddangosiad destlus, ei fywiogrwydd, a'r ffaith ei fod yn rhoi ei ffydd i gyd mewn *massage* i'r pen. A beth bynnag, doedd e ddim yn deulu. Fi a Dad yw ei theulu.

Roedd Mam yn edrych mor fregus, mor druenus yn y ward. Beth allwn i ei wneud ond taflu fy mreichiau amdani a'i chwtsho'n dynn a sibrwd y cai ddod adre i nghartre i i wella?

Roedd dwy neges ar fy nghyfrifiadur.

I: uncneuen-fach!@enildram.co.uk
Oddi wrth: mam_fach@hatmail.com
Pwnc: Toilet

Creisis toilet drosodd! U-bend dim gwaeth. Efeilliaid yn dawel. Wedi rhoi Smarties iddyn nhw.
ON. Ti dal heb ffonio fi!
Erin

I: Bawb
Oddi wrth: charming@wahoo.co.uk
Pwnc: Oriau Swyddfa.

Nodyn atgoffa ynglŷn â defnydd o oriau swyddfa ar gyfer anghenion personol:

Mae'r holl offer swyddfa yn eiddo i'r cwmni. Mae hynny'n cynnwys pethau megis ffôn, cyfrifiadur, papur, pìnnau ysgrifennu a holl gynnwys yr ystafell stoc.

Dylid defnyddio oriau gwaith ar gyfer busnes swyddogol y cwmni yn unig.

Bydd unrhyw un sy'n methu â chadw at y telerau a nodwyd uchod yn torri amodau eu cytundeb gwaith. (Gweler Telerau Cyflogaeth, Adran 4, Is-adran 13, Pwynt 39.)

Andrea Charming,
Uwch-gyfarwyddwr Chwarae ar Eiriau

Anfonais decst at Erin amser cinio.

Ngs i Erin:
Sri. 'Di bod yn brysur!

Ngs i Judith:
Paid becs. Hectic fan hyn fyd. Beio Smarties! Faint o gloch heno?

Ngs i Erin:
Wnai nôl ti am wyth

Ngs i Judith:
Grêt. Dwed wrth Lowri bo tn mnd â car te. Ewn ni i'r Llew am un rôl clwb

Wnes i ddim trafferthu tecstio'n ôl i ddweud bod mynd i'r Llew am 'un' yn gwbwl groes i ysbryd unrhyw glwb colli pwysau gwerth ei lyfr calorïau. Oni bai mai potel o ddŵr oedd yr 'un' yna. Ac o nabod Erin, ro'n i'n amheus o hynny.

'Wyth yn iawn i ti heno?' gofynnais i Lowri wrth i ni fwyta cinio; ro'n i'n weddol siŵr na fyddai neb yn ein clywed.

'Grêt. Wy'n bwyta fel mochyn y dyddiau hyn.'

Gorffennodd ei salad couscous a ffa alffalffa a mynd 'nôl at ei desg.

Agorodd drws y stafell baned a gwelais Andrea'n sbecian i mewn. Ei gwallt welais i gynta. Roedd ganddi lond pen o wallt cyrls coch bras a fyddai'n elwa o gael twtsh o *conditioner*, yn ôl Lowri.

'Ti'n gwneud rhywbeth neis heno?' gofynnodd gan sbecian trwy ffrâm ddu ei sbectol drawiadol ar fy *baguette* Brie a *cranberry*. Wel, mae hyd yn oed y condemniedig yn cael swper ola.

'Wy'n mynd i –'

Roeddwn i bron â dweud y gwir wrthi! Dweud fy mod yn mynd i glwb colli pwysau! Man a man cyfadde fy mod i'n dwlpen dew! Y math o bŵr dab roedd y diwydiant slimo'n dibynnu arni! Diolch i'r drefn, stopiais fy hun mewn pryd rhag embaras mawr, a dywedais, 'Wy'n mynd i olchi fy ngwallt,' gyda gwên angylaidd.

O leia nawr fyddai hi ddim yn meddwl fy mod i'n drist iawn, iawn.

A jest achos nad oeddwn i eisiau mynd i glwb colli pwysau gyda Lowri, doedd hynny ddim yn golygu nad o'n i eisiau cwmni Lowri o gwbwl. Nid ei bai hi oedd ei bod hi'n denau, er mwyn dyn! Y gwir oedd bod y ddwy ohonon ni'n dipyn o bartners y dyddiau hyn – er ein bod ni mor gystadleuol â dwy fam mewn Steddfod – ac mae yna stori am hynny hefyd.

Sut y daeth Lowri a finnau'n ffrindiau pennaf

Doedd Lowri ddim yn nerfus y bore hwnnw. Ond doedd Lowri byth yn ymddangos yn nerfus – hyd yn oed pan o'n ni'n sefyll ein harholiadau gradd neu'n aros i weld a oedden ni wedi pasio'n harholiadau gradd a'r marciau hynny'n cael eu gosod ar restr ar y wal i'r byd i gyd eu gweld.

Rwy'n meddwl mai alarch yw Lowri. Mae hi'n ymddangos yn osgeiddig tu hwnt, ond pwy a ŵyr beth sy'n mynd ymlaen o dan yr wyneb? Fyddwn i'n synnu dim petai hi, fel y gweddill ohonom, yn cicio fel y diawl!

Pan glywodd hi ei bod wedi cael cyfweliad ar gyfer swydd cyfieithydd gyda chwmni Chwarae ar Eiriau, fe gynigiais i fynd gyda hi yn gwmni – achos fy mod yn meddwl am yr alarch. Ac fe dderbyniodd fy nghynnig yn syth – oedd yn gwneud i mi feddwl bod fy amheuon i'n iawn.

Roedd gen i ddiwrnod rhydd o'r gwaith y diwrnod hwnnw – digwydd bod â dim byd gwell i'w wneud. (Dim galwadau teuluol am unwaith.) Ro'n i'n ddigon hapus i fod o help i rywun ac roedd Lowri'n ddigon bodlon i gael rhywun i ofalu amdani. Golygai fy mhresenoldeb fod ganddi rywun i ddal ei briffcês pan oedd hi yn y tŷ bach (arwydd arall bod yna nerfau wedi'r cwbwl!), rhywun i fod yn ddrych dynol i fesur nad oedd hi'n gwisgo gormod o golur, rhywun i sychu'r baw oddi ar ei hesgid ar ôl iddi drochi ar y ffordd o'r maes parcio i'r swyddfa yn y dre.

Doedd dim mymryn o ots 'da fi wneud y pethau hyn. I mi, roedd gofalu am Lowri'n fraint, fel chwarae â doli brydferth iawn oedd ddim yn berchen i chi. Lowri oedd *Girl's World* a minnau'r ferch fach yn ei phincio ar gyfer yr achlysur mawr.

Ro'n i'n hapus achos doedd Lowri ddim yn wraig fawr. Doedd dim byd pwysig yn ei hosgo. Dim clemau diangen. Yn wir, roedd yn rhaid i mi fod yn ddrych iddi er mwyn iddi gael adlewyrchiad teg. Chi'n gweld, doedd gan Lowri ddim syniad pa mor brydferth oedd hi. Neu, os oedd hi'n gwybod, doedd hi byth yn dangos hynny.

Roedd y ddwy ohonon ni'n lled nabod ein gilydd yn y coleg, ond do'n ni ddim yn yr un criw wrth reswm. Roedd Lowri'n un o'r merched cŵl, y merched pert roedd pawb yn eu hedmygu neu'n eiddigeddus ohonyn nhw, y merched roedd y bechgyn i gyd yn eu ffansïo. (Peth nad oedd gan Lowri unrhyw ddiddordeb ynddo achos ei bod wedi gwneud addewid iddi ei hun na fyddai'n caru yn ystod ei blynyddoedd coleg ond yn hytrach yn canolbwyntio ar fwynhau ei hun. A dyna beth arall roedd yn rhaid i mi ei edmygu ynddi.)

Oherwydd y pethau hyn i gyd gallwn faddau i Lowri pan fyddai'n dweud ben bore, 'O wy'n drychyd fel drychiolaeth!' pan oedd hi'n edrych yn debycach i siwpermodel nag y byddwn i ar ôl treulio blwyddyn gyfan yn taclu. Neu pan fyddai hi'n gwichial, 'Wy'n teimlo mor dew!' a hithau wedi rhoi un pwys ymlaen (a dim ond achos ei bod hi'n gwisgo jîns trymach nag arfer neu gardigan ychwanegol, mae'n siŵr) a minnau'n edrych fel eliffant sydd wedi bod ar ddeiet siocled-yn-unig wrth ei hochr!

Ro'n i'n maddau'r pethau hyn i gyd iddi.

Doedden ni ddim wedi cadw mewn cysylltiad ar ôl coleg achos do'n ni erioed yn ffrindiau yno. Ond un diwrnod ro'n i ar neges o'r argraffwyr lle ro'n i wedi bod yn gweithio ers blwyddyn (achos mod i'n methu penderfynu beth ro'n i eisiau ei wneud go iawn, ac roedd Dad yn nabod y perchennog). Clywais waedd o ochr draw'r stryd a dyna hi Lowri yn trybowndian draw ata i – na, dim trybowndian chwaith, ond gleidio fel tywysoges osgeiddig ar iâ. Ar ôl lot o 'sut wyt ti's' a 'ti'n gweld rhywun o'r coleg' a 'beth ti'n wneud nawr' dyma ddarganfod bod Lowri wedi cael swydd fel newyddiadurwraig ar y papur newydd lleol. A dyma gytuno i fynd am baned yn y fan a'r lle a ffeindio mas bod Lowri'n casáu bod yn newyddiadurwraig gyda'r papur newydd lleol, achos bod gofyn iddi holi cwestiynau cas i bobol. Ac weithiau roedd pobol yn ei ffonio hi yn llefain y glaw oherwydd yr hyn roedd hi wedi'i sgwennu. Doedd ei siom ddim yn fy synnu i achos, fel rwy wedi bod yn trio dangos i chi, dydy bod yn gas ddim yn natur Lowri.

Byddech chi'n meddwl y byddwn i wrth fy modd yn cael ffrind fel Lowri ac mi oeddwn i. Ond efallai y byddwch chi'n synnu clywed mai Lowri wnaeth y rhedeg i gyd ar ddechrau ein cyfeillgarwch. Ro'n i'n dal i'w chael hi'n anodd derbyn y byddai rhywun fel hi eisiau bod yn ffrindiau gyda rhywun fel fi, ac felly ro'n i'n rhy ofnus o lawer i wneud y cam cynta. Lowri fyddai'n fy ffonio i ngwahodd am ginio i ddechrau, yna am ddrinc neu drip i'r sinema. Ond doedden ni ddim wedi symud ein cyfeillgarwch ymlaen i'r cam nesa. Do'n ni ddim wedi treulio noson gyfan yn swpera – a nes y bydden ni'n gwneud hynny, fyddai'r swildod byth yn diflannu'n llwyr.

Mae nabod Lowri wedi dysgu llawer iawn i mi amdanaf i fy hun. Os ydw i'n meddwl bod pobol yn barnu eraill am fod yn sobor o dew, mae gan bobol sobor o brydferth yr un broblem yn union.

'Ti'n gweld, Judith, dyw merched ddim yn lico fi i ddechrau, 'na beth yw eu hymateb cynta nhw – dy'n ni ddim yn lico honna,' meddai wrth sipian ei pheint yn y dafarn un noson. Ie, peint llawn i Lowri am ei bod hi'n gallu bwyta ac yfed beth bynnag oedd hi eisiau heb rhoi pwys ymlaen. *G and T* a *low calorie tonic* i fi achos bod gen i *metabolism* ara iawn a bod jest edrych ar fwyd a diod yn fy ngwneud i'n dwlpen dew.

'Dy'n nhw ddim yn trysto fi, t'wel, Judith, a phaid â threial dweud fel arall achos ddwedodd merch wrtha i unwaith bod menywod ddim yn fy nhrysto i achos eu bod nhw'n meddwl mod i'n mynd i ddwgyd eu dynion nhw.'

Roedd hi wedi ei dal hi braidd y noson honno neu fyddai hi byth wedi cyfadde hyn i gyd i mi. Llyfr caeedig, dyna Lowri. Roedd yn rhaid edrych o dan yr wyneb a dychmygu'r coesau alarch duon yn cicio fel y diawl.

'Meddylia! Sai ar ôl bob dyn mwy nag wyt ti, Judith!'

'*Speak for yourself,* cariad,' atebais i.

A dechreuodd y ddwy ohonon ni chwerthin. A fan'na fuon ni'n chwerthin a thrio yfed pan oedden ni'n saff nad oedd pwl arall o bwldagu ar y ffordd.

Bore sych o hydref oedd bore'r cyfweliad. Ond roedd hen wynt main oedd yn fy ngwneud i'n falch o fy anorac gwiltiog, er ei bod yn gwneud i mi edrych fel pentwr o deiars car mewn garej. Roedd Lowri hefyd bron â sythu. Fel dywedais i, does dim owns o floneg arni, a byddai hi'n rhynnu mewn *heatwave*. Felly, i mewn â ni i bencadlys Chwarae ar Eiriau – mewn gwirionedd, un llawr yn unig o'r adeilad teras trawiadol yn y dre. Chawson ni fawr o amser i edrych o'n cwmpas cyn i ddyn main mewn siwt gamu tuag atom. Roedd e'n gwenu gyda'i geg ac yn dal ei ddwylo fel petai mewn pader.

'Deg o'r gloch ar y dot,' meddai'n crymu ei ben tuag atom, yn amlwg wedi ei blesio. 'Chi 'di dod i'r cyfweliad wrth gwrs.'

'Odw,' atebodd Lowri ond roedd y dyn main wedi symud ymlaen heb roi ei enw na gofyn am ein henwau ninnau chwaith. Yna, rwy'n siŵr i mi ei glywed yn clicio'i fysedd, er mor annhebygol mae hynny'n swnio nawr. Dyma ddyn oedd yn hoffi gwneud popeth yn ôl yr amserlen, meddyliais ar y pryd, ac ni allwn lai na theimlo'n flin dros ei wraig. Dechreuodd Lowri ei ddilyn i fyny'r grisiau ac amneidiodd arna innau i wneud yr un peth. Es i ar ei hôl fel ci yn dilyn ei feistres. Roedd Lowri wedi dweud bod fy mhresenoldeb i'n llesol. Anodd dychmygu pam, achos ro'n i'n ddigon nerfus drosom ni'n dwy. Dringodd y ddwy ohonon ni ris o staerau serth a minnau'n trio peidio dangos fy mod i allan o bwff yn lân.

Ar dop y landin, gwelwn goridor hir yn ymestyn o mlaen â drysau'n arwain i bob cyfeiriad.

'Lowri?' gofynnodd y dyn. Gwenais ac amneidio ar Lowri.

'Oes stafell aros yma?' gofynnodd hithau ar fy rhan.

'Oes,' meddai'r dyn a gwenu arna i, i ddangos ei fod yn deall y byddwn yn aros i gefnogi fy ffrind. 'Dewch gyda fi,' meddai wrth Lowri a gwneud arwydd i'r chwith i mi fynd trwy'r drws agosa. Ches i ddim cyfle i ddymuno'n dda yn deidi i Lowri cyn iddi hi a'r dyn main ddiflannu trwy ddrws ar y dde.

Wnaeth y gwir ddim gwawrio arna i pan gamais i mewn i'r stafell aros. Ro'n i'n disgwyl cadeiriau esmwyth a phobol yn aros eu tro. Roedd y bwrdd mawr sgleiniog yn syrpreis, ond feddyliais i ddim llawer am hynny chwaith. Roedd pawb yn gwenu'n gyfeillgar arna i ac eisteddais i lawr ar gadair nesa at y drws, peth hollol naturiol i'w wneud.

Alla i ddim a dweud fy mod i heb sylwi bod yr ymgeiswyr eraill mor siaradus. Pan fydda i'n nerfus rwy'n dueddol o fod dipyn bach yn dawel fy hun. Ac fe fyddai rhai yn mynd mor bell â dweud eu bod nhw'n fusneslyd yn gofyn yr holl gwestiynau yna. Rwy'n cofio un ddynes yn arbennig. Sioe o wallt fel môr-forwyn. Botymau ei siaced wedi'u cau hyd at ei gên. Ymylu ar fod yn hen drwyn. Ond ar y pryd ro'n i'n meddwl mai awyddus o'n nhw i bwyso a mesur yr ymgeiswyr eraill.

'Pa radd sy gennych chi yn y Gymraeg?'

'Pa swydd y'ch chi'n ei wneud ar hyn o bryd?'

'Beth y'ch chi'n ei feddwl o safon cyfieithu yn gyffredinol?'

Allech chi feddwl mai fi oedd yn mynd am gyfweliad swydd!

Dwi ddim yn gwybod beth ddaeth drosta i. Rhyw

ymateb i'r adrenalin ar ôl y nerfau? Yn sydyn, ro'n i yn yr hwyl am dynnu coes.

'Pam chi'n meddwl mai chi ddylai gael y swydd?' oedd y cwestiwn.

'Achos fi yw'r ymgeisydd gorau!' meddwn i gan wenu'n ddrygionus. Yna, rhag ofn mod i'n swnio'n rhy haerllug, ychwanegais, 'Rwy'n cadw fy nhrwyn ar y maen ac rwy'n gweithio'n galed.'

Nodiodd y fôr-forwyn ei phen yn frwd, 'Diolch yn fawr Lowri,' meddai.

Wrth i mi godi, roedd ar flaen fy nhafod i ddweud mai Judith o'n i, ond yna agorodd y drws a fel petai trwy rhyw hud a lledrith roedd y dyn main yn sefyll yno yn fy ngalw ag arwydd o'i law ac fe es i gan gofio am ei ffeil a'i amserlen dynn. Unwaith ro'n i drwy'r drws pwyntiodd y dyn at y drws ar y dde. Dyna'r tro cynta i mi feddwl bod rhywbeth yn od go iawn. Dyna oedd y drws roedd Lowri wedi mynd trwyddo i gael ei chyfweliad. Do'n i ddim yn lico dweud dim byd. Roedd hwn yn amlwg yn gwybod ei bethau'n well na fi. Anghofiais i bopeth am y peth pan welais i Lowri'n eistedd ar rhyw lun o soffa oedd yn edrych yn anghyfforddus tost.

'Fues ti'n hir yn y tŷ bach. Ti'n iawn?' gofynnodd Lowri a golwg ddryslyd ar ei hwyneb.

'Ti 'di bod mewn 'to?' gofynnais i.

'Na. Wy'n dechrau teimlo tamaid bach yn nerfus, dweud y gwir 'thot ti. Wy'n gallu'u dychmygu nhw nawr yn eistedd fan'na rownd rhyw ford fawr gron fel y Sanhedrin yn barod i'n holi i'n dwll.'

Dyna pryd y sylweddolais i. Dyna pryd y torrodd y wawr.

'O Lowri, wy'n credu mod i 'di neud camgymeriad ofnadwy,' meddais gan grynu fel llygoden fach. 'Wy'n credu mod i newydd gael cyfweliad ar gyfer dy swydd di.'

Daeth rhyw sŵn bach o wddw Lowri. Rhywbeth rhwng sgrech babi a chrawc brân mewn poen.

Fe ddechreuais esbonio, ond roedd y cwbwl yn dod mas yn un dwmbwl dambal. Edrychodd Lowri arna i fel petawn i wedi mynd o ngho. Yna, agorodd y drws a gofynnodd y dyn i Lowri Bannister ddod gydag e ac edrych i fyw fy llygaid i.

'Fi yw Lowri,' meddai Lowri a neidio ar ei thraed; am eiliad roedd e fel yr olygfa yn y ffilm yna, *Spartacus*, pan mae'r milwyr yn edrych ar y dorf o ddynion a does dim cliw gyda nhw pwy sy'n dweud y gwir. Ar ôl i mi esbonio'n garbwl, dyma benderfynu y byddai'r dyn main yn mynd i egluro o flaen y Sanhedrin tra bod y dwy ohonon ni'n aros yn y stafell aros eto fyth.

Cerddais 'nôl a mlaen ar hyd y stafell. Eisteddodd Lowri gan blethu'i bodiau. Ddywedodd hi ddim byd. Roedd hi'n groten rhy ffein i hynny. Daeth y dyn main nôl.

'Wnân nhw'ch gweld chi nawr – y ddwy Lowri,' meddai a gwenu'n ddireidus. Roedd ganddo synnwyr digrifwch wedi'r cwbwl a theimlais yn well ar ran ei wraig.

A bod yn hollol onest, ro'n i'n disgwyl stŵr ofnadwy a hynny nes mod i'n tasgu. Ro'n i wedi clywed oddi wrth Lowri nad Andrea Charming, bòs Chwarae ar Eiriau, oedd y person mwya hawddgar yn y byd. Roedd hi'n lico cadw'i dwylo ar yr awenau ac roedd hynny'n golygu ei bod hi'n cadw llygad ar bob darn o waith oedd yn mynd o'r swyddfa. Ac roedd hi'n ffysen o'r radd flaena. Hyd yn oed petai Leonardo Da Vinci wedi dangos ei gampwaith, nenfwd Capel y Sistine, iddi byddai wedi gofyn am y brwsh i gael newid rhywbeth.

Ro'n i'n disgwyl iddi sychu'r llawr â mi! Neu wneud i mi sefyll yno fel llo wrth iddi hi fy anwybyddu'n llwyr tra oedd hi'n siarad gyda Lowri. O'n i'n chwysu'n stecs wrth gerdded ar hyd y coridor i'r stafell ar y chwith. Ac fe ges i sioc ar fy nhin pan agorwyd y drws i gymeradwyaeth uchel a phawb yn gwenu fel ffyliaid arna i. Ie, arna i!

Ro'n i'n teimlo fel actor newydd berfformio rhyw dric neu dwyll ar lwyfan theatr oes Fictoria – fel Jekyll a Hyde efallai – ac er gwaetha'r ymateb ro'n i'n teimlo'n annifyr iawn ynghylch y ddichell.

Fe dreuliais i ugain munud annifyr iawn 'nôl yn y stafell aros – oedd yn rhy anghyffforddus i aros ynddi'n hir – yn gweddïo y byddai Lowri'n gwneud sioe dda o'i chyfweliad hithau hefyd. Ac os na fyddai hi? Wel, fyddai Lowri byth yn maddau i mi! Ac yn waeth na hynny, fyddwn i byth yn maddau i fi fy hun!

Fe ofynnwyd i ni'n dwy fynd 'nôl i'r stafell gynadledda a sefyll fel dwy groten ddrwg o flaen y brifathrawes, Andrea Charming. Yn gynta, ac er mawr ryddhad i mi, fe wnaeth hi longyfarch Lowri ar ei swydd newydd fel Cyfieithydd. Gwenodd Lowri fel petai hi'n disgwyl hynny. Roedd hi wedi gleidio drwy'r cyfweliad fel mae'n gwneud trwy bopeth mewn bywyd. Yna, trodd Andrea ei sylw ata i. Er ei bod yn gwenu, rhyw wenu dan straen oedd e.

'Judith, mae gen ti dipyn o gyts yn dod ger ein bron ni fel petai'n golygu dim i ti – heb gyfweliad, heb gais am swydd hyd yn oed,' meddai Andrea'n ddi-wên. 'Dyna pam ry'n ni wedi penderfynu cynnig swydd i tithe hefyd. Llongyfarchiadau.'

Edrychodd arna i am amser hir ac ro'n i'n cael yr argraff ei bod yn fy edmygu. Cododd hynny ofn arna i.

Mae profiad fel hyn yn gwneud i rywun sylweddoli cymaint mae cyflogwr yn ei fentro gyda'u staff newydd, cyn lleied maen nhw'n wybod amdanoch pan maen nhw'n penderfynu cynnig swydd i chi. 'Gyts.' 'Dod ger ein bron fel petai'n golygu dim i ti.' Roedd hi'n gwbwl amlwg nad oedd Andrea Charming a'r bwrdd cyfweld yn fy nabod i o gwbwl. Flwyddyn yn ddiweddarach, pan adawodd Zöe Môn ar gyfnod mamolaeth a phenderfynu peidio dod 'nôl, Lowri gafodd ei dyrchafu'n Uwch-gyfieithydd er ei bod wedi fy mherswadio innau i fynd amdani hefyd.

Roedd Lowri wastad yn trio fy annog i wneud yn fawr o gyfleoedd er mod i'n hapus i beidio â thynnu gormod o sylw ataf fy hun. Ro'n i'n fodlon yn byw gartre gyda Mam a Dad nes i Lowri fy mherswadio i fynd i chwilio am le i mi fy hun. Ro'n i'n hapus gyda phethau fel o'n nhw, dyna fy mhroblem i, medden nhw, ac roedd angen Lowris y byd yma arna i i wneud i fi ddyheu am rywbeth amgenach.

Roedd Erin o'r farn bod Lowri am i mi drio am swydd Zöe Môn er mwyn iddi hi allu clochdar pan fyddai'n cipio'r dyrchafiad o dan fy nhrwyn. Dwi ddim yn cytuno â hynny. Y noson ar ôl i ni'n dwy ymuno â chwmni Chwarae ar Eiriau fe aethon ni am swper hir hyfryd o wlyb. Mae yna gystadleuaeth fach rhyngddon ni ym mhob peth ry'n ni'n ei wneud, ond ry'n ni'n ffrindiau penna ar yr un pryd. Rwy'n derbyn mai Lowri fydd yn trechu ym mhob peth, dim ots pa mor galed rwy'n trio. O dderbyn hynny, dwi byth yn siomedig ac mae fy ffrindiau'n dweud mai fi yw'r person mwya bodlon maen nhw'n ei nabod.

TAMED 4

'Bwyta i fyw, nid byw i fwyta.'

I: uncneuen-fach!@enildram.co.uk
Oddi wrth: mam_fach@hatmail.com
Pwnc: Anialwch rhywiol

Helo Judith
Heb gael dim ers pythefnos.
Erin
ON. Sylweddoli bod pythefnos ddim yn amser hir i rywun
fel ti. Ond cofier – cyn priodi roedden ni fel cwningod.

I: mam_fach@hatmail.com
Oddi wrth: uncneuen-fach!@enildram.co.uk
Pwnc: Rhagolygon – gwell?

Helo Erin
Dim disgwyl i chi fod 'fel cwningod'. Chi wedi cael dau o
blant.
Judith

ON. Cyn i ti ofyn sut wy'n gwbod. Rwy'n darllen
cylchgronau hefyd.

I: uncneuen-fach!@enildram.co.uk
Oddi wrth: mam_fach@hatmail.com
Pwnc: Rhagolygon – sych

Ti ond yn dweud hynny achos ti ddim yn gwbod y
ffeithiau llawn. Mae e'n 'gweithio'n hwyr' heno.

'Cyfarfod' meddai e. Ni gyd yn gwbod beth mae hynny'n feddwl!

Erin

I: mam_fach@hatmail.com
Oddi wrth: uncneuen-fach!@enildram.co.uk
Pwnc: Cyfarfod

Mae'r sychder wedi effeithio ar dy ymennydd! Cyfarfod yn golygu cyfarfod.
Ydy hynny'n golygu dy fod ti ddim yn mynd heno?

ON. Dwi ddim yn mynd chwaith 'te. Ddim yn mynd gyda Lowri!

ONN. Yfa lased o ddŵr. Lles i'r ymennydd. A cŵla lawr!

I: uncneuen-fach!@enildram.co.uk
Oddi wrth: mam_fach@hatmail.com
Pwnc: Dim yn dod

Odi e hec! Wrth gwrs mod i'n dod heno!
Wedi dweud wrth Brei bydd rhaid iddo fe golli ei 'gyfarfod' a dod adre i ofalu am ei blant am unwaith.

ON. Dwi ddim yn rhy browd i ddefnyddio'r plant i achub fy mhriodas.

I: mam_fach@hatmail.com
Oddi wrth: uncneuen-fach!@enildram.co.uk
Pwnc: Falch bo ti'n dod

Sdim byd yn bod ar dy briodas di! Mae Brei yn dy garu di!

I: uncneuen-fach!@enildram.co.uk
Oddi wrth: mam_fach@hatmail.com
Pwnc: Caru

Pam dyw e ddim eisiau CARU fi te?

ON. Aros nes iddo fe weld fy nghorff-newydd-golli-pwysau i. Fydd e ffaelu cadw'i ddwylo oddi arna i. A bydd yr un peth yn wir i ti hefyd.

ONN. Dim Brei wrth gwrs.

I: mam_fach@hatmail.com
Oddi wrth: uncneuen-fach!@enildram.co.uk
Pwnc: Caru Brei

Wrth gwrs.
Judith

Roeddwn i wedi blino'n rhacs wrth yrru adre. Roedd yr holl ddarllen yna am waliau cerrig wedi fy ngwneud mor ara â charreg yn rholio i fyny rhiw. Heb sôn am yr egni ro'n i wedi'i dreulio'n trio cynnal bywyd carwriaethol Erin yng nghanol ei gofid mawr (nid fy mod i'n gwarafun hynny i ffrind, cofiwch chi). Fel roedd Erin yn fy atgoffa'n gyson, fe fyddai hi'n gwneud yr un peth i fi petai gen i fywyd carwriaethol.

Doedd gen i ddim amynedd coginio ac ro'n i'n bwriadu estyn am y pryd parod cynta fyddai'n dod allan o'r rhewgell. Ro'n i'n gobeithio y gallwn gadw fy llaw mas o'r pecyn crisps tra bod y bwyd yn cynhesu yn y meicro. Wrth gwrs, o gofio ble ro'n i wedi cytuno i fynd y noson honno, efallai mai'r dacteg orau fyddai bwyta'r crisps. Bwyta digon fel mod i'n drwm ar y dafol. Yna, yr wythnos ganlynol, byddai unrhyw beth yn welliant.

Ac ro'n i mewn hwyl i gladdu bwyd.

Ro'n i wedi cael fy nal ar heol y coleg am hanner awr, diolch i gylchdro newydd y Cyngor a gynlluniwyd i ddileu tagfeydd traffig llai o faint na'r un rwy wedi bod ynddi.

Erbyn mod i adre, doedd dim lle i barcio y tu fas i'r tŷ. Roedd yn rhaid i mi adael y car yn y stryd ar waelod y tyle a cherdded i fyny'n llwythog gyda fy mag a briffcês.

Fe ges i ormod o amser i feddwl ar y ffordd. Hwyrach bod Andrea Ast yn iawn yn yr hyn ddywedodd hi. Do'n i ddim yn fi fy hun pan oedd Mam yn aros.

Doedd hi ddim yn gallu help ei bod hi'n sâl, wrth reswm. Doedd dim disgwyl iddi godi i wneud diod gynnes, paratoi bwyd, golchi, newid ei gŵn nos a'r coeled o bethau bach sy'n rhan o niwl bywyd bob dydd. Mae'n bosib mod i wedi blino tipyn bach a minnau'n codi mor gynnar i garco Mam cyn gadael y tŷ ac, felly, nad oeddwn i'n rhoi'r cant y cant y dylai pob gweithiwr da ei roi. Yn wir, ni fyddai Andrea'n fòs cyfrifol pe na bai'n tynnu fy sylw at y ffaith yma cyn iddo fynd yn fater disgyblu. Oedd e am fynd yn fater disgyblu?! Stopia bendroni, Judith fach.

Roeddwn i allan o wynt yn dod at y tŷ. Byddai gen i lai i'w gario petawn i ddim yn gorlwytho'r bagiau gyda geiriach diangen. Pam mewn difri calon o'n i wedi dod â *Hanes Waliau Cerrig Trwy'r Oesoedd* adre gyda mi? O'n i o ddifri am ei ddarllen yn y gwely gyda fy nghôco? Ac ro'n i'n poeni braidd y byddai'r ymarfer corff annisgwyl yma'n sioc i'r system ac yn fy ngwneud i'n annaturiol o ysgafn pan fyddwn yn cael fy mhwyso'n nes mlaen.

'Helô!' meddai llais mawr wrth i mi agosáu at y tŷ. Nabyddais y tinc hyderus yn syth.

'Ti'n hwyr!' meddai Mam yn fywiog. Roedd hi'n gwisgo mac lliw glas llygaid doli nad o'n i wedi ei gweld arni o'r blaen ac roedd ei gwallt cyrls yn llai afreolus nag arfer.

'Wy wedi bod yn y gwaith,' atebais gan chwilio am fy allwedd yn fy handbag.

'Wel wy'n gwbod 'ny. Ond ers pryd wyt ti'n gweithio'n hwyr? Ddywedodd 'run dyn ar 'i wely angau y licen nhw 'sen nhw 'di gweithio'n galetach,' meddai, gan godi'i haeliau a chau'i cheg fel twll botwm.

'Wel, wy 'di colli lot o waith achos . . .' Stopiais fy hun rhag dweud 'achos fy mod wedi gorfod gofalu amdanoch chi'. Do'n i ddim eisiau i Mam deimlo'n euog achos ei bod hi'n sâl!

'Wy 'di cael project newydd gan Andrea. Project mawr. Lot o gyfrifoldeb,' meddais gan ymbalfalu am yr allwedd. Dyma fe o'r diwedd. Yn fy mlinder ro'n i'n cael trafferth ei roi yn y clo.

'I beth wyt ti'n mynd i gwrso *promotion*? Gad y jobsys bras i Lowri Bannisters y byd. Nawr dere â'r allwedd 'na i fi plîs. Gei di ddod â'r cês.'

Agorodd Mam y drws ffrynt a mynd i mewn yn sionc fel oen bach. Stryffaglais i mewn i'r cyntedd myglyd gyda'r bag, y brîffcês llawn *Hanes Waliau Cerrig Trwy'r Oesoedd* a chês trymach na *Hanes Waliau Cerrig Trwy'r Oesoedd* cyn i mi feddwl gofyn . . . Cês. Pam oedd ganddi gês? Newydd symud mas oedd hi. Doedd bosib ei bod hi'n symud 'nôl i mewn! Roedd fy meddwl yn mynd ar ras. Roedd hi wedi gadael Dad i fod gyda Robin nad oedd yn hoyw wedi'r cwbwl (er bod rhai yn dweud ei fod). Neu falle mai Dad oedd wedi cael llond bol. Nid oedd byth yn dangos ei deimladau. Beth os nad oedd ganddo deimladau tuag at Mam rhagor? Y drewdod a'm achubodd i rhag meddylu a stopo'n stond.

'Pw! Beth sy 'di marw?' meddai Mam gan ddal ei thrwyn.

'Mister Pringles,' meddyliais yn uchel gan chwilio am y gath.

'Sdim well i ti 'i thowlu hi i'r rybish, 'te? Neu'i chladdu hi os lici di, achos wy'n gwbod bod ti'n un sentimental a ti'n lico'r hen giamen 'na.'

Dywedodd hi ddim, 'Sai'n gwbod pam ti'n lico'r hen giamen 'na', ond gallwn glywed y cogs yn ei chopa'n troi a dyna oedd yn mynd drwy ei meddwl.

Daeth Mister Pringles i lawr y grisiau'n araf gan stopio bob hyn a hyn i ymestyn ei goesau ar ôl bod yn cysgu mor hir, mae'n siŵr.

'Ma' hi'n fyw!' meddai Mam yn siomedig.

'Odi, mae "e" a wy'n credu'n bod ni newydd ddatrys dirgelwch beth ddigwyddodd i'r llygoden 'na ddaliest ti wythnos diwetha, Mister Pringles.'

Dywedodd Mister Pringles 'miaw' diniwed a

rhwbio'i hun yn erbyn fy nghoesau a gadael ei flew du ar hyd fy nhrowsus.

'Isie saethu fe – lladd anifail diniwed,' meddai Mam heb dinc o eironi. Doedd hi ddim wedi maddau i MP am neidio i'w gwely tra ei bod hi yn y tŷ bach (a minnau'n ei helpu.) Sdim ots am y niwmonia, fuodd hi jest cael harten pan setlodd hi 'nôl yn y gwely a theimlo dwy bawen yn sgrapo bysedd ei thraed.

'A well i ti agor ffenest neu fydda i ffaelu yfed y baned 'na,' meddai Mam yn hwff-pwffan wrth eistedd ger y bwrdd.

Roedd dau lygad gloyw ar gorff du fel dwy seren yn y nos yn fy ngwylio'n olrhain yr oglau drewllyd i'r man o dan y dresel. Es ar fy mhedwar ac estyn y corpws bach crin oddi tano. Wrth i mi ei roi yn y bin siglais fy mhen yn siomedig. Roedd MP yn dweud 'miaw' – 'paid â sôn', fel petai.

Yn ufudd, rhoddais y tegell ymlaen a bwydo Mister Pringles i'w gadw rhag simsanu rhwng fy nghoesau a thrio fy maglu tra bod tegell llawn dŵr berw yn fy llaw. Llowciodd MP ei swper. Estynnais fyg i mi fy hun a chwpan tseina i Mam a bu bron i mi eu gollwng yn glatsh pan faglais dros gês Mam.

'Dad yn iawn?' mentrais.

'Fel 'i ganed e,' atebodd Mam yn swta.

'Gweld y cês . . .' Wnes i'm edrych arni.

'Anrheg i ti,' meddai'n llon, a chyn i fi gynhyrfu. 'Shîts.'

Roedd hyn yn rhyddhad mawr i mi. Roeddwn i'n caru Mam a Dad yn fwy na neb yn y byd ond do'n i ddim yn siŵr a allai fy ngyrfa – heb sôn am fy mhwyll – ddygymod â dôs arall o ofalu am Mam bedair awr ar hugain y dydd. (Ac adrodd y manylion 'nôl dros y ffôn tra bod Dad yn tuchan yn ddigon di-hid.) Ni wnaeth y rhyddhad bara'n hir unwaith i mi ddechrau pwslo pam roedd arna i angen llond cês o shîts nad wyf byth yn eu defnyddio.

'Byddan nhw'n handi i ti,' meddai Mam gan yfed ei the yn swnllyd.

Gwnes ymdrech i ddweud 'na' mewn ffordd fach neis. Doedd dim atic yn y tŷ teras dwy stafell wely ac roedd stafell sbâr eisoes yn llawn o drugareddau teuluol ro'n i wedi methu â'u gwrthod.

'Diolch yn fawr, ond sai'n iwso shîts. Duvet sy 'da fi.'

'Wel wy'n gwbod 'ny – i roid rhyngot ti a'r duvet. Fydd ddim rhaid i ti olchi'r duvet 'na mor aml wedyn.' Roedd Mam yn gyndyn o golli unrhyw ddadl.

'Wy'n ffindo shîten yn rhy dwym. Wy'n chwysu'n stecs.'

'Wel ar y gwely sbâr 'te. Pan fydd pobol yn aros. Safith lot o waith. Os bisgïen fach 'da ti 'te? Bydde rhwbeth choclet yn iawn.'

Gosodais dair bisgïen siocled ar blât i Mam ac eisteddais i lawr wrth fwrdd y gegin. Ro'n i methu tynnu fy llygaid oddi ar y plât. Ers i Erin sôn am y clwb slimo ro'n i wedi bod yn trio'n galed i beidio â bwyta bisgedi siocled cyn cinio na swper. Ond roedd heno'n wahanol. Heno roedd angen bwyta i fod yn drwm ar y dafol. Helpais fy hun i fisgïen fawr ac estyn rhagor o'r pecyn tra mod i'n niblo'n euog.

'Fydd dim ots 'da Dad, twel, os arhosa i i gael swper,' meddai Mam. 'So ni'n dwy 'di cael *chat* bach ers sbel, dim ers i fi symud 'nôl gartre.'

'Wythnos diwetha oedd 'ny,' meddais, gan feddwl am y clwb colli pwysau, a meddwl sut ro'n i'n mynd i esbonio'r cyfan i Mam.

'Ti'n siŵr? Wel, ma' fe'n teimlo'n hirach na wthnos.' Fel arfer, roedd hi'n gyndyn o gyfadde ei bod hi'n anghywir.

'Beth am nos fory? Gelen i gyfle i brynu rhywbeth bach neis i swper wedyn. Rhywbeth sbesial. Trît.'

Fe wnes fy ngorau i'w thaflu oddi ar y trywydd. Gadewch i ni fod yn hollol glir am un peth. Byddai'n well gen i ddweud wrth Mam mod i byth yn mynd i briodi na dweud wrthi mod i'n meddwl slimo! Byddai'n well gen i ddweud wrthi fy mod i'n mynd yn lleian. Mod i'n mynd i brynu moto-beic. Mod i'n gadael Capel Seilo ac ymuno â'r Bedyddwyr. Mod i'n mynd i siafo fy mhen a rhedeg i lawr y stryd yn borcyn. Mod i'n mynd ar *Big Brother*. Mod i'n stopio gwylio S4C. Er mor ofnadwy yw'r pethau hyn, bydden nhw'n well na chyfadde mod i'n meddwl trio colli pwysau. Roedd colli pwysau yn mynd yn erbyn holl gredo Mam.

Chi'n gweld, mae Mam yn gredwr mawr mewn pesgi. Dyna'r ffordd roedd hi'n dangos ei gofal, dangos ei chariad, gwneud ei chyfraniad hi i'w theulu, i gymdeithas. Angen codi arian i'r ysgol feithrin? Byddai Mam yn gwneud bara brith i'r bore coffi. Bwli yn yr ysgol? Chips. Bore cynta yn y gwaith? Byddai

Mam yn berwi wy i frecwast. Cymdogion newydd? Sangwejus. Profedigaeth? Caserôl.

Feiddiais i'm dweud wrthi fy mod i'n meddwl mynd ar ddeiet, achos ro'n i'n gwybod yn iawn beth fyddai barn Mam. (A hynny er gwaetha'r ffaith ei bod hithau wedi colli pwysau o achos ei salwch ac yn edrych yn well oherwydd hynny.)

Roedd menywod yr Evansys yn solet. Roedd menywod yr Evansys yn nobl. Fe fyddai torri traddodiad yn bwrw sen ar y llinach i gyd. Ac yn waeth na hynny byddai'n sarhad personol ar y fenyw sydd wedi paratoi tri phryd o fwyd da y dydd (a phwdin) i ngwneud i y person ydw i heddiw. Fe wnawn i unrhyw beth i osgoi dweud wrthi. Nawr ro'n i mewn twll go iawn.

'Ie, beth am swper nos fory?' meddais yn frwd.

Roedd amser fel petai wedi rhewi tra mod i'n aros iddi ateb.

'Jiw, sdim isie ffys. Fydd heno'n iawn. Sai'n dishgwl tri chwrs na dim byd. Sai 'di cael fy *appetite* 'nôl ers i fi fynd i'r ysbyty.'

Brwsiodd friwsion y bisgedi roeddd hi newydd eu stwffio oddi ar y bwrdd. Snwffiodd Mister Pringles y gawod friwsion a throi ei drwyn yn ffroenuchel.

'Wy'n mynd i'r tŷ bach. Rho di'r ffwrn mlân, gewn ni beth bynnag sy 'da ti yn y *freezer* – a dropyn bach o frandi i fynd 'da fe.'

Cododd, yn llai sionc. Fy nghyfle ola i ddweud rhywbeth cyn iddi ddiflannu lan staer a dod 'nôl yn disgwyl swper. Fe allwn i ddweud fy mod i'n dost, ond ro'n i'n gwybod y byddai hynny'n arwain at orchymyn i fynd i orwedd ar ôl llyncu wy amrwd wedi'i droi mewn llwyed o fêl.

Clywais bang-bang bob cam ar y staer ac yna, ar ôl eiliad neu ddwy, wich drws y stafell molchi. Roedd gen i amser i feddwl beth i'w wneud. Roedd fy meddwl yn mynd ar garlam tra mod i'n rhoi'r ffwrn ymlaen ac estyn pizza o'r rhewgell. Roedd hanner bag o letys yn y ffrij o hyd ers i mi benderfynu dechrau bwyta'n fwy iach yr wythnos ddiwetha. Yna, stopiais. Beth oeddwn yn ei wneud? Gwneud swper?! Ond allwn i ddim gwneud hynny!

Fe allwn i ddweud fy mod i'n mynd mas, ond byddai hi eisiau gwybod i ble. Fe allwn i ddweud bod gwaith gen i i'w wneud, ond byddai hi'n dweud bod angen bwyd ar fyddin. Clywais glonc-clonc sodlau Mam yn dod yn araf i lawr y grisiau serth. ('Peryg bywyd' oedd ei disgrifiad hi ohonyn nhw a byddai'n gafael fel gelen yn y *bannister* gan ofni y byddai pob taith fel dechrau pennod o *Casualty*.) Ro'n i'n gwrando ar bob cam poenus a llyncu fy mhoer yn barod i'w hwynebu.

'Faint dalest ti am y papur tŷ bach gwell na'i gilydd 'na?'

'O, sai'n gwbod,' meddais ac edrych ar y cloc. Nawr. Nawr oedd fy nghyfle.

Ochneidiodd Mam yn hir, 'Fydda i'n teimlo'n well ar ôl cael carad 'da Judith fi,' meddai.

Dyna beth oedd hen warier! Buodd hi bron â 'chwrdd â'i Chreawdwr' (chwedl Mam). 'Lot o ffys am 'bach o annwyd' (barn annheg Dad). Fe fuodd hi'n dost. Ac fe ddylwn i wybod achos fi fuodd yn gofalu amdani.

Fe ges syniad. Efallai y gallwn i wneud y ddau beth! Gallai Mam a minnau gael ein swper a'n clonc – cyflym, ond dim rhy gyflym fel bod Mam yn sylwi bod rhywbeth o'i le. Byddai Mam yn gadael yn hapus. Yna, ddwy funud yn ddiweddarach, byddwn i'n mynd i gasglu Lowri ac Erin a bant â ni! Edrychais ar y cloc. Roedd y bysedd fel petaent yn symud yn anarferol o gyflym.

Ar ôl hel Mister Pringles oddi ar sedd Mam (Mam – 'Fydde'r giamen ddigywilydd 'na'n neidio yn fy medd i 'fyd') ac adfywio'r letys a dau domato aeddfed o dan y tap dŵr oer, ry'n ni'n setlon i gael diod bach. Cafodd Mam frandi a minnau'n cael Coke (Ffwl-ffat. Cofier am y dafol yna).

'Sdim chwant glased 'not ti 'te?' Yna, daeth yn beryglus o agos at y gwir, 'Gobeithio bod yr Erin Annwyldŷ yna ddim wedi rhoi rhyw syniade twp yn dy feddwl di ambytu colli pwyse. Fydde fe ddim y tro cynta, siawns.'

Teimlais fy hun yn gwrido fel afal yn yr haul. A hynny er bod yna lai o galorïau mewn glased o win nag mewn Coke ffwl-ffat. (Ddywedech chi ddim wrth edrych arna i ond rwy'n gwybod y pethau hyn.)

'Colli pwysau? A finne'n cael pizza!' meddais gan gogio chwerthin. Codais ac agor drws y ffwrn. Daeth gwres yn rhuo mas. Sefais yno yng nghanol y tân nes bod gwydrau fy sbectol i'n niwl.

Roedd y pizza yn araf ddychrynllyd yn cwcan.

Menig ffwrn, torrwr pizza, platiau, cyllyll a ffyrc, salad. Roedd popeth yn barod ar gyfer y foment pan fyddai'r pizza'n dod o'r ffwrn. Do'n i ddim eisiau gwastraffu eiliad. Ac roedd Mam yn cael digon o amser i ddweud ei dweud am 'sut dyw Dad ddim yn deall', yn 'disgwyl iddi wneud popeth oedd hi'n wneud cyn BCC' (Bron Cwrdd â Chreadwr), yn 'anobeithiol i'r graddau ei bod hi ddim yn gwbod pam briododd hi fe glei, a fydde hi ddim 'di gwneud oni bai ei bod hi'n ei garu fe.' Ac roedd hynny'n rhyddhad.

Dywedais lot o 'mm's' a 'ie's' a 'jiw's' a 'na's', ond ro'n i'n ofalus i beidio â dweud dim byd drwg am Dad fy hun, wrth gwrs. (Mae'r rheol 'peidiwch â beirniadu cymar' yn cynnwys eich teulu eich hun hefyd. Hyd yn oed os oedd Mam yn difrïo Dad i'r entrychion, feiddiwn i ddim ymuno â hi neu byddai hi'n dechrau ei ganmol yn syth a dweud 'ffor shêm Judith am siarad fel'na am dy dad'!)

Rhois y salad ar y plât rhag bod neb yn gwastraffu amser yn ei rofio o'r bowlen eu hunain a llosgais dop fy ngheg trwy ddechrau ar y pizza yn rhy gyflym. Roedd Mam yn bwyta llond-llwyau babi. Do'n i ddim yn gwybod ai fi oedd ar fai, ond roedd hi wedi dechrau symud yn araf, fel astronawt ar blaned jeli.

O'r diwedd gorffennodd bopeth ar ei phlât. Fe driodd hi fwyta darn o blastig ro'n i wedi anghofio'i dynnu oddi ar y pizza hyd yn oed! Codais, wrth fy modd. Roeddwn i wedi ei gwneud hi ac roedd gen i ryw bum munud i sbario.

'Lyfli,' meddai Mam, yn codi hefyd.

'Bydd rhaid i ni neud hyn 'to,' meddais, gan drio dod â'r cyfarfod i ben.

'Bydd. Sdim isie lot o bwdin arna i. Hufen iâ yn iawn.' Ac eisteddodd ar y soffa a phwyso swits y teledu i wylio *Pobol y Gwm*.

Roedd ei chefn tuag ata i ac ystyriais sgrechian yn fud. Roedd arna i ofn mentro. Roedd gan Mam lygaid yng nghefn ei phen ac roedd hi'n enwog am hynny.

'Ti'n mynd mas 'te? Gweld ti'n edrych ar y cloc,' meddai heb droi rownd.

Anhygoel!

Trodd ac archwilio fy wyneb yn ofalus. Roedd hi'n chwilio am yr arwydd bach lleia. Canolbwyntiais ar rewi bob cyhyr achos roedd Mam yn fy nabod cystal â neb a do'n i ddim yn gallu cadw dim byd oddi wrthi.

Fe oedais cyn cyfadde fy mod yn mynd allan.

'Pam 'set ti'n dweud 'te? Pam 'set ti'n dweud yn strêt achos sai isie dy gadw di,' meddai Mam yn neidio ar ei thraed a mynd i chwilio am ei chot.

'Dy'ch chi ddim yn cadw fi – '

Torrodd ar fy nhraws, 'Neu falle bo ti ddim isie i fi wbod i ble ti'n mynd . . .'

Roedd hi fel helgi ar drywydd. 'Neu 'da pwy ti'n mynd.'

Cododd ei haeliau, wrth ei bodd.

'Dim 'na beth . . .' Ond do'n i ddim yn gwybod sut oedd egluro.

'Dyw e ddim yn fusnes i fi beth ti'n gwneud,

wrth gwrs.' A gwisgodd ei mac lliw glas llygaid doli newydd gan edrych yn flin iawn drosti hi ei hun.

A dyna ble dechreuodd camddealltwriaeth gwaetha a mwya anffortunus fy mywyd. Roedd Mam yn cymryd fy mod i wedi dechrau caru. Ac roedd e'n waeth, llawer gwaeth, na phetai hi'n gwybod y gwir am y colli pwysau. Achos ro'n i'n gwybod na fyddwn i'n cael munud o lonydd gan y teulu i gyd nawr nes bod modrwy ar fy mys a'r gweinidog wedi ei wahodd i de a threiffl i drafod y trefniadau.

TAMED 5

'Mae'n rhaid i chi ddysgu dweud "na" wrth ffrindiau sy'n trio'ch perswadio chi i gael "un bach eto".'

'Tair punt pum deg plîs,' meddai'r ddynes denau y tu ôl i'r ddesg.

Ro'n i jest yn meddwl wrthyf fi fy hun nad oedd hynny'n ddrwg o gwbwl, pan glywais i sgrech o ben bella'r stafell.

'Saith punt pum deg! *New joiners!*'

'Gelen i botel neis o win am 'na – neu ddau focs o choclets neis ofnadwy,' sibrydodd Lowri. Yn dawel bach ro'n i'n cytuno ond ddywedais i ddim mo hynny. Ro'n i'n trio osgoi cytuno'n ormodol â Lowri o flaen Erin.

'Sai'n credu bo ti 'di deall y busnes slimo 'ma o gwbwl,' hisiodd Erin gan estyn papur deg punt.

'Sori,' meddai'r ddynes y tu ôl i'r ddesg gan wenu ar hyd ei hwyneb rhychiog, fel hen fap. 'O'n i'n meddwl bo fi heb eich gweld chi o'r blaen. Ma' cymaint o fynd a dod 'ma. Mae'n anodd cadw lan 'da pwy yw pwy. A phan weles i chi, feddylies i wrth fy hunan, "Jiw, sdim eisiau colli pwysau ar honna!"'

'Fi?' gofynnodd Erin, yn hanner gobeithio.

'Nage. Chi fan yna,' meddai'r ddynes gan gymryd yr arian.

'Fi?' meddais, yn methu coelio.

'Jiw, jiw, nage ddim. Chi yn y cefn 'na!'

'Fi mae'n feddwl,' meddai Lowri yn rhoi fflic i'w ffrinj. 'Wy wedi bod yn meddwl yr un peth fy

67

hunan. Falle bydde'n well i fi ddechre trwy gael fy mhwyso. Rhag ofn mod i'n gwastraffu amser pawb.'

'Talu gynta. Pwyso wedyn!' daeth sgrech o'r cefn.

'Talu gynta. Pwyso wedyn,' adleisiodd y ddynes. Gwelais wrth ei bathodyn mai Beryl oedd ei henw. Roedd ganddi sbectol llygaid gwdihŵ, llond ei hwyneb.

Roedd hi'n denau fel mwydyn. Tipyn o gamp i ddynes yn ei chwe degau hwyr. Roedd y croen llac o gwmpas ei gweflau a'i gwddf yn dyst i'w stori slimo. Efallai ei bod hi ddwywaith ein hoedran ni, ond doedd Beryl ond hanner y fenyw oedd hi.

Cymerodd ein henwau a'n harian. Roedd ffi am ymuno a ffi am gyfarfod heno. Yna, tynnodd Beryl ein sylw at y dyddiadur bwyd, y llyfr calorïau a'r llyfr ryseitiau braster isel. Fe wnaeth hynny'n gynnil iawn, fel pob sêlsman profiadol.

'A dim ond hanner can ceiniog yw'r raffl,' meddai.

Roedd gwobrau'r raffl ar y bwrdd.

'Mae pob aelod yn dod â gwobr fach. Ffordd o ddod i nabod y *slimmers* eraill. Un o syniade Patricia.' Cododd Beryl ei haeliau i ddangos nad oedd hi'n cytuno â phob un o syniadau Patricia.

O edrych ar y bwrdd, roedd hi'n amlwg bod yr aelodau wedi mynd amdani yr wythnos hon. Iogwrt byw braster isel iawn, iawn. Ffa pob *Value*. Cracers reis plaen. Quavers sathredig. Pot Noodle. *Macaroni cheese* mewn paced. O leia roedd tipyn o stwnsh yn y cacennau bach. A dweud y gwir, ro'n nhw'n edrych yn hynod o flasus o bethau di-fraster.

Roeddwn i ar fin gofyn i Beryl ble daeth hi o hyd i'r fath ddanteithion pan fachodd hi'r cacs oddi ar y bwrdd.

'Fi sy â rheina. Rhwbeth i ga'l gyda Martini heno. Ti'n cael mwy o trîts unwaith ti'n cyrraedd pwyse *target*,' meddai gyda winc.

Rhois hanner can ceiniog iddi.

'Pob lwc, bobol,' meddai Erin gan grychu'i thocyn raffl yn ei dwrn.

''Na beth yw sbort. Diolch am y gwahoddiad, Erin.' Fe aeth Lowri'n benuchel i ffeindio sedd.

Roedd y cadeiriau wedi eu gosod mewn rhesi fel petaen nhw ar gyfer sioe a Patricia oedd y dewin oedd am berfformio i ni. A chwarae teg, erbyn i mi eistedd roeddwn i wedi colli sawl pownd. O fy mhwrs, o leia.

'Reit 'te *New Joiners*. Pwy sy'n dod lan gynta?'

Sodrais fy mhen-ôl yn dynnach i'r sedd. Erin oedd eisiau dod yma. Erin ddylai fynd gynta. Ro'n i'n saff o hynny.

'Dewch mlân! Sdim isie bod yn swil. Ni i gyd yn yr un cwch 'ma,' meddai Miss Tew Cymru gan wenu.

Ro'n i'n amheus iawn a fuodd Patricia ar yr un cwch angen-colli-pwysau â mi erioed. Wrth edrych ar ei chorff catalog ro'n i'n amheus a oedd hi'n hwylio ar yr un môr.

'Beth amdanoch chi?' meddai gan wasgu'i dwylo gyda'i gilydd mewn gweddi, gostwng ei hysgwyddau ac ymestyn ei gwddf a'i phen tuag ataf, yn union fel 'Miss' yn siarad â phlentyn bach. Deallais yn syth ei bod wedi anelu ei saeth at y darged fwya. Yn anfodlon, codais ar fy nhraed.

'Pob lwc,' sibrydodd Erin. Camais ymlaen yn anfoddog, gan obeithio bod gan Patricia fwy o sensitifrwydd nag oedd hi wedi'i arddangos hyd yn hyn.

' 'Na ni . . . y, Judith.' Roedd hi'n edrych ar fy ngharden yn hytrach nag arna i. Roedd ei hwyneb wedi'i goluro'n ofalus a dechreuais bendroni beth oedd yn cuddio oddi tano. 'Sdim isie bod yn nerfus. Wy'n dal i gofio sut o'n i'n teimlo pan o'n i yn eich sgidiau chi,' meddai yn llon.

'Anodd credu eich bod chi erioed wedi bod yn fy sgidiau i,' dywedais yn wyllt. Yna, rhag ofn mod i'n swnio'n rhy haerllug ychwanegais, 'Achos eich bod chi'n edrych mor dda nawr. Anodd dychmygu y bydda i'n edrych fel chi byth.'

'Peidiwch bod yn sofft, Judith fach. Cofiwch chi – o'n i mor fawr â chi unwaith.'

Fe ddywedodd hynny er mwyn gwneud i mi deimlo'n well, ro'n i'n gwybod hynny. Gwenodd yn fodlon ar ei gweniaith am eiliad neu ddwy. Yna, daeth moment digon cas pan sylweddolodd beth roedd hi newydd ei ddweud. Fe'i trawodd nad oedd ei gweniaith cweit mor ganmoliaethus ag roedd hi wedi'i fwriadu.

'Dim mod i'n dweud bo chi'n dew!' Arswydodd a chlapio'i bysedd main gyda'i gilydd.

'Peidiwch becso. Wy'n gwybod beth o'ch chi'n feddwl.' Ro'n i'n trio gwenu wrth i mi gamu'n droednoeth ar y dafol. Ro'n i'n amau fy mod i'n ei chlywed yn gwegian.

''Na ni.' Sgrifennodd Patricia rywbeth yn ei llyfr bach a sylwais ar y staeniau nicotîn bob ochr i'w hewinedd perffaith. Do'n i ddim wedi bod ar y dafol ers blynyddoedd ac ro'n i'n ofni'r gwaetha pan gododd ei phen o'r llyfr mewn penbleth.

'Popeth yn iawn?' gofynnais.

'Eich dillad chi,' meddai Patricia'n ddi-lol.

'Sgert o Marks. Cardigan Edinburgh Wool.' Fy nhro i oedd bod mewn penbleth nawr.

'Sdim ots 'da fi os gesoch chi'r dillad yn Oxfam – dim bo fi'n dweud 'u bod nhw'n edrych fel rhywbeth o siop elusen,' meddai Patricia'n fwyn. 'Shwt alla i ddweud hyn – ma' lot 'da chi amdanoch chi.'

Doedd Patricia ddim mor dwp ag roedd y wên barod yn awgrymu. Roedd hi wedi gweld trwy fy nhacteg o fod yn fwriadol drwm ar y dafol trwy fwyta fel mochyn drwy'r dydd a gwisgo pob dilledyn yn fy wardrôb.

'Fe ddylech chi drio gwisgo'r un peth bob wythnos er mwyn i ni gael mesuriad cywir. A dwi ddim isie chi'n pango yn yr holl ddillad 'na a hithau'n haf wedi'r cwbwl.'

Tynnais y gardigan wlân drom a'r tanc top oddi tani. Amneidiodd Patricia ar y siwmper ysgafn a thynnais honno hefyd. Ro'n i'n teimlo'n noeth yn y flows llewys hir ac ro'n i'n crynu wrth gamu ar y dafol am yr ail dro. Cael fy mesur oedd nesa.

'Pa mor ddrwg yw'r deiagnosis?' mentrais ofyn.

71

Cododd Patricia olwyn fach gardbôrd rhwng ei hewinedd sgarlad a'i throi fel melin wynt. Ro'n ni'n carlamu heibio gwyrdd pwysau normal a heibio oren dros-bwysau i goch sgrechlyd pwysau mawr. Roedd fy mochau'n mynd yr un lliw â'r siart. Fy unig gysur oedd nad oeddwn yng nghanol scarled pwysau peryglus. Ond doedd hynny fawr o gysur. Os oedd rhywun yn dod i'r categori 'pwysau peryglus', mae'n siŵr eu bod nhw'n gallu rhoi'r bai am hynny ar enynnau diffygiol.

'Taldra. Pum troedfedd a phum modfedd,' meddai Patricia'n uchel a sibrwd, 'a phwysau – tair stôn ar ddeg. Gewch chi ddechrau ar 1500 o galorïau'r dydd. 1700 ar benwythnos. Falle bydd rhaid dod â nhw lawr os na fydd y pwyse'n shiffto,' meddai gyda gwên. Roedd yn rhaid ei bod wedi gweld y gwres yn fy mochau achos sibrydodd, 'Peidiwch poeni. Fyddwch chi lawr i seis un deg chwech erbyn y Nadolig.'

'Seis un deg chwech ydw i nawr – fel Marilyn Monroe.' Clywais fy llais yn torri.

Chwarddodd Patricia'n llond y lle. Roedd pob pâr o lygaid yn y stafell yn syllu ar y sioe. Roedd ambell un yn gwgu, yn methu deall beth oedd yn cymryd mor hir.

'Beth sy'n bod arna i heno? Wy ond yn agor ceg i newid traed, fel petai! Sori, Judith fach.' Edrychodd Patricia i fyw fy llygaid. Yna, gostyngodd ei llais yn sibrydiad isel nes bod rhaid i mi glustfeinio i'w chlywed yn iawn,

'Jest, o'n i'n meddwl eich bod chi'n fwy,' meddai.

Fy argraffiadau cynta o Patricia oedd ei bod hi'n fenyw hynod, hynod o glên. Roedd y fenyw'n ysbrydoliaeth ac yn hys-bys amhrisiadwy i Tew Cymru. Pe byddai'n rhaid i mi bigo un bai, fyddwn i'n dweud ei bod hi dipyn bach yn dueddol o agor ei cheg cyn meddwl.

'Mae'n dangos ei bod hi'n frwdfrydig,' dywedais i yn nes mlaen.

'Mae'n dangos ei bod hi'n hen ast,' meddai Erin gan groesi'i choesau a'i breichiau.

Doedd Erin ddim yn yr un hwyliau ers iddi gael ei phwyso (a'i mesur) gan Patricia. Camddealltwriaeth digon diniwed oedd wrth wraidd y drwg.

'Dwi erioed 'di bod yn dew, cyn y babis,' meddai Erin. 'Ond wy wedi rhoi pwysau mlân – fel sy'n dueddol o ddigwydd dim ots pa mor ofalus yw'ch arferion byta chi.'

'Dyna sy'n dueddol o ddigwydd,' ategodd Patricia ac roedd Erin yn gwenu'n llon arni. Yn amlwg, roedd y ddwy'n deall ei gilydd.

Yna, roedd Patricia'n edrych i fyny ac i lawr ar hyd corff Erin: 'Dyw e ddim yn bolisi ganddon ni i wrthod neb yn Tew Cymru, ond, ym, chi'n meddwl 'i fod e'n syniad da i golli pwysau a chithau'n disgwyl babi? 'Nenwedig os nad oes sbel nes bydd y babi'n dod.'

Caeodd Erin ei llygaid yn galed a dweud rhwng ei dannedd, 'Wy wedi cael y babi.'

'Beth?' Rhoddodd Patricia ei hewinedd fflam-goch dros ei cheg agored.

'Wy wedi cael y blydi babi!' gwaeddodd Erin.

'Wrth gwrs bo chi! 'Thgwrs bo chi 'di cael y blydi babi! Beth sy'n bod 'na i?! Ym, isie colli'r bola ar ôl y blyd– ar ôl y babi y'ch chi, ife?'

Gwenodd Erin wên anghynnes.

'Dim problem! Dim problem o gwbwl. Fe gollwch chi'r naw pwys 'na glatsh! Fel babi'n dod o'r groth,' meddai Patricia, yn trio bod yn sionc.

Roedd Erin yn dal i ffug-wenu wrth iddi eistedd: 'Dim ond menyw sydd heb gael babi fydde'n dweud bod genedigaeth yn rhwydd.'

Rhois fy mraich am ysgwyddau Erin a'i thynnu ataf, 'Ffordd o siarad, 'na i gyd,' dywedais i dawelu'r dyfroedd.

'Ma'n amlwg ma'r unig beth gafodd honna rhwng 'i choesau erioed yw *vibrator.*'

Pwysleisiodd Lowri bob sillaf fel saethiadau. Ddywedais i'm byd. Ro'n i'n gwybod pan roedd hi'n gallach tewi. A doedd Lowri ddim yn ei hwyliau gorau ers ei horig hithau ar y dafol chwaith.

Tra bod pobol eraill yn cael eu pwyso, fe gafon ni gyfle i lenwi Taflen Tew Cymru. Roedd hi'n daflen ddifyr iawn. 'Llawn cwestiynau busneslyd,' meddai Lowri a rhoi'r daflen i'r naill ochr.

'Gwrandwch ar hyn. Beth yw eich perthynas chi gyda bwyd? Wel, rwy'n ei weld e. Rwy'n ei fwyta e!' meddais yn blwmp ac yn blaen.

'Beth maen nhw'n feddwl wrth perthynas?!' Roedd Lowri'n edrych yn ddifrïol ar y daflen loyw nawr, fel petai'n felyn-wy amrwd nad oedd ganddi'r bwriad lleia o'i fwyta. 'Dim dyn yw bwyd. Na secs chwaith!' dywedodd yn gas.

'Ond ma' fe'n gallu bod yn secsi. Pan o'n i'n dechre caru oedd Brei ffaelu cael digon o jam riwbob Mam-gu. Oedd e'n sugno fe oddi ar fy mronne i.' Roedd golwg bell ar Erin.

Crychais fy nhrwyn, ond wnes i ddim tarfu ar synfyfyrio fy ffrind.

'Oedd Mam-gu'n gwbod?' gofynnodd Lowri.

'Na. Ond oedd hi wrth 'i bodd bod Brei yn cael shwt flas ar 'i jam hi!' Giglodd Erin. Yna, gwelodd yr olwg ar fy wyneb, 'Pwy sy ddim 'di llyfu rhwbeth oddi ar ranne personol rhywun rhywbryd!'

'Dim ond ti, Judith.' Agorodd Lowri ei cheg ac ymestyn ei choesau a'i breichiau hir.

Do'n i ddim wedi bwriadu dweud dim. Ond, roedd y geiriau allan o ngheg cyn i mi allu stopio fy hun, 'Synnet ti!' meddais.

Trodd y ddwy arall i edrych arna i.

'Beth? Pryd? Pwy?' Fel parti llefaru.

Atebais i ddim. Ro'n i ffaelu ateb. Dim heb fynd i stori fawr am Ger, a do'n i ddim eisiau gwneud hynny fan hyn.

Edrychodd Lowri arna i'n amheus; 'Hmm. Ta beth, ma' llyfu pethau melys oddi ar gyrff noeth yn *passé* nawr! Falle mai ti oedd o flaen dy amser, Judith.'

Agorais fy ngheg fel petawn i ar fin gadael y gath o'r cwd. Ond, wrth gwrs, wnes i ddim. Byddai hynny'n fy ngosod yn y coch gyda'r pwysau uchel – tir peryglus iawn.

'Odi e'n *passé*? 'Na pam ni byth yn gwneud e nawr 'te.' Roedd Erin yn swnio'n drist.

'Ydych chi'n briod, wedi ysgaru neu'n sengl?' gofynnais, fy llais yn llawn anghrediniaeth. Ro'n i'n dechrau cytuno â barn Lowri.

'Beth yw hwn? Clwb colli pwysau neu glwb cariadon?' gofynnodd Lowri yn bigog.

'Maen nhw'n trio adeiladu proffil o bob person. Yna, fydd e'n haws iddyn nhw'n ein helpu ni i gyrraedd pwyse targed.' Roedd Erin wrth ei bodd yn dangos ei hun o flaen Lowri.

'Ahhh! Wy'n gweld. Achos mae pobol yn tueddu i fagu pwysau ar ôl priodi – maen nhw'n gadael eu hunain i fynd,' meddai Lowri.

'Ac os yw pobol yn sengl, mae rheswm da dros hynny. Di-siâp,' atebodd Erin. '*No offence*, Jude.'

Torrais ar eu traws gyda gwên, 'Pam ydych chi eisiau gwneud y swydd yma? . . . Swydd? Fyddech chi'n disgrifio colli pwysau fel swydd? Dyw e ddim yn rhwydd, wy'n gwbod. Jiawch. Mae diwydiant cyfan yn dibynnu ar y ffaith bod pobol yn methu colli pwysau trwy'r amser.'

Trodd Erin y daflen felyn-wy rownd a darllenais beth oedd ar yr ochr arall.

'Fyddech chi'n hoffi dod yn Ymgynghorydd Tew Cymru?'

'Pam fydden nhw wedi rhoi'r daflen yma i fi?' gofynnais.

'Ti sydd wedi dewis y daflen anghywir o'r pecyn croeso, sili bili,' meddai Erin.

'Typical ohonot ti yn trio dyrchafu dy hun bob

76

gafael.' Doedd Lowri ddim wedi maddau i mi'n gyfan gwbwl am drio mynd â'i swydd hi.

Am eiliad fach dychmygais fy hun yn ymgynghorydd. Roedd e'n swnio'n dipyn mwy diddorol na chyfieithu – a fyddai dim rhaid i fi weithio gydag Andrea Charming wedyn chwaith. Roedd 'ymgynghorydd' yn swnio'n glamyrys iawn. Fel therapydd harddwch uchel ei statws neu un o'r bobl yna oedd yn cael arian mawr yn y Cynulliad. Mae'n siŵr y byddwn i'n cael tipyn o foddhad yn helpu pobol eraill, yn gwella'u bywydau. Nefolaidd o'i gymharu ag eistedd mewn swyddfa yn cyfieithu i'r Gymraeg ddogfennau ry'ch chi'n gwybod na fydd neb yn eu darllen. (Er bod rhai pobol yn gofyn am fersiwn Cymraeg ar egwyddor, y fersiwn Saesneg mae pawb yn ei ddarllen.)

Ro'n i'n mwynhau fy mreuddwyd nes i lais Lowri dorri ar fy nhraws, 'A chyn i ti hyd yn oed ystyried gadael Chwarae ar Eiriau i golli pwysau, tjeca'r print mân.' Darllenodd ar goedd, 'Fe ddylech fod wedi cyrraedd eich targed neu o fewn 5 pwys i'ch targed ac yn mwynhau bwyta'n iach a chadw'n heini. Sori, Judith. Caws caled, mêt.'

Tynnais y daflen gywir o'r pecyn croeso.

'Beth yw eich gwendidau chi?' darllenais yn uchel i guddio fy nghywilydd.

'Cysgu gyda dynion pert ar y dêt cynta,' meddai Lowri fel siot.

'Wy'n meddwl bod yn rhaid i'r gwendidau ymwneud â bwyd, ferched,' meddai Erin yn gall.

'Beth sy 'da ti 'te?'

Ar ôl hir a hwyr, atebodd, 'Oes rhaid i mi ddewis un?'

Ro'n i wedi llwyddo i'w cyfyngu i ddau – bwyd a diod.

Orig Lowri ar y dafol.

'Helô,' meddai Patricia.

'Helô,' meddai Lowri'n siort. Dwi ddim yn meddwl ei bod hi'n hapus iawn bod gofyn iddi hithau gael ei phwyso fel y gweddill ohonom. 'Wy'n gwbod beth sy'n mynd trwy eich meddwl chi . . .'

'*Mind reader*. Sai'n credu ein bod ni wedi cael un o'r rheini yn y clwb o'r blaen.'

'Ffyni.' Roedd Lowri'n gwenu.

'O, o'n i ddim yn treial–'

'Bod yn ddoniol?'

'Ie.'

'Peidiwch poeni. O'ch chi ddim. Nawr, chi'n meddwl y gallen ni ganolbwyntio ar y mater dan sylw? Fi?'

'Wrth gwrs.'

'Chi'n gweld, wy'n gallu dychmygu beth sy'n mynd trwy eich meddwl chi . . .'

'Dwedwch chi. Nawr, fyddech chi'n fodlon mynd ar y dafol os gwelwch yn dda?'

'O'n i'n gwbod y byddech chi'n dweud 'ny. Ond, sai'n siŵr bod angen mynd ar y dafol arna i.'

'Mae pawb yn mynd ar y dafol. Rheolau polisi Tew Cymru.'

Ochneidiodd Lowri. Yn sydyn, ces *flashback*.

Roedden ni yn Nigel's Nitespot yn y dre. Roedd hi'n ddau y bore ac roedd Angel Chancer newydd gyhuddo Lowri o lygadu ei sboner yn dawnsio – lwmp heb owns o rhythm na swyn yn perthyn iddo. ('Fydde neb yn 'i ffansïo fe – dim hyd yn oed ti, Judith,' chwedl Lowri ar ôl chwe Bacardi Breezer.)

Roedd fy nghalon yn llamu i guriadau'r gerddoriaeth. Ro'n i'n disgwyl gweld y ddau fys yn ymddangos a chlywed Patricia'n dweud wrth Lowri am ei heglu hi adre cyn iddi alw ar geidwad y rheolau. (Neb llai na Nigel o Nigel's Nitespot.) Ro'n i'n dal i deimlo'r cyfog yn codi wrth gofio ymateb Lowri. Dwrn i Angel a thrwyn honno'n ffrwydro'n afon o waed.

Ochneidiais mewn rhyddhad pan gamodd Lowri ar y dafol, yn dal i lygadu Patricia fel petai'n faw.

'Gwastraff amser,' meddai Lowri, yn ddigon uchel i bawb ei chlywed.

'Hyd yn oed os y'ch chi'n gwbod beth yw eich pwysau, ry'n ni'n hoffi cael ein cofnod ein hunain ar dafol y dosbarth. O'r cofnod hwn y byddwn yn mesur eich cynnydd o wythnos i wythnos. Gallwch chi gamu i ffwrdd nawr, Lowri fach.'

'Sai'n credu eich bod chi wedi deall 'bach'. Sdim angen colli pwysau arna i,' hisiodd Lowri.

Edrychodd Patricia ar Lowri ac ar y dafol ac yna cofnododd rhywbeth yn frysiog yn ei llyfr bach. Yna, cododd ei phen. Syllodd i fyw llygaid Lowri. Roedd dur yn ei geiriau.

'Wel, wrth gwrs, does dim rhaid i chi na neb arall golli pwysau os nag y'ch chi isie bod yn target,' dywedodd. 'Dim pawb sydd isie corff delfrydol – ac a dweud y gwir, heb fy nyfynnu i o flaen pwysigion Tew Cymru, sdim byd yn bod ar hynny. Maen nhw'n dweud bod dynion yn lico 'bach o afael. Ond, 'na ni, nid pawb sy'n credu popeth ma' "nhw'n" 'i ddweud.'

'Faint? Faint yn gwmws sy 'da ti i'w golli? Un pwys? Dau?' Fi oedd yn mentro gofyn. Ro'n i mor addfwyn â phlismones ifanc oedd yn holi plentyn am achos o gam-drin.

Roedd Lowri bron â thagu ar ei geiriau, 'Ha – . . . ha – . . .'

Fe ddechreuodd, ond roedd hi'n methu lleisio'r boen.

'Cymer dy amser,' meddai Erin, gan osod ei llaw'n famol ar groen haul-frown garddwrn Lowri. Fyddwn i ddim yn dweud eu bod nhw'n ffrindiau pennaf, ond roedd y ddwy fel petaen nhw'n fwy goddefgar o'i gilydd pan oedd problem gan y naill neu'r llall.

Swish! Daeth y gwir fel aer o falŵn,

'Hanner stôn,' meddai Lowri a griddfan.

'Hanner stôn?' gofynnodd Erin. 'Hanner blydi stôn?!'

O glywed y gynnen yn ei llais ychwanegais yn gyflym, 'Fydden i wrth fy modd 'sen i ond yn gorfod colli hanner stôn!'

'Mae'n olreit i ti. Ma' 'da ti dair stôn i'w colli. Fydd y pwysau'n dod off fel baw oddi ar raw.'

Tynnodd Erin ei llaw oddi ar arddwrn Lowri, fel petai oddi ar fflam.

'Ma' 'na'n beth uffernol i'w weud. Ymddiheura nawr!'

Edrychodd Lowri arni'n syn. Doedd hi ddim yn brysio i ddweud dim.

'Ma'n oreit. Wy'n siŵr bod Lowri ddim yn meddwl –'

Torrodd Lowri ar fy nhraws, 'Wrth gwrs bo fi ddim.' Yn ddiamynedd.

'Oedd hi'n meddwl pob gair,' meddai Erin rhwng ei dannedd.

Roedd yn rhaid i mi wneud rhywbeth i gadw'r ddysgl yn wastad rhwng y ddwy. Jest achos bod dwy ffrind yn ffrindiau da i chi, dydy e ddim yn golygu y byddan nhw'n lico'i gilydd. Yn wir, mae'n debygol iawn mai eich gwaith chi fydd cadw'r heddwch yn barhaus. A fiw i chi ffafrio un neu'r llall!

'Mae Mam yn meddwl mod i'n caru,' meddais.

Edrychodd y ddwy arna i â llygaid gloyw.

'Odi hi wedi dechre gwneud jam?' gofynnodd Erin.

'Odi hi'n trefnu'r briodas?' meddai Lowri.

Ar hyn curodd Patricia ei dwylo ynghyd i ofyn am dawelwch. Setlodd pawb i wrando, ar wahân i Beryl oedd yn peswch bob hyn a hyn.

'Wy'n mynd i rannu cyfrinach gyda chi heno – cyfrinach colli pwysau,' meddai Patricia.

Gafaelodd pob un yn eu pensil a phapur. Ro'n ni'n clustfeinio'n astud fel un dyn. Fel pob perfformiwr da fe oedodd Patricia cyn rhoi'r ateb. Amseru yw popeth.

'Sdim cyfrinach i gael.' Roedd Patricia'n gwneud

mosiwns gyda'i dwylo. 'Bwyta'n iach a chadw'n heini. Chi moyn colli pwysau? Wel, 'na i gyd sydd isie i chi wneud . . .'

'Reit. 'Na hi 'te. Wy'n mynd i'r dafarn. Chi'n dod, ferched?'

Ro'n i wedi gweld yr olwg yna ar wyneb Lowri o'r blaen a chofiais eto am Angel Chancer.

'Sa i 'di talu ugain punt i sefyll ar y dafol am ddwy funud a chael fy insylto am bum munud.' 'Wy'n aros.' Roedd Erin yn benderfynol. Nid am y tro cynta heno sylwais mor drist oedd hi.

Roedd Patricia'n dal i baldaruo am fwyta'r pethau iawn a chynnwys ymarferion fel rhan o batrwm eich bywyd bob dydd.

'Beth ti'n mynd i ddweud wrth Patricia?' gofynnais i Lowri.

'Mod i'n gadael. Mod i eisiau bod yn dew. Mod i'n mynd i chwilio dyn! Beth yw'r ots? Wy mas o 'ma!'

Ar hynny, agorodd y drws a cherddodd dyn i fewn. Ac nid unrhyw ddyn mohono.

Eisteddodd Lowri i lawr yn glatsh.

'O'n i'n meddwl bo ti'n mynd,' meddais, yn methu credu'r hyn ro'n i'n ei weld o flaen fy llygaid.

'Hawl 'da menyw newid ei meddwl,' meddai Lowri gyda gwên fawr fel cath. Ond ro'n i'n cofio am Mam yn meddwl mod i'n caru a fedrwn i ddim gwenu.

TAMED 6

'Peidiwch â thrio bod yn berffaith ar unwaith.
Mae'n well newid yn raddol.'

Mae'r math o bobol sy'n mynd i glwb colli pwysau
yn frîd arbennig. A chan fy mod yn gallu dweud
hynny fe fyddech yn iawn i feddwl fy mod wedi bod
yn aelod o un o'r blaen. Ac roedd cadw'r gyfrinach
oddi wrth Mam yn straen. Ond mae rhai'n gwneud
gyrfa o'r peth ac wedi llunio drama un-dyn iddyn
nhw eu hunain o gymharu cryfderau cyfri caloriau
yn erbyn manteision system sgorio bwyd neu
ddiwrnodau gwyrdd a choch.

Dwi ddim yn dweud ein bod ni i gyd yn edrych
yr un fath. Ond mae gennym un peth amlwg yn
gyffredin. Ry'n ni'n dew, ond licen ni fod yn denau.
Neu, o edrych o gwmpas criw Tew Cymru, efallai
mai'r hyn ddylwn i ei ddweud yw hyn – ro'n ni i
gyd yn meddwl ein bod ni'n dew.

Y peth cynta ddywedodd Lowri pan gamodd hi
i'r stafell lychlyd oedd, 'Ble mae'r dynion?' A dyna
ddod at beth arall sydd gennym yn gyffredin. Rhyw.
Wnaeth hynny ddim stopio Lowri rhag cerdded fel
sigl-di-gwt i'w sedd ac edrych o gwmpas gan daflu
llen o wallt du i bob cyfeiriad i wneud yn siŵr bod
pawb yn edrych arni.

Fel arfer, yr unig ddynion mewn clybiau colli
pwysau yw gwŷr priod canol oed sydd wedi dod yn
gwmni i'w gwragedd canol oed. Dydyn nhw ddim
wir eisiau colli owns ac maen nhw'n chwerthin yn

ddifrïol pan mae'r 'ymgynghorydd' yn dweud ei dweud – hyd yn oed pan mae honno (ie, menyw arall) yn siarad sens.

Fe allech rannu ein criw bach ni yn ddau. Criw Un – y Rhai Tew. Criw Dau – y Rhai Tenau. (Peidiwch am eiliad â meddwl bod y ddau griw yn ffrindiau. Digon digroeso oedd yr aelodau pan ymddangoson ni'n tair. Er y byddech chi'n meddwl y dylen ni fod yn stico gyda'n gilydd mewn byd o bobol denau, fe deimlais i mai'r gwrthwyneb oedd yn wir. Ro'n nhw'n cael cysur o wybod nad nhw oedd y domen fwya.)

Roedd y Criw Tew yn edrych i lawr ar y Criw Tenau achos bod y Criw Tenau wedi colli pwysau. Ac roedd y Criw Tenau yn edrych i lawr ar y Criw Tew am yr un rheswm yn union. Achos eu bod wedi colli pwysau. Wrth reswm, roedd y Criw Tenau yn gyn-aelodau o'r Criw Tew. Er mor falch oedden nhw o'u hadleoliad, ro'n nhw'n gwybod eu bod ar brawf. Os na fydden nhw'n llwyddo i reoli'u harferion bwyta trwy gydol eu hoes, fe fydden nhw 'nôl gyda'r tewion cyn y gallen nhw ddweud 'dim second helpings i fi, mae gen i darged i'w chadw!'

Rwy wedi clywed rhai yn dweud nad oes gan bobol dew unrhyw hunanreolaeth, ac felly eu bod yn weithwyr gwael. Ond meddyliwch am y ffocws sydd ei angen i barhau i fod yn dew pan mae pob peth arall – pob erthygl newyddion, pob llun mewn cylchgrawn, pob siop ar y stryd fawr, pob rhaglen deledu – yn dweud mai tenau yw'r ddelfryd. Meddyliwch am yr hunan-gred rydym yn meddu arni i barhau i feddwl os na fyddwn ni'n bwyta'r pethau 'da' (sydd mewn gwirionedd yn bethau drwg) na fydd bywyd ddim gwerth ei fyw.

Wrth edrych o gwmpas y stafell hir i fyny'r grisiau yn y ganolfan hamdden, gwelais griw digon trist yr olwg. Rhai y gellid credu eu bod wedi bod yn graddol golli'r frwydr gyda'u pwysau erioed. O'r diwedd, ro'n nhw wedi ildio i 'wneud rhywbeth ynghylch y broblem'. Yn aml iawn, do'n nhw ddim yn gwneud hyn drostyn nhw eu hunain, ond dros rywun arall.

Roedd y menywod canol oed yn dilyn gorchymyn y doctor. Y menywod deugain oed yn dilyn gorchymyn y gŵr. Magu plant oedd y rheswm pam roedd y menywod deg ar hugain oed yn ffeindio eu hunain yno. A'r rhai ugain oed? Wel, ro'n nhw'n rhannu'n ddau grŵp cwbl ar wahân, y rhai oedd yno achos eu bod nhw eisiau'r hyder i gymryd neu wrthod dyn, a'r rhai oedd yno achos eu bod nhw wedi bachu dyn a bod priodas ar y gorwel.

Un o'r rheini oedd Sheryl Tizer, stwcen fach oedd 'mor' mewn cariad â'i darpar-ŵr fel na allai feddwl na siarad am ddim byd arall. Fe siaradai mewn llais annaturiol o uchel ac roedd hi'n chwerthin am bob dim. Roedd ganddi lygaid sgleiniog fel dwy geiniog – achos ei bod 'mor' mewn cariad, dybiwn i. Nid oedd hi'n edrych fel petai angen colli pwysau o gwbwl arni, ond roedd hi yno am ei bod hi'n mynd i Barbados ar ei mis mêl ac roedd hi eisiau edrych yn 'dda' mewn bicini.

Do'n i erioed wedi gwisgo bicini fy hun. (Hyd yn oed pan o'n i'n blentyn roedd gen i gostiwm un darn â ffrilen i dynnu'r sylw oddi ar fy nghoesau pwt.) Ro'n i'n amheus a oedd Hannah Metcalfe wedi gwisgo un erioed chwaith. Roedd hi'n anodd dweud achos gwisgai sgert fawr fel pabell a siwmper ddi-siâp oedd yn gwneud dim iddi. Dyma fenyw â rhywbeth i'w guddio. Ro'n i'n tybio ei bod yn ei chanol oed cynnar, ond ofnwn ei bod yn iau na hynny. Ac er y byddai'n angharedig dweud ei bod yn blaen, yn sicr doedd hi'n gwneud dim i'w helpu ei hun. Du oedd ei gwallt difywyd (wedi'i liwio ganddi hi ei hun, dybiwn i) ac roedd yn gyfuniad anffodus yn erbyn ei chroen marwaidd. Gwyntai'n gryf o nicotîn ac rwy'n tybio mai dim digon o ffrwythau a llysiau yn hytrach na geneteg oedd y rheswm dros y patshys cochion ar ei hwyneb. Do'n i ddim yn gwybod pam roedd hi'n cerdded yn gloff, ond gallwn ddychmygu ei bod yn cael pleser o gael esgus parod i beidio â chadw'n heini.

Menyw dal oedd Heulwen Darling, ac fel Sheryl Tizer doedd honno ddim yn edrych fel petai arni angen colli owns chwaith. Ro'n i'n tybio ei bod yn ei phedwar degau cynnar, ond hoffai feddwl ei bod yn iau (er na fyddai'n cyfadde hynny). Roedd wedi cadw ei ffigwr er gwaetha magu dau o blant a chadw gŵr (oedd yn gwneud rhywbeth pwysig yn y dre – pensaer neu gyfrifydd neu gyfreithiwr, siŵr o fod). Golygai hyn nad oedd angen iddi weithio'n llawn amser. A'r plant yn yr ysgol uwchradd bellach, roedd ganddi ddigon o amser i boeni am broblem pwysau nad oedd yn bodoli. Gwisgai hithau sgert laes at ei thraed, ond yn wahanol i Hannah roedd yn gweddu iddi. Rhaid bod y sgert yn cuddio'r achos gwaethaf o cellulite a welodd meddygon croen erioed. Pa gyfiawnhad arall oedd ganddi dros gwyno'n barhaus ei bod mor fawr ag eliffant? (Wedi'i ddweud gyda'i bochau'n llawn o aer. Sylwer. Ni fyddai arni angen yr aer petai'n dew go iawn.)

Fe ddywedodd Patricia wrthym na ddylem edrych i lawr ein trwynau ar fenyw fawr sy'n bwyta sleisen fawr o gacen siocled, achos hwyrach mai hwnna oedd ei 'thrît' hi am yr wythnos. Ddylen ni ddim ar unrhyw gyfri feddwl wrth ein hunain, 'Dim rhyfedd bod honna'n dew os yw hi'n pesgi ar snacs uchel eu calorïau fydd yn ei gwneud mor fawr â thŷ ac yn y pen draw yn ei lladd hi.' Yna, ychwanegodd Patricia, 'A dwi ddim yn meddwl hynny mewn ffordd angharedig.'

Ro'n ni'n hoffi egwyddor yr hyn roedd hi'n trio'i ddweud. Fe ddylen ni arfer goddefgarwch tuag at bobol o bob llun a lliw, gan gynnwys aelodau eraill o'r clwb. Ond roedd yna dyndra rhyngom o hyd. Fe synhwyrais yn syth nad oedd hwn yn glwb bach neis – 'brodwaith', 'paentio gwydr' neu 'brosesu geiriau a'r we, lefel un' er enghraifft. Ro'n ni mor gystadleuol ag unrhyw giwed o famau ifanc mewn mabolgampau ysgol.

Roedd yr aer yn drwm o densiwn. Yr unig reswm pam roedd pobol yn siarad â'i gilydd oedd i ofyn faint o bwysau roedd rhywun wedi'i golli – ac roedd y cydymdeimlad tuag at rywun oedd wedi magu pwysau yn fwy cynnes na'r llongyfarchiadau os oedd rhywun wedi colli pwys neu ddau. Ac os oedd rhywun yn gofyn sut wythnos roeddech chi wedi'i chael roedd hi'n arferol i ddweud eich bod wedi 'bwyta fel mochyn' a'ch bod 'yn hollol grediniol na fyddwch wedi colli owns'.

Tacteg arall oedd mynd yno wedi dewis eich esgus. Roedd dweud eich bod wedi bod mewn priodas / pen-blwydd pwysig / cnebrwng yn boblogaidd. Rhywle lle y byddai hi'n anghwrtais iawn ac, yn wir, yn gwbwl haerllug i wrthod bwyd! Esgus da arall oedd dweud eich bod 'wedi bod yn sâl' neu ar dabledi. Rhywbeth y tu hwnt i'ch rheolaeth chi, wrth gwrs. A doedd dim byd fel 'mater bach personol' i darfu arnoch chi. Dylid cyfeirio at yr 'm.b.p.' mewn ffordd ddwys gan nodio'ch pen yn araf a chyrlio'ch gwefus isaf dros yr uchaf. Rhaid bod bywyd cyffrous gan rai o gofio mor aml roedd 'm.b.ps.' yn codi. Naill ai hynny, neu eu bod yn taflu'r rhwyd yn eang, fel petai, ac yn cynnwys rhywbeth yn y categori – o siom yn y siop trin gwallt i farwolaeth sydyn ac annisgwyl y pysgodyn aur.

I ganol y criw hwn o adar brith y daeth e. I ganol criw oedd yn disgwyl mai tynnu raffl fyddai uchaf-bwynt y noson. A dyna wobr fyddai e! Huw Teifi.

Ac efallai eich bod yn meddwl sut o'n i'n gwybod ei enw. Wel, ro'n i'n ei nabod e.

Tri degau canol. Tal, ond dim rhy dal. Trwsiadus. Llygaid dwys oedd yn denu eich sylw oddi ar y gwallt yn teneuo ar yr ael. Gên gref. Ysgwyddau llydan. Pan gerddodd e i mewn i'n bywydau does ryfedd bod pawb wedi tawelu. Dwi ddim yn siŵr ai dychmygu wnes i, ond o'n i'n meddwl mod i wedi clywed ochenaid fawr.

'Odw i yn y lle iawn?' gofynnodd gyda gwên fach. Roedd ei lygaid yn sboncio.

'Sai'n credu,' meddai Patricia heb godi'i phen. Roedd hi mor brysur yn rhoi trefn ar y tun *Roses* llawn tocynnau raffl doedd hi heb sylwi ar yr ymwelydd.

'Tew Cymru?' Y llais mwyn eto. Y wên.

'Ti yn y lle iawn mor bell â dwi yn y cwestiwn. *New joiner*?' Beryl y tro yma yn crawcian yn uchel. Dyna wnaeth i Patricia edrych fyny, yn ddiamynedd braidd. Bu bron iddi ollwng y tun *Roses* pan welodd hi fe. Ro'n i wedi sylwi pan ges i fy mhwyso nad oedd hi'n gwisgo modrwy briodas.

'Dewch i mewn, dewch i mewn. Peidiwch â bod yn shei! Dim mod i'n dweud bo chi.'

A chafodd Huw Teifi ei arwain i'r blaen i gael ei bwyso, heibio'r gynulleidfa o fenywod yn gwylio pob symudiad o'i eiddo, a heibio i Beryl, yn gegrwth a ddim yn hapus o gwbwl a hithau'n drysorydd y clwb.

'Beth ddigwyddodd i, "Talu gynta, pwyso wedyn"?' Croesodd Lowri ei breichiau wrth wylio Huw yn mynd ar y dafol.

Darllenodd Patricia ei enw oddi ar y daflen yr oedd hi wedi mynnu ei fod yn ei llofnodi – tra oedd yn sefyll ar y dafol. Roedd yn rhaid i minnau, hyd yn oed, gytuno ag Erin pan ddywedodd hi ei fod yn cael 'triniaeth arbennig am ei fod yn ddyn'.

'Huw Teifi.' Darllenodd Patricia ar goedd. 'Fel yr actor?'

'Ie, 'na chi.' Edrychai Huw yn wylaidd iawn yn sefyll yno yn nhraed ei sanau.

Chwarddodd Patricia yn uchel, stopio a sythu'i gwallt, 'Flin 'da fi. Siŵr bo chi'n clywed hynny trwy'r amser. "Huw Teifi, fel yr actor . . ."!'

Codai goslef llais Patricia yn uwch ac uwch. Gallai fod wedi torri gwydryn gwin gyda'r 'actor' ola yna.

'Wel, odw,' atebodd Huw yn foneddigaidd iawn.

'Niwsans, on'd yw e. Wy'n cael rhywbeth tebyg. Pobol yn meddwl bo fi'n dishgwl fel Angharad Mair.' Syllodd yn hollol ddigywilydd ar Huw cyn ychwanegu, 'Chi'n gwbod beth? Chi 'run sbit 'fyd.'

'Ag Angharad Mair?'

Chwerthin mawr a hollol annaturiol nes bod Lowri, Erin a finnau yn rholio'n llygaid yn anghrediniol.

'Nage, bach. Chi 'run sbit â Huw Teifi sy'n chwarae Daniel Carr ar *Pobol y Gwm.*'

'Wy'n gobeitho 'ny. Achos fi yw e.'

Dywedodd Huw mo hyn yn gas. A dweud y gwir, allai e byth fod wedi bod yn fwy ffein am y peth, ond roedd Patricia'n swp o embaras. Chwarddodd yn uwch nag o'r blaen hyd yn oed, a chladdu ei thrwyn yn y siart pwysau.

'A shwt ma' pethau yn y Gwm y dyddiau 'ma?' Roedd hi'n methu edrych arno. 'Dal i gael yr affêr yna gyda'ch hanner chwaer?'

'Aeth hi 'nôl at y lesbian yn y diwedd.' Edrychai Huw bron fel petai'n ymddiheuro.

'Chi'n sengl 'te?' Yn sydyn, doedd y siart pwysau ddim mor ddiddorol ag aelod diweddara'r clwb. Ochneidiodd Beryl, ond roedd gormod o ddiddordeb gan bob un ohonom yn y ddrama i dorri ar draws.

'Croeso mawr i chi ta beth – sengl neu briod! Dy'ch chi ddim yn briod, y'ch chi? Wy'n siŵr i fi ddarllen rhwbeth yn *Golwg*.'

'Ma'r wraig a fi 'di gwahanu.'

'Chi'n iawn. 'Na beth oedd e'n dweud yn *Golwg* 'fyd. Reit. Lawr â chi i fi gael eich mesur chi. 'Na'r cam cynta i golli pwysau. Pwyso, mesur. Dim bo fi'n awgrymu bod angen colli pwysau arnoch chi. Wy'n lico dyn mawr cryf fy hunan. Ond 'na pam wy 'ma. I helpu pobol y . . . y . . . y . . .' Saib hir wrth iddi chwilio am air mwy cynnil na 'tew'. 'Pobol sy isie colli pwysau.'

Ochenaid o ryddhad oddi wrth Patricia. Dwi'n amheus a oedd hi erioed wedi cymryd cymaint o amser i osod rhywun i sefyll yn erbyn y siart mesur taldra.

'Chi'n edrych yn dalach nag y'ch chi ar y teledu,' meddai Patricia cyn cyhoeddi bod angen i Huw golli stôn a hanner. Cafodd ei anfon i'w sedd gyda thaflen i'w llenwi ac addewid y byddai Pat o gwmpas ar y diwedd os byddai angen cymorth ychwanegol arno.

'A sai'n credu 'i bod hi'n cyfeirio at y daflen chwaith,' meddai Lowri.

Edrychai Huw ar goll, druan. Roedd pob math o gwestiynau ar y daflen. 'Ers pryd mae gennych chi broblem gyda'ch pwysau?' 'Beth yw eich gwendid o ran bwyd a diod?' 'Ydych chi erioed wedi diodde o unrhyw afiechydon bwyta?'

'Beta i bod problem bwyta 'da fe. Mae pawb yn gwbod bod pob actor yn godde o broblemau bwyta,' meddai Lowri gan drio dal ei lygaid.

'Petai e'n anorecsic fyddai dim angen colli stôn a hanner arno fe.' Edrychodd Erin hithau draw tuag ato.

Nawr, rwy'n siŵr bod ambell actor yn siom yn y cnawd, ond doedd hynny ddim yn wir am Huw Teifi. Os rhywbeth, roedd e hyd yn oed yn fwy golygus heb ei golur. Bob hyn a hyn codai ei ben a gwneud llygaid llo bach ar unrhyw un oedd yn ddigon lwcus i ddal ei lygaid. Doedd Lowri ddim yn *impressed*.

'Beta i ei fod e'n disgwyl i ni doddi,' meddai yn y fath ffordd fel na feiddiwn i gyfadde mod i'n dechrau cynhesu.

'Ti isie help?' Erin oedd y gynta i gynnig ei hun iddo.

'Diolch, bydde hynny'n grêt.' Gallwn weld y rhyddhad ar wyneb Huw ac roedd sawl un yn siŵr o fod yn cicio'i hun am beidio achub y blaen ar Erin.

'Unwaith yn athrawes, wastad yn athrawes. Bydd hi'n rhoi marciau mas o ddeg i ti nesa,' meddai Lowri yn sur iawn o rywun oedd wedi bod mor ddifrïol.

Teimlais rywbeth nad oeddwn wedi ei deimlo ers blynyddoedd o achos dyn. Curai fy nghalon dipyn bach yn gyflymach. Ro'n i'n gwybod yn union pa farc y byddwn i'n ei roi i Huw Teifi, ond ddywedais i 'run gair, dim ond gwenu.

TAMED 7

'Byddwch yn onest wrth lenwi eich dyddiadur bwyd. Ry'ch chi ond yn twyllo'ch hunan os nad ydych yn cyfadde'r gwir i gyd.'

Doeddwn i prin wedi torri fy nannedd ar *Waliau Cerrig Trwy'r Oesoedd* pan ganodd y ffôn. Nawr, byddai'n rhaid i chi dreulio bore yn swyddfa Chwarae ar Eiriau i wybod pam fod galwad y peth cynta yn y bore mor ofnadwy. Roedd hi'n dawel fel y bedd diarhebol yma. Bedd gwag mewn mynwent mewn pentre sydd wedi cael *by-pass*. Deuai'r unig sŵn o chwyrnu'r *air-con* a chlic-clic bysedd prysur yn teipio. Fe wnes y camgymeriad un tro o wrando'n astud ar y clic-cliciau, ac am foment fe welwn fy hun yn fy nghwrcwd mewn stafell wen yn siglo 'nôl a mlaen. Dyna'r ffordd i fro gwallgofrwydd, rwy'n dweud wrthych chi!

Swyddfa i weithio ynddi yw hi ac nid i glebran ar y ffôn. Allwch chi ddim yn hawdd iawn gymryd arnoch bod galwad yn ymwneud â gwaith. Roedd Andrea 'dwi-ddim-yn-*control-freak*-onest!' Charming yn trafod dyfynbrisiau gyda phob cwsmer – er ein bod ni i gyd yn gwybod beth yw cost ein llafur. Os oedd cwsmer yn eich ffonio chi'n bersonol roedd e'n achos i arswydo. Achos cwyn. Byddai'r cwsmeriaid gorau yn eich ffonio chi'n bersonol i gwyno. Roedd enw da Andrea Ast yn ymestyn ymhell y tu hwnt i bedair wal Chwarae ar Eiriau.

Os mai prin oedd galwadau ffôn y tu allan i swyddfa AA (oedd, gyda llaw, yn treulio'r rhan fwya o'r dydd yn cloncan ar y ffôn – ac yn fflyrtio gyda chleients gwrywaidd, yn arbennig os oedden nhw'n digwydd bod yn briod), ro'n nhw'n brinnach fyth ben bore. Ond doedd dim ots faint o weithiau ro'n i'n tynnu sylw Mam at y ffaith hon. Os byddai'r ffôn yn canu cyn deg, hi fyddai yno, garantîd.

Rwy'n beio'r ddeiet am yr hyn ddigwyddodd nesa. Wel, doeddwn i byth yn bwyta brecwast fel arfer. Ond achos fy mod i 'ar ddeiet' (chwedl Erin) ro'n i'n starfo, wrth gwrs, a stwffais ddau ddarn o dost a marmalêd i lawr fy nghorn gwddw cyn cael cawod hyd yn oed. Rhaid bod y chwistrelliad annisgwyl o siwgr i'r system wedi gwneud rhywbeth rhyfedd iawn i'r ymennydd. Doedd dim esboniad arall am y peth.

'Joiest ti 'te?'

'Mam. O'n i'n meddwl falle mai cleient pwysig oedd 'na yn cynnig y cytundeb mwya yn hanes Chwarae ar Eiriau.'

'Wel, nage. Fi sy 'ma. Wedi ffonio y peth cynta'n y bore fel gofynnest ti,' meddai Mam gan ddangos unwaith eto nad oedd hi'n deall y grefft o watwar.

'Nage, Mam. Gofyn i chi *beidio* ffonio yn y bore wnes i.'

'Ti'n siŵr?'

'Odw.'

'Ti isie i fi ffonio yn y prynhawn 'te?' gofynnodd â thinc anghrediniol yn ei llais.

'Dy'n ni ddim fod i dderbyn galwadau personol yn y gwaith o gwbwl.'

Saib bach tra bod Mam yn prosesu hyn.

'Wel, shwt wy fod i gael gafael arnot ti 'te? Ti'n

gwbod mod i ddim yn deall yr e-bost yna.' Gyda'r 'e'
wedi'i ynganu yn Saesneg – fel 'i-bost' Cymraeg.

Ces bwl o gydwybod. Efallai bod rhywbeth mawr
o'i le. Efallai bod argyfwng go iawn a rheswm difrifol
dros yr alwad.

'Dad yn iawn?'

'Fel mae e.'

'A chi? Chi'n iawn?'

'Sai'n conan, t'wel.'

Unwaith fy mod i wedi sefydlu bod fy anwyliaid
ar dir y byw, roedd gen i gyfiawnhad dros deimlo fy
ngwaed yn berwi o achos un ohonyn nhw.

'Joiest ti neithiwr?' gofynnodd Mam, yn galetach
y tro hwn.

Am eiliad roedd yn rhaid i fi feddwl beth oedd
mlaen 'neithiwr'. Roedd grwgnach fy mola yn fy
atgoffa mai yn y clwb colli pwysau o'n i go iawn.
Ond beth ddywedais i o'n i'n ei wneud? Yna, cofiais
am y camddealltwriaeth ac am fy nghariad newydd
nad oedd yn bodoli.

'Oedd e'n iawn.' Ro'n i'n teimlo'n eitha bodlon
gyda'r ateb amwys nes iddi hi ddweud,

'Fel'na mae 'i deall hi, ife?' A darllen rhywbeth –
dyn a ŵyr beth! – i mewn i dri gair.

'Oedd Erin 'na 'fyd,' meddais yn gyflym, achos
ro'n i'n dechrau synhwyro bod Mam yn ofni bod y
fenyw oedd byth yn mynd mas gyda neb ond oedd –
trwy ryw ryfedd wyrth – wedi cael dêt o'r diwedd,
wedi gwneud cawl potsh o bethau a hynny ar ôl un
noson ac felly nad oedd unrhyw obaith iddi o gwbwl!

'Erin a fe Breian,' meddai Mam gyda diddordeb.

Roedd hi wastad yn cyfeirio at Brei fel 'fe Breian' ac fe gewch chi'r stori yna gen i yn nes ymlaen hefyd.

Yna, fe siaradon ni yr un pryd. Ddywedais i 'a Lowri' a fe ddywedodd hi 'Jest y pedwar 'noch chi', a chyn i mi gael cyfle i gywiro'r camsyniad yma (a dyn a ŵyr pam ro'n i eisiau trafferthu achos celwydd oedd y cwbwl ontefe . . .)

'Ble fuoch chi 'te?' gofynnodd Mam.

'Jest i'r dafarn.' Mae'n dda cael tipyn bach o wirionedd ymhob celwydd.

'Gwd. Fe ddewch chi draw i swper 'te.'

Roedd hi'n fy ngwahodd i a nghariad dychmygol i swper! Do'n i ddim yn gwybod beth i'w ddweud.

'Ac Erin a Brei?' gofynnais. A dwi ddim yn gwybod pam ddywedais i hynny, achos nid y nhw oedd y broblem.

'Na. Neis i chi'ch dau gael 'bach o lonydd,' meddai Mam.

Rhaid bod siwgr yn beth peryglus iawn. Dyma'r hyn oedd yn mynd trwy fy meddwl i: sut y byddai dau gariad yn 'cael llonydd' yng nghwmni Mam a Dad? Dyma ddylai fod yn mynd trwy fy meddwl: sut oeddwn i'n mynd i esbonio absenoldeb fy sboner?

''Na ni 'te. Wna i mo dy gadw di rhag dy waith. Welwn ni chi nos Sul.'

Fe ddywedodd 'dy waith' fel pe byddai hwnnw'n ddim ond rhyw ddiddordeb bach oedd yn fy nghadw'n brysur ond nad oedd Mam yn meddwl y byddwn i'n ei sticio mewn gwirionedd.

A chyda hynny, roedd hi wedi mynd – ynghyd ag unrhyw obeithion am dawelwch meddwl nes i mi feddwl am ffordd o gael fy hun allan o'r twll anferthol ro'n i wedi'i gloddio i mi fy hun.

Fel'na ddigwyddodd pethau go iawn. Ond dyma beth ddylwn i fod wedi'i ddweud:

Mam yn gofyn – 'Joiest ti 'te?'

Fi'n ateb – 'Gydag Erin a Lowri, do.'

Mam yn dweud – 'A beth am y sboner?'

A finnau'n dweud – 'Sdim sboner i gael 'da fi.' Beth allai fod yn symlach na hynny? Hyd yn oed petai Mam wedi mynd ymlaen i ddweud, 'Ond ddwedest ti fod sboner 'da ti,' fe allwn i fod wedi ateb – 'Naddo. Chi sy wedi camddeall.' A dyna'n dwt fyddai diwedd y mater.

Un tro ges i lyfr *self-help* i'w gyfieithu. A thra mod i'n gweithio arno fe fûm yn cymryd sylw o'r cynnwys. Dwi ddim yn gwybod beth ddaeth drosta i! Roedd pawb fan hyn yn cyfieithu mewn rhyw niwl breuddwydiol. Doedd neb yn darllen yn synhwyrol, wel, heblaw ar lefel arwynebol iawn. Dogfen ddiflas o'r Cynulliad? Rhyw ddarllen ar ras, fel y byddai rhywun yn ei wneud gyda *Heat*, efallai. Pe byddai pawb yn darllen pob dim yn fanwl, bydden ni'n sylweddoli pa mor affwysol yw'r gwaith. Bydden ni i gyd eisiau lladd ein hunain! Ac wedyn beth fyddai'n digwydd i ddyfodol Cymru ddwyieithog?

Beth bynnag, 'nôl at y llyfr *self-help*. Roedd yna bennod gyfan ar 'Sut i ddweud "na" heb ypsetio neb', crefft nad o'n i erioed wedi ei meistroli. Weithiau, gallwn glywed y gair 'na' yn glir yn fy mhen, ond pan ddoi allan o ngheg roedd wedi troi'n 'o'r gorau' bach gwylaidd.

Dyma'r ffordd i wneud, yn ôl y llyfr. Dywedwch 'na' yn gadarn, ond yn boléit. Yna – ac roedd hyn yn bwysicach na dweud 'na' yn y lle cynta – yna, peidiwch ag esbonio. Peidiwch â dweud dim. Yn arbennig, peidiwch â chynnig rhyw esgus carbwl, hir sy'n mynd i swnio'n fwy o gelwydd na chelwydd ei hun. (Fel y byddwn i'n llwyddo i'w wneud bob tro.) Gadewch iddyn nhw ymateb, meddai'r llyfr. Wrth gwrs, y tawelwch rhwng y ddau ddweud oedd yn fy nychryn i, a dyna pam ro'n i'n methu stopio fy hun rhag neidio gyda dwy droed i hel esgusodion oedd yn swnio'n pathetic hyd yn oed i nghlustiau i.

Fe ges neges gan Erin.

I: uncneuen-fach!@enildram.co.uk
Oddi wrth: mam_fach@hatmail.com
Pwnc: Ympryd

Dwi ddim wedi bwyta drwy'r bore.

I: mam_fach@hatmail.com
Oddi wrth: uncneuen-fach!@enildram.co.uk
Pwnc: Ympryd

Da iawn.

ON. Ble mae'r plant?

I: uncneuen-fach!@enildram.co.uk
Oddi wrth: mam_fach@hatmail.com
Pwnc: Ympryd

Dim yn dda. Beth yw rheswm dros ympryd?
Un. Hunanddisgyblaeth haearnaidd?
Na.

Dau. Gofid.

ON. Wedi breibo Jennie drws nesa i ofalu am yr efeilliaid am awr tra mod i'n dod dros fy ngofid.

Do'n i ddim yn poeni'n ormodol am ofid Erin. Wel, pa fath o ofid y'ch chi'n gallu ei oresgyn mewn awr? Roedd fy ngofidiau gorau i'n para blynyddoedd. Ro'n i'n gallu tormentio fy hun am wythnos gyda'r gofid bach lleia.

I: mam_fach@hatmail.com
Oddi wrth: uncneuen-fach!@enildram.co.uk
Pwnc: Ympryd

Beth yw'r gofid?

ON. Jennie yn berson defnyddiol i'w nabod.

I: uncneuen-fach!@enildram.co.uk
Oddi wrth: mam_fach@hatmail.com
Pwnc: Dillad brwnt

Wedi bod yn gwneud y golch. Dyna pryd ddigwyddodd e.

ON. Mynd i ddifaru mynd ar ofyn Jennie pan fydd hi'n gofyn yn ôl gen i. Yna, bydd gen i'r efeilliaid A Callum hi!

I: mam_fach@hatmail.com
Oddi wrth: uncneuen-fach!@enildram.co.uk
Pwnc: Dillad brwnt.

Deall yn iawn am y golch. Poeni am y smwddo? Casáu smwddo fy hunan. Un tro aeth y peil mor uchel roedd yn rhaid i mi ei bwyso yn erbyn y wal – a'i guddio yn yr atic pan ddaeth Mam i de.

ON. Efallai bydd Callum yn help gyda'r efeilliaid?

I: uncneuen-fach!@enildram.co.uk
Oddi wrth: mam_fach@hatmail.com
Pwnc: Dillad brwnt

Wedi ffeindio rhywbeth ym mhoced trowsus Brei. Dim chwerthin. Doedd Brei ddim yn y trowsus ar y pryd. Wedi ffeindio darn o bapur â'r enw 'Mali' arno!!

ON. Callum wedi ei eithrio o Ti a Fi. Neb erioed wedi ei eithrio o Ti a Fi!

I: mam_fach@hatmail.com
Oddi wrth: uncneuen-fach!@enildram.co.uk
Pwnc: Woof

Efallai ei fod e'n meddwl cael ci. Swnio fel enw ci.

ON. Re: Callum. Well i ti guddio'r tseina da 'te. Ha ha!

I: uncneuen-fach!@enildram.co.uk
Oddi wrth: mam_fach@hatmail.com
Pwnc: Woof, woof!

Mali yw enw ei assistant newydd e! Beth dwi'n mynd i'w wneud!

ON. Callum yw fy ngofid lleia.

ONN. Beth dwi'n mynd i'w wneud?

I: mam_fach@hatmail.com
Oddi wrth: uncneuen-fach!@enildram.co.uk
Pwnc: Eliffant anghofus – dim ti, wrth gwrs

Cŵla lawr. Meddylia'n synhwyrol am y peth. Petait ti'n cael affêr byddet ti ddim angen sgwennu enw'r person ar ddarn o bapur. Byddet ti'n gwbod ei fflipin enw! Hyd yn oed os ti oedd y person mwya anghofus ar y blaned a bo ti'n gorfod sgrifennu popeth i lawr (hyd yn oed enw'r person ti'n cael affer â hi), byddet ti ddim yn rhoi'r darn papur yn dy boced i dy wraig gael ei ffeindio!

O, ro'n i'n gallu rhoi cyngor! Trueni mod i ddim cystal wrth ei ddilyn.

I: uncneuen-fach!@enildram.co.uk
Oddi wrth: mam_fach@hatmail.com
Pwnc: Eliffant – na tithau!

Os mai ti oedd y person mwya anghofus ar y blaned a dy fod ti'n gorfod sgrifennu popeth i lawr (hyd yn oed enw'r person ti'n cael affer â hi), efallai y BYDDET ti'n rhoi'r darn papur yn dy boced i dy wraig gael ei ffeindio – achos bo ti wedi ANGHOFIO ei fod yno!

ON. Mae Jennie yma.

ONN. Doedd hwnna ddim yn awr. Beth mae'r efeilliaid wedi wneud nawr?

ONNN. Mynd i gael y *Pop-tart* jam diwetha. A dwi ddim yn mynd i'w roi yn y dyddiadur, felly paid dweud wrth Pat!

TAMED 8

'Mae'r rhan fwya ohonom yn troi at fwyd mewn cyfnodau anodd.'

Dros yr wythnos ddilynol fe fwytais cymaint ag eliffant. Dau eliffant – a'r rheini wedi bod yn ymprydio am flwyddyn ac oedd nawr yn bresennol yn agoriad cynta y Tesco mwya yng Nghymru. Fe fwytais mwy nag erioed. Ac, wrth gwrs, roedd fy metabolism anarferol o ara yn golygu bod pob briwsionyn yn troi'n fraster ac yn glynu yn y lleoedd anghywir. Hynny yw, unrhyw le heblaw am fy mronnau.

Afraid yw dweud nad oeddwn yn cynnwys gair o hyn yn fy nyddiadur bwyd. Do'n i ddim yn sgrifennu yn hwnnw tan brynhawn dydd Sul, pan fyddai'r orchwyl honno, hyd yn oed, yn fwy dymunol na meddwl am swper i bedwar yn nhŷ Mam a Dad.

Dyma ro'n i wedi ei roi yn fy nyddiadur bwyd . . . Weetabix, brechdan ham a Quavers, afal am dri, taten bob gyda tiwna a salad a iogwrt i bwdin. Ro'n i wedi rhoi'r un peth am bob dydd nes bod cyfrifiad calorïau cyflym yn dangos fy mod ymhell o'r *allowance* wythnosol ac felly, petai'r dyddiadur yn gywir, fe fyddai disgwyl i mi fod wedi colli hanner stôn. O leia.

Ar yr ail ymgais newidiais y iogwrt yn hufen iâ, y Quavers yn Walkers a'r tiwna yn *quiche*. Es i hwyliau a thaflais Chinese tec-awê i'r wledd a rhoi 'pen-

102

blwydd ffrind' wrth ei ochr ac ychwanegu cinio dydd Sul Mam a threiffl ar gyfer heddiw.

Doedd Erin ddim yn helpu'r gwledda gwallgo gyda'i pharanoia re: Mali (oedd naill ai'n gi anrheg syrpreis neu'n feistres i Brei, gan ddibynnu a oeddech y math o berson sy'n gweld y gwydryn yn hanner llawn neu'n hanner gwag). Roedd hi'n anfon adroddiadau ataf bob dydd. Yn wir, roedd hi wedi troi yn rhyw fath o ysbïwr. Wna i ddim mo'ch diflasu chi gyda phob llith ond dyma'r math o beth oedd yn yr e-bostiau . . .

Mawrth. Brei yn gadael am y gwaith bum munud yn gynnar.
ON. Beth arall wyt ti eisiau, cyffes ysgrifenedig?
ONN. Cyn i ti ofyn, ydw wy'n siŵr bod yr amser yn iawn. Wedi jeco gyda'r *speaking clock*.

Mercher. Gwisg: trowsus corduroy; crys gwyn; siwmper v-neck. Dim byd anarferol. Ffiw! Aftershêf. Pw! Mwy nag arfer – a na, dwi ddim yn dychmygu pethau thanciw.

Mercher pnawn. Wedi rhoi marc ar y botel aftershêf i fonitro pa mor glou mae'r sent yn mynd lawr.

Mercher pnawn dau. Wel, i weld a yw e'n defnyddio mwy o aftershêf nag arfer, pam ti'n meddwl!!

Ro'n i'n trio rhesymu â hi. Ond doedd dim rhesymu i'w gael.

'Ti 'di siarad gyda fe?' gofynnais.

'Beth – a chyfadde bod problem? Dyna ddechre gofidie!' Fe ddywedodd hyn i gyd mewn llais sgrechlyd, anghrediniol fel petai fi oedd yr un wallgo.

'Sdim isie sôn am brobleme 'te . . . Agor potel o win . . . Gofyn shwt mae e . . . *Massage* bach falle.'

'Ac â phob parch, Judith, sdim syniad 'da ti! Taset ti dy hunan yn caru, fyddet ti ddim yn awgrymu shwt beth!'

Roedd deiet Erin cynddrwg â f'un i. Roedd hi'n goresgyn hyn trwy fwyta pethau oddi ar blatiau'r plant yn unig. Roedd hi'n dadlau nag y'ch chi'n gorfod sgrifennu bwyd ry'ch chi'n ei fwyta i lawr oni bai eich bod yn ei fwyta oddi ar eich plât eich hun. Gallwch ddefnyddio'r un ddadl mewn bwyty. Os nag y'ch chi eich hun wedi archebu *Death by Chocolate* a hufen, gallwch chi fwyta faint licwch chi oddi ar blât eich ffrind heb deimlo'n euog.

A dyna ddod â ni at yr ail broblem. Y swper nos Sul rwy wedi cyfeirio ato eisoes. Y noson pan roeddwn i fod i ddadorchuddio sboner o flaen Mam a Dad, fel rhyw fath o heneb o oes a fu. Dechreuais banicio go iawn tua dydd Mercher.

Chi'n gwybod y ddihareb yna, am ddewis dyn oddi ar y stryd? Wel, daliais fy hun yn pwyso a mesur dynion yn Somerfield! Wrth gwrs, allwn i byth ofyn i ddyn am ddêt mewn archfarchnad, fel petawn i'n gofyn am sleisen ychwanegol o ham!

Sylwodd Lowri'n ar fy mlinder meddwl.

'Pam na ffoni di Huw Teifi?' holodd. Jest fel'na! Yn y ffordd hamddenol mae pobol brydferth tu hwnt yn siarad am gael cariadon. Yn yr un ffordd ag oedd y gweddill ohonon ni'n siarad am gael banana neu afal.

'Www ie,' meddais yn watwarus. 'Allen i jest ffonio *Pobol y Gwm* a gofyn am Huw Teifi, a byddai e'n dod yn strêt oddi ar y set lle roedd e ar ganol ffilmio, jest i siarad â fi! A bydde fe'n siŵr o gofio pwy o'n i ar ôl hanner cwrdd â fi un tro! A bydde dim byd gwell 'da fe i'w wneud nos Sul wy'n siŵr na dod i swper gyda Mam a Dad. A falle gallen ni drafod trefniadau'r briodas yr un pryd.'

'Sdim isie bod yn *sarcastic*.' Roedd Lowri ar ganol postio dogfen at gleient. Daliodd at y gwaith o gyfri'r tudalennau a'u rhwymo a pharatoi'r amlen, fel pe na ai dim yn gallu tarfu arni. 'Shwt arall wyt ti'n meddwl mae rhywun yn dechrau caru, Judith?' Ac ar y pwynt yma dechreuodd rhyw bwffian chwerthin yn ysgafn. 'So ti'n dal i feddwl bod yn rhaid aros i ddyn ofyn i ti fynd mas, fel yn yr hen ddyddiau, wyt ti? Sdim rhyfedd dy fod ti'n sengl.'

A llyfodd yr amlen a'i chau a gwasgu'r stamp yn ei le dan ei bawd.

Roeddwn i hyd yn oed yn ystyried gofyn i Peredur (neu Pechedur fel roedd Andrea Ast yn ei alw, ar gownt ei nam lleferydd). Wel, pam lai na gofyn iddo? Roedd e'n ddyn. Ac roedd Lowri wastad yn tynnu fy nghoes bod Peredur IT yn sofft arna i. (Yn seiliedig ar un adeg pan oedd fy nisg caled ddim yn gweithio a threuliodd Peredur lot o amser nesa at fy nghoesau dan y ddesg ar ddiwrnod pan o'n i'n gwisgo sgert.)

Dyma pam lai. Roedd Peredur yn iawn. Yn fachgen ffein. Ond 'bach yn boring os oeddech chi'n dechrau sgwrsio am ei hoff bwnc, sef cyfrifiaduron.

Roedd e'n gwisgo sbectol tan yn ddiweddar pan gafodd e *contact lenses*. Mistêc, achos roedd Peredur yn un o'r bobol hynny roedd sbectol yn ei siwtio ac roedden nhw'n cuddio'i lygaid mynd-a-dod. Roedd e'n gwisgo trowsus gyrrwr bws henffasiwn nad oeddech chi ond yn gallu eu prynu o'r catalogs yna nad oes neb yn eu harchebu ond sy'n dod trwy'r post beth bynnag. Ond dim y trowsus gyrrwr bws oedd y peth gwaetha am ei wisg. Doedd e byth heb ei grys a thei *stick-on*.

Ond ro'n i'n ystyried ei wahodd i swper achos roedd e jest y math o berson y byddai eich mam a'ch tad yn ei hoffi. Ci ffyddlon na fyddai'n crwydro. Ond ddim yn ecseiting iawn yn y gwely. Ond wedyn, pwy o'n i i gwyno? Fel y dywedodd Erin, 'Byddai unrhyw *action* yn y gwely yn well na dim.'

Ces fy nhemtio i ofyn iddo amser paned dydd Iau a hithau'n rownd Peredur. Roedd hyn yn dilyn panics nos Fercher pan gefais fy hun yn synfyfyrio adeg *Pobol y Cwm* allwn i ffonio Huw Teifi! Ond pan dechreuodd Peredur ei rownd gyda fi, sylweddolais na allawn ofyn iddo gwrdd â Mam a Dad, hyd yn oed petawn i'n egluro mai fel ffafr fyddai hynny, i nghael i allan o dwll. (Ro'n i'n eitha saff na fyddai Peredur yn dweud wrth Andrea Charming am fy sefyllfa anffodus. Roedd e'n osgoi honno ers iddi ei alw'n 'Pechedur' i'w wyneb. Damwain oedd hynny. Doedd hyd yn oed Andrea Ast ddim yn ddigon o fitsh i wneud hynny'n fwriadol.) Ond pan o'n i'n yfed fy nhe cryf, perffaith sylweddolais petawn i'n archebu Peredur ar gyfer nos Sul y byddai e ar fy mhlât i. Ac wedyn beth nesa? 'Wedyn, byddai'n rhaid i ti ei fwyta fe.' A Lowri ddywedodd hynny yn y ffordd hollol cŵl sydd gan Lowri o ddweud pethau mawr.

Nos Iau, ac roedd y tair ohonom yn rhannu ein hail botel o win.

A phan wnes i gyfadde fy mod wedi ystyried ffonio Huw am foment fyrbwyll, roedd yn rhaid i mi ychwanegu 'na allwn i fyth wneud hynny go iawn, wrth gwrs', cyn iddi gael cyfle i wasgu *speed dial* ar ei mobeil. Yn lle hynny dywedodd, 'Allen i ofyn i Ken.' Yn cŵl fel ciwcymber fel petaen ni i fod i wybod pwy oedd y boi Ken yma achos ein bod ni i gyd yn ffrindiau gorau! A dyna sut ffeindion ni mas bod ein Barbie ni wedi darganfod ei Ken. Dr Kenneth Singh, a bod yn fanwl gywir.

'A phwy yw Ken? Ken?! Gallai e fod yn Ken-wood ffycin *kitchen blender* cymaint ry'n ni'n gwbod amdano fe!' Dyma Erin yn chwerthin am ben ei jôc ei hun nes ei bod yn gorfod stopio achos ei bod yn teimlo'n sic. Rhaid cofio bod bron i hanner potel o win yn lot i fenyw oedd heb gysgu ers geni efeilliaid ddwy flynedd a hanner 'nôl.

'Pam lai?' meddai Lowri ar ôl esbonio pwy oedd Ken, yn gryno, a sut y cyfarfu'r ddau ar Faes-E.com.

'Ie pam lai?' ategodd Erin. Roedd hi'n feddw gaib erbyn hyn.

'Achos mod i erioed wedi cwrdd â'r boi?' meddwn, gan watwar yn fy meddwdod. 'Achos y bydden i jest yn parhau'r celwydd? . . . Na, yn gwneud y celwydd ganwaith gwaeth trwy gyflwyno "Ken", fy "sboner" i Mam a Dad.'

Ro'n i'n hollol, hollol benderfynol! A chafodd neb fwy o syrpreis na fi pan gytunais i fynd â Dr Ken, cymar Lowri, yn gymar i fi. Ac fe yfon ni lwncdestun i hynny. Ond wnaeth yr ewfforia ddim para dros y penwythnos. Achos fe arweiniodd fy mhenderfyniad at bryd bwyd mwya *embarrassing* fy mywyd.

'*Pryd bwyd mwya* embarrassing *fy mywyd.*'

Wnaeth Erin ddim helpu pethau cyn y noson trwy ddweud pethau fel, 'Beth petaech chi'n cwympo mewn cariad? Byddai hynny'n *turn up for the books.*'

Dyna fyddai'r peth mwya rhyfeddol i ddigwydd mewn unrhyw lyfr, gan gynnwys *genre* ffanstasi, achos pan gwrddais i â Dr Ken ro'n i bron â llewygu! Ro'n i eisiau gweiddi'n groch mod i wedi newid fy meddwl, mod i eisiau Peredur IT ar frys! Achos roedd Dr Ken yn GORJYS – ac mae'n rhaid dweud hynny mewn prif lythrennau.

Roedd ganddo groen tywyll llyfn ac roedd yn rhaid i mi eistedd ar fy nwylo yn y car rhag i mi gael fy nhemtio i anwesu ei fochau meddal fel hufen. Roedd ganddo lygaid du disglair, fel darnau glo gloyw, a rhes o ddannedd gwyn, syth, fel darnau sialc mewn bocs newydd sbon. Ac nid bachgen mohono. Roedd ysgwyddau breision ganddo a llond pen o wallt brithog arian oedd yn gwneud iddo edrych yn hŷn na thri deg dau.

Roedd e wedi mynnu fy hebrwng yn ei gar Saab 93 swanc. Dyna Ken. Gŵr bonheddig.

'Ddylwn i ddiolch i ti am wneud hyn.' Ro'n i'n betrus iawn yn siarad ag e.

Roedd Ken yna i gyd ac fe sylweddolodd yn syth, 'Wel, Judith, ddylwn i ddiolch i ti am fy nghael i. Beta i fod Lowri heb roi lot o ddewis i ti. Mae'n meddwl y byd ohonot ti, ti'n gwbod – er i ti drio dwyn ei swydd hi.' Gwenodd. 'Ro'n i'n falch i gael esgus i gwrdd â pherson mor agos at ei chalon – yn lle mod i'n rhyw fath o gyfrinach fawr.'

Teimlais fy hun yn gwingo ar hynny. Symudais yn anghyfforddus yn fy sedd. Roedd y ddau ohonon ni'n dawel am weddill y siwrnai a minnau'n trio meddwl am rywbeth heblaw'r ffaith mod i heb rannu gofod mor gyfyng gyda dyn golygus ers amser maith. Roedd gwybod fy mod yn cochi yng nghwmni cariad Lowri yn waeth fyth.

'Fe fydda i'n gadael i ti siarad.' Estynnodd Ken ei law i'm helpu o'r car. 'Achos sai'n gwbod y peth cynta amdanon ni. Sut gwrddon ni na dim byd.'

A theimlais don chwilboeth yn fy moddi â chywilydd. Doedd hynny heb groesi fy meddwl!

Ond doedd dim angen poeni am hynny, o leia. Roedd Ken yn amlwg yn gyfarwydd â thrin pobol trwy ei waith achos roedd e'n gwybod yn union sut oedd cyfarch Mam a Dad. Siglo llaw yn gadarn gyda Dad gynta. Blodau i Mam a tharo'r nodyn iawn. Dim blodau garej fyddai'n edrych fel anrheg munud ola. A dim tusw anferthol y byddai Mam yn ei ystyried yn wastraff llwyr o arian chwaith. Pan oedd e'n mân siarad roedd e'n ymddwyn fel oedolyn. Ac ro'n i'n teimlo fel oedolyn. Roedd hyn yn beth mawr achos do'n i erioed wedi dod â dyn adre i gael bwyd o'r blaen. A phan roddodd e ei law ar fach fy nghefn wrth i mi eistedd fe deimlais wefr. Am funud fach ro'n i'n difaru peidio â thrio'n galetach ar y ddeiet. Dim ond am funud fach.

Os oedd Mam a Dad yn synnu gweld Ken am y tro cynta, ro'n nhw wrth eu boddau yn deall ei fod e'n ddoctor. Aeth Mam ymlaen ac ymlaen am ei phrofiad Bron Cwrdd â Chreawdwr tra bod Dad yn tuchan a rholio'i lygaid fel petai bod bron â marw yn ddim byd mwy nag un arall o 'broblemau merched'.

Roedd Mam wedi paratoi gwledd i dynnu dŵr o ddannedd. Cig eidion lleol. *Yorkshire Pudding*. Tatws rhost. Tatws potsh. Moron. Brocoli. *Cauliflower cheese*. Pys. Digon o grêfi. A bara menyn. Ac roedd pawb yn bwyta'n awchus.

Yn ystod y sgwrs am 'sut gwrddon ni' y dechreuodd pethau fynd ar chwâl. O ddyn gwyddonol roedd Ken yn greadigol iawn.

'Mae hi'n stori ddoniol iawn,' meddai Ken ar ôl llyncu llond ceg. Doedd e ddim yn siarad â'i geg yn llawn. 'Wyt ti eisiau ei dweud hi, Jude? Neu wyt ti eisiau i mi wneud?'

Gallwn deimlo llygaid Mam a Dad yn llosgi arnaf. Teimlais fy llygaid innau'n agor yn fawr ac roedd yn rhaid gwneud ymdrech i stopio fy ngheg rhag gwneud yr un peth.

'Dwed ti.' Roedd tinc rhyfedd iawn yn fy llais.

'Wel, ro'n i yn Sioe'r Dref ar y stondin llysiau siapus. Ro'n i jest yn edmygu *cauliflower* bach golygus pan dynnwyd fy sylw gan law fach hyfryd yn gafael yn dynn mewn panasen gam. Dywedais i, "Gyda fy nghlustiau *cauliflower* i a dy drwyn panasen di, ry'n ni'n edrych fel bocsiwr sâl." Cyfeirio at y llysiau o'n i.'

'Ond wnes i gamddeall, fel odw i, a ddywedais i y bydden i'n ei focsio fe petai e'n cario mlaen i fod mor gas am fy nhrwyn!' A, wir i chi, dwi ddim yn gwybod o ble daeth hynny.

'A wenais i arni hi a wenodd hi arna i ac fe syrthiais i dros fy mhen a nghlustiau.' Rhoddodd Ken ei fraich amdana i a ngwasgu'n dyner. Dechreuodd ei fysedd fy nhiclo a dechreuais i chwerthin, a chwarddodd yntau ar ben ei stori wirion a'r sefyllfa wirion. Teimlais sut beth yw bod mewn perthynas, i fod yn ni'n dau yn deall ein gilydd yn well na dim, dau yn erbyn y byd.

Roedd popeth yn hyfryd. Wedyn agorodd Ken ei geg eto, 'Ro'n i'n rhy swil i ofyn iddi fynd mas 'da fi ar y pryd. Ond trwy lwc gwrddon ni eto y prynhawn hwnnw . . . A dwi ddim yn gwybod pam rwy'n dweud y stori yma, achos rwyt ti Jude yn ei dweud hi lot gwell na fi . . .'

Unwaith eto, trodd pawb i edrych arna i. Erbyn hyn, ro'n i rhyw hanner ffordd trwy lond plât o fwyd. A phan rwy'n dweud llond plât, rwy'n golygu llond plât. Roedd fy awch am fwyd wedi mynd yn dwlali bost a phan lenwais fy mhlât ro'n i'n teimlo fel ymprydiwr ffaeledig mewn bwyty *eat as much as*

111

you can. Ond, yn sydyn, ro'n i'n llawn. Gallwn deimlo zip fy sgert yn cnoi asgwrn fy nghefn a thafod o floneg yn hongian dros linyn y wast ac yn cusanu fy mola mawr. Doedd Mam ddim yn hoffi gwastraffu bwyd o gwbwl ac ro'n i'n gwybod y byddai'n rhaid i mi stico ati a bwyta.

'Dweda di'r stori.' Ro'n i'n boeth ac yn mynd yn boethach gyda phob llond ceg. Roedd fy nillad yn teimlo'n dynn ac yn chwyslyd. Ro'n i'n stopio bwyta bob hyn a hyn i dynnu coler fy mlows oddi ar fy nghroen mewn ymgais i oeri. Ond ro'n i'n cynhesu bob gafael. Fyddwn i ddim yn disgwyl i Dad sylwi, ond os sylwodd Ken neu Mam ddywedon nhw ddim byd. Yn wir, roedd Ken yn hapus iawn yn parablu.

'Beth y'ch chi ddim yn gwbod amdana i yw mod i yno yn rhinwedd fy swydd y prynhawn hwnnw . . .'

'Cymorth cynta?' cynigiodd Mam.

'Beirniadu'r gystadleuaeth "Anifail Anwes Anwylaf" ar ran y meddygon lleol,' atebodd Ken. 'Ac wrth gwrs, pwy oedd yno ond Judith a – '

'Mister Pringles?!' Roedd Mam yn ffaelu'n deg â chredu – ac roedd ganddi bob rheswm dros hynny!

'Mister Pringles – enillydd Anifail Anwes Anwylaf Sioe'r Dref.' Nodiodd Ken ei ben.

'Rhaid bo ti wedi lico Judith ni 'te.' Roedd Dad yn gynnil fel arfer.

'Ond shwt yn y byd ges di'r cwrci 'na mewn i'r fasged?! Ti'n cofio pan oedd rhaid mynd â fe at y fet? Llynger. Oedd angen *tranquilizers* arno fe!'

112

'Mae Mister Pringles wedi aeddfedu ers hynny.'

Do'n i ddim yn hapus o gwbwl – nid achos y celwydd, ond achos bod Mam yn taflu sen ar gymeriad da Mister Pringles.

'Oedd e fel oen bach,' meddai Ken.

'Ti'n meddwl gweud 'tho i fod e heb dy gnoi di!' meddai Mam.

'Ma' dwy graith 'da fi.' Dewisodd Dad amser anffodus i gytuno â Mam.

'Fel babi bach yn cysgu'n braf yn fy mreichiau.' Edrychai Ken yn fodlon iawn gyda'i hun. Wrth gwrs, doedd e erioed wedi cyfarfod y creadur roedd e'n ei ganmol.

'A doedd e ddim yn crafu? Mae Judith a'r fet wedi trio'u gore i gael gwared ar y ffyrlings 'na o'i glustie fe. Ond 'na ni, maen nhw'n gweud 'u bod nhw'n lico gwely brwnt.'

'Gwely glân,' protestiais i.

'A so ti 'di gweud gair am y peth, Judith. 'Na beth wy'n ffaelu deall. Dwyt ti ddim yn stopo siarad am y cwrci 'na fel arfer. Wastad yn neud esgusodion am shwt un yw e – hyd yn oed pam mae e'n neud 'i fusnes ym mhob man.'

'Dyw e ddim wedi neud 'ny ers sbel . . .' dechreuais, ond torrodd Mam ar fy nhraws.

'Ffaelu credu bo ti heb ddweud, nag ydw i . . .'

'Ond 'na ni. Ddwedodd Judith 'run gair bod sboner 'da hi chwaith,' meddai Dad.

Gallwn deimlo fy mhen yn boeth a ngwar yn chwyslyd a churiadau fy nghalon yn cyflymu ar ras. Cododd ton o wres y tu mewn i mi. Ro'n i'n benysgafn ac yn gorfod llyncu'n galed i waredu fy mhoer. Ac ro'n i'n gwybod ei fod e'n mynd i ddigwydd cyn iddo fe ddigwydd a doedd dim byd y gallwn i ei wneud ond cau fy llygaid a gwingo.

'Pffffffffff!'

A dyna fe. Rhech enfawr ar ganol swper nos Sul. Fel ffwl stop. Neu ebychiad. A doedd hyd yn oed Ken ddim yn gwybod beth i'w ddweud ar ôl hynny.

TAMED 9

'Er mwyn llwyddo wrth golli pwysau mae'n rhaid bod yn benderfynol, ymrwymedig . . . a rhaid mynd i'r dosbarth bob wythnos.'

Ro'n i mewn dau feddwl p'un ai i fynd o gwbwl, wir i chi. Ond wedyn byddai peidio â mynd yn waeth, achos byddai'n rhaid dweud 'na' yn gadarn wrth Erin a ffeindio rhywbeth i stwffio yn fy ngheg (ond nid bwyd) i nghadw rhag llenwi'r gofod pan fyddai hi'n disgwyl esboniad da. (Er enghraifft, bod y tŷ wedi cwympo ar fy mhen a mod i wedi fy ngwasgu i'r llawr gan domen o frics.)

Doedd dim pwrpas mynd i'r clwb colli pwysau, achos roedd hi'n amlwg i unrhyw un fyddai wedi fy ngweld yn trio cau zip fy nhrowsus bore hwnnw mod i heb wneud unrhyw gynnydd yn ystod yr wythnos aeth heibio. Doedd dim angen aros i ngweld yn tynnu'r trowsus a gwisgo'r sgert â lastig i wybod hynny.

Ro'n i bron yn rhy wan i fynd o gwbwl ar ôl bod yn ymprydio drwy'r dydd. Ro'n i'n ddiolchgar mai tro Erin oedd hi i yrru. Rhwng mod i prin wedi bwyta a mod i'n gwisgo cyn lleied â phosib, ro'n i'n crynu. (Rhan o dacteg gwisgo popeth yn y wardrôb i fod yn fwriadol drwm ar y dafol yr wythnos ddiwetha oedd gwisgo nesa peth i ddim yr wythnos hon.) Ond do'n i ddim wedi ystyried y gwynt main ar noson o haf ac fe fyddwn wedi rhoi unrhyw beth am gael gwisgo cardigan. (Ac ydw, rydw i *yn* becso amdanaf fy hun pan rwy'n dweud pethau 'hen berson' fel'na.)

'Chi'n meddwl y caf i wobr arbennig am fod y person cynta erioed i roi pwysau mlân yn eu hwythnos gynta?' Ro'n i'n crynu fel dynes yn mynd i gael ei chrogi.

'Efallai gei di ddau docyn raffl. Wedyn gei di roi un i Huw,' meddai Lowri a chymryd arni archwilio rhyw nam anweledig ar ei choesau tenau, perffaith.

Roedd Erin yn canolbwyntio ar ei gyrru, a diolch byth am hynny. (Roedd hi'n un o'r bobol hynny oedd yn gyrru gyda'r llyw yn erbyn ei brest a'i thrwyn yn erbyn y *windscreen*.) Ac nid am y tro cynta, fe'm trawodd bod ganddi bethau amgenach ar ei meddwl.

'Mae fy mab yn ddwy ar bymtheg oed ac ry'n ni wedi trefnu i fynd mas ag e i swper ers wythnosau.'

Pan gyrhaeddon ni roedd Hannah Metcalfe ym merw rhyw esboniad pam roedd rhaid iddi adael yn syth ar ôl cael ei phwyso. Doedd dim sôn am Huw.

'Gobeithio ei bod hi'n meddwl newid cyn swper.'

Fel pawb arall, roedd Lowri'n rhyfeddu at wisg Hannah – pinaffôr oren *tie-dye*, clustdlysau olwynion efydd digon mawr i gadw byji arnyn nhw, a sandalau erchyll y byddai siop elusen wedi meddwl ddwywaith cyn eu harddangos.

Edrychai Patricia wrth ei bodd gyda'r trefniadau.

'Dwy ar bymtheg! On'd y'n nhw'n tyfu'n glou! Falle y byddech chi wedi gallu meddwl am drefnu'r swper ar gyfer noson arall . . . Unrhyw noson arall ond noson clwb?'

'Ond heddiw mae ei ben-blwydd e.'

'Wel pen-blwydd hapus! A chofiwch amdanon ni pan fyddwch chi'n archebu bwyd. Wy'n dweud hyn er eich mwyn chi, nid er fy mwyn fy hunan.'

Dyfynnu oddi ar y daflen ymuno roedd Pat a dwi ddim yn meddwl bod ymadawiad Hannah Metcalfe wedi ei rhoi yn ei hwyliau gorau, er iddi wneud ei gorau i guddio hynny y tu ôl i'r wên ceg clown. Ro'n i'n cael yr argraff ei bod hi'n strict iawn am bresenoldeb ac y gallech gael eich eithrio am bethau fel colli clwb a gadael yn gynnar. Wnaeth Hannah ddim helpu ei hachos trwy fod wedi 'anghofio' ei dyddiadur – ac nid am y tro cynta chwaith, o'r ffordd y cododd aeliau Pat. A phan deallais i bod Hannah'n aelod o'r clwb ers saith mlynedd ro'n i'n gallu gweld pwynt Pat pan ddywedodd yn uchel nad oedd Hannah'n trio'n ddigon caled. Ymateb Hannah i hynny oedd palu esgusodion pam nad oedd hi'n gallu colli pwysau trwy gadw'n heini, sef o achos ei ffon. A dweud y gwir, roedden ni i gyd yn eitha balch pan ddaeth Pat â'r sgwrs i ben yn siarp trwy ddweud, 'Well i ti fynd. Fyddai dy fab ddim isie cael ei amddifadu o gwmni difyr ei fam.'

Edrychai Sheryl Tizer yn grêt wrth iddi sboncio i'r blaen mewn jîns tyn. Pwy sy'n gwisgo jîns i bwyso? (Ar wahân i'r noson gynta pan ry'ch chi eisiau bod yn fwriadol drwm ar y dafol.) Roedd Heulwen Darling yn hwyr. 'Er mwyn tynnu sylw ati hi'i hun,' meddai Lowri. Tacteg beryglus o gofio hwyliau Pat, ond doedd dim byd yn mennu ar Heulwen yn ei byd bach dosbarth canol. Roedd hi'n clochdar ar dop ei llais am sut roedd hi wedi rhofio bwyd fel eliffant drwy'r wythnos – ac ar yr un pryd yn llenwi'i bochau ag aer, wrth gwrs. Feddyliais i mor wahanol o'n ni achos do'n i ddim yn bwriadu cyfadde mod innau wedi stwffio digon i fodloni teulu o bedwar. Aeth hi mlaen a mlaen am ryw swper ffantastic roedd hi wedi ei drefnu. A gallwn ei dychmygu'n eistedd wrth y bwrdd yn ei thŷ ffab yn y dre, gyda'i ffrindiau soffistigedig a'i gŵr hyfryd o bensaer / cyfrifydd / cyfreithiwr yn sipian siampên a phigo ar eog organig o Marks. (Doedd hi ddim yn edrych fel menyw oedd â diddordeb mewn coginio. Roedd mwy o gig ar bobol oedd yn hoffi coginio.)

'Colli dau bwys. Da iawn.' Doedd llongyfarchion Pat ddim yn wresog, achos bod Heulwen wedi bwyta 'fel eliffant' ac felly'n esiampl ddigon gwael, ddywedwn i.

Fe wnaeth Heulwen stumiau fel petai hi newydd glywed bod y byd yn fflat a throi rownd at 'ei chynulleidfa' i wneud yn siŵr bod pawb yn gweld. Erbyn iddi eistedd lawr do'n i ddim yn siŵr o o'n i'n ei lico.

'Mae 'na wastad un.' Ac ro'n i'n cytuno ag Erin.

Ro'n i'n falch o weld Huw yn cyrraedd ac yn creu 'run fath o dawelwch syfrdan â'r wythnos flaenorol.

'O'n i'n meddwl y byddai e'n dalach,' meddai Lowri.

'O'n i'n meddwl ei fod e wedi marw.' Meddwl am Daniel Carr roedd Erin, wrth gwrs. Ond hyd yn oed wedyn roedd hi wedi ei ddrysu â'i efaill. Bu hwnnw farw ar ôl cael ei daro gan feic. Nid moto-beic chwaith – fe fyddai wedi byw oni bai ei fod wedi cwympo ar y gyllell roedd yn ei chario er mwyn torri i mewn i'r siop jips, ond stori arall yw honno.

Edrychai Huw Teifi yn fwy nag o'n i'n ei gofio. Roedd e'n llenwi'i ddillad – mewn ffordd dda. Gallwn ddychmygu bod ganddo goesau trwchus chwaraewr rygbi a breichiau cryf, a doedd y tamaid o fol ddim yn fy mhoeni i.

Roedd Erin wedi colli un pwys. (Trwy ofid yn hytrach na deiet gall.) Roedd Lowri wedi mynd un yn well, wrth gwrs, a cholli dau bwys heb drio. (Wel, dyna ddywedodd hi.) A finnau? Dim newid. Dim hyd yn oed ar ôl i mi dynnu fy ngemwaith i gyd.

'Mae hynny'n anobeithiol on'd yw e? Byddech chi'n disgwyl mwy yn yr wythnos gynta?' gofynnais yn betrus.

'Wel . . .' Roedd Pat yn trio bod yn neis. 'Dyw e ddim yn dda. Ond o edrych ar y dyddiadur, mae'n wyrth eich bod chi heb roi pwysau ymlaen.'

Roedd hyn fel cael stŵr yn ysgol fach gan eich hoff athrawes.

'Mae hi wedi bod yn wythnos anodd.' Rhaid bod ysbryd Hannah Metcalfe ynof yn rhywle!

'Does neb yn dweud ei fod e'n mynd i fod yn rhwydd. Ond os nag y'ch chi isie bod yn dew trwy'ch oes . . .'

Ebychodd Pat yn uchel, wedi sylweddoli beth roedd hi newydd ei ddweud. Rhoddodd ei llaw ar fy llaw a'i chadw yno'n rhy hir.

'Sori! Dwi ddim yn dweud eich bod chi'n dew! A sori! Does neb wedi marw oes e?! Rwy'n siarad heb feddwl weithiau!'

119

'O na, na. Jest pwysau gwaith. 'Na i gyd.'

'Dyna pryd ry'n ni fwya tebygol o fynd i'r cwpwrdd drwg.' A llwyddodd i wneud i hwnnw swnio fel rhywbeth amheus y byddai rhywun yn darllen amdano yng nghefn y papur newydd.

Ro'n i'n falch o gael beiro gwyrdd er mwyn sgrifennu fy mhwysau ar y siart fel pawb arall. (Roedd Pwysigion Tew Cymru wedi gwahardd coch achos y cysyniadau negyddol.) Ond roedd e'n dal i edrych yn wael. NP. *No progress.*

'Wy'n falch o gael cwmni.' Roedd Huw'n edrych arna i. Cymerodd y beiro oddi arna i, ac am eiliad cyffyrddodd ein bysedd. 'Beth yw dy waith di?'

'O, y, cyfieithu,' dywedais, unwaith i mi gofio siarad.

'O leia dyw *no progress* ddim yn effeithio ar dy fywoliaeth di.' Gwenodd Huw rhyw hanner gwên a stopiais deimlo'n flin drosof fy hun.

Achos bod sedd wag wrth fy ochr i a bod honno cystal â'r un arall, fe eisteddodd Huw'n wrth fy ochr. Driais i'n galed i beidio â meddwl mor agos oedd ei goesau cyhyrog i fy sosejys innau.

'Diolch am fenthyg Ken,' meddais wrth Lowri gan gofio fy mod wedi bod yn agos at ddyn golygus arall nos Sul. Do'n i ddim wedi dweud dim wrthi cyn hyn achos mod i'n dal eisiau marw am yr hyn ddigwyddodd ar ôl swper.

'Unrhyw bryd.' meddai Lowri'n cŵl, gan gadarnhau'r hyn ro'n i'n ei amau erbyn hyn. Doedd Ken ddim wedi dweud wrthi am 'embaras y rhech fawr'. Os o'n i'n meddwl ei fod yn ŵr bonheddig o'r blaen . . . Petai e'n gariad i mi, fyddwn i ddim mor cŵl â Lowri. Fyddwn i ddim yn cŵl o gwbwl.

Pat oedd ymgynghorydd y clwb, ond ro'n i'n dechrau amau ai hi oedd y bòs. Roedd Beryl yn hwpo'i phig i mewn pryd bynnag roedd hi'n gallu. Roedd rhyw ffraethineb naturiol yn perthyn iddi a hi lwyddodd i'n llonni ni, er mai Pat oedd yn gyfrifol am y sgwrs codi calon. Roedd Beryl yn chwifio llun o gwmpas. Llun o berthynas tew, yn ôl ei golwg. Neu 'dros bwysau' fel roedd Pat yn ei alw – pan oedd hi'n cofio bod yn P.C.

'Pwy chi'n meddwl yw hi?' meddai Beryl ar dop ei llais.

Roedd ofn agor fy ngheg arna i, rhag ofn i mi ddweud y peth anghywir. Ond roedd Beryl yn edrych arna i a roedd yn rhaid dweud rhywbeth.

'Wel, rwy'n gweld y tebygrwydd,' meddwn i'n ofalus.

Sgrechiodd Beryl fel brân, wrth ei bodd, 'Allwn i feddwl hynny. Fi yw hi!'

'Na!'

Roedden ni i gyd yn gegrwth, achos a dweud y gwir wrthych chi roedd y fenyw yn y llun yn faint dau ddeg dau mewn ffrogiau pabell, fentrwn i!

'Gollais i saith stôn. Faint gollaist ti, Pat?' Galwodd tua'r blaen lle roedd Pat yn benisel yn ffysian gyda rhyw bethau mewn bocs.

'Llai na saith,' atebodd Pat.

Chwarddodd Beryl yn gras.

'Os gall hi 'i wneud e, gall unrhyw un.' Plygodd Erin ei breichiau am ei mynwes yn benderfynol.

'Mae hi'n smygu,' meddai Lowri. 'Mae colli pwysau wastad yn haws i smygwyr. Maen nhw'n cael ffags yn lle bwyd.'

Allan o focs trugareddau Pat daeth y plât lleia welsoch chi erioed yn eich byw. O ran maint roedd e'n debycach i soser. Soser ar gyfer cwpan bychan iawn.

'Chi'n gweld y plât yma? Chi'n gweld ei faint e?' Daliodd Pat y plât uwch ei phen fel tarian.

'Arhoswch funud i fi gael nôl fy chwyddwydr,' sibrydais, a dechreuodd Erin a Lowri bwffian chwerthin.

'Wy eisiau i chi brynu plât fel hwn a'i ddefnyddio i fwyta'ch swper oddi arno,' meddai Pat.

Roedd wyneb Erin yn biws wrth drio dal y chwerthin yn ôl.

'Chi'n gallu dychmygu fi'n bwyta fy swper oddi ar rwbeth fel'na? Fyddwn i fel cawr mewn te parti tylwyth teg,' sibrydodd Huw.

Triais yn galed i beidio â meddwl am y plât bach ar ei lin – i stopio fy hun rhag meddwl am ei lin!

'Ti'n gorfod gwylio dy bwysau achos *Pobol y Gwm*?' gofynnais. Edrychodd Huw arna i mewn syndod. 'Fydda i byth yn methu,' ychwanegais. 'Hyd yn oed os bydda i mas, fydda i'n tapio'r rhaglen a'i gwylio wedyn,' cyffesais.

Yn ôl yr olwg ar ei wyneb gallech chi feddwl nad oedd e erioed o'r blaen wedi cyfarfod â rhywun oedd yn gwylio'r gyfres. Edrychodd yn ddiolchgar arna i.

'Mae'r sgrin deledu'n ychwanegu wyth pwys, medden nhw. Mae'n mynd yn anoddach wrth fynd yn hŷn.' A phatiodd Huw ei fol meddal fel petai'n glustog.

'Rhai ohonon ni erioed wedi bod yn denau yn y lle cynta,' meddwn i a difaru'n syth. Roedd Erin wastad yn rhoi stŵr i mi am roi fy hun i lawr.

'Sai'n ffan o *stick insects* fy hunan.' Ac roedd rhywbeth yn ei lygaid caredig oedd yn gwneud i mi ei gredu.

Ar ôl i Pat esbonio ymhellach sut y gallen ni lenwi'r 'plât' gyda bwyd (hynny yw, letys yn benna), fe dynnwyd y raffl ac er mawr embaras iddi enillodd Lowri dun o bys slwj. Roedd hi'n gwrthod mynd i gasglu ei 'gwobr', wrth gwrs. Felly, bu'n rhaid i mi fynd yn ei lle a chafodd Pat gyfle i rannu gair arall o gyngor.

'Cofia bod tun y seis hyn yn ddigon ar gyfer dau bryd.'

Mae'n rhaid bod Huw wedi clywed beth ddywedodd hi.

'Ti isie mynd am ddrinc?' gofynnodd.

Chwarae teg iddo am drio codi fy nghalon, ond roedd yn rhaid i mi wrthod achos mod i'n teithio gyda'r merched.

'Wel, awn ni i gyd 'te.' A doedd e ddim yn edrych yn rhy siomedig, felly efallai mai dyna oedd ganddo mewn golwg o'r cychwyn.

'Ffoniais i Brei yn y gwaith. Doedd e ddim yno.'

Roedd Erin a minnau'n cyd-gerdded i'r dafarn.

'Efallai ei fod e mewn cyfarfod.' Fe fyddwn wedi dweud unrhyw beth i'w chysuro.

'Na, roedd hi'n amser cinio,' meddai'n drist.

Roedden ni'n cerdded yn araf fel dau anturiwr yn eira'r Antartig er mwyn gwneud i'r siwrnai bara, ac roedd Lowri a Huw wedi hen achub y blaen arnom.

'Wel, falle ei fod e mas yn cael cinio 'te.'

Dweud dim am funud hir.

'Pam na wnei di 'i holi fe am Mali, mewn ffordd fach ysgafn, neis?' awgrymais.

'Achos sai'n despret,' meddai mewn llais despret.

'Fyddet ti'n gofyn i Brei am ei *assistant* newydd?' gofynnodd Erin i Lowri tra bod Huw yn y bar. Rhaid ei bod yn poeni'n ofnadwy achos roedd gofyn barn Lowri yn costio iddi.

'Na. Ond 'na ni, fydden i ddim yn stresso achos bod gan fy ngŵr *assistant* newydd ifancach na fi.'

Roedd yna dipyn bach o awyrgylch ar ôl hynny ac ro'n i'n ofni y byddai Huw'n difaru gwahodd tair mor ddiflas am ddrinc. Ond roedd Lowri'n gwybod yn iawn sut i drin dynion.

'Dere i ni gael hanes *Pobol y Gwm* 'da ti 'te.'

Ond siom gawson ni. Ro'n i wastad yn meddwl bod actorion yn bobol *glamorous* tu hwnt. Yr unig beth wnaeth Huw oedd cwyno am yr oriau hir sydd ynghlwm wrth greu rhaglen chwe gwaith yr wythnos, gorfod codi'n gynnar iawn yn y bore a sefyll o gwmpas y rhan fwya o'r dydd yn gwneud dim byd.

'Ar ddiwedd y dydd wy'n debyg iawn i chi,' meddai gan grymu'i sgwyddau a dangos cledrau ei ddwylo.

Nid dyna o'n ni eisiau ei glywed, wrth gwrs.

Roedden ni eisiau codi pobol fel Huw ar bedestal fel sêr cynnar Hollywood. Roedden ni eisiau edmygu eu tinau sofft-siot ar y sgrin sinema heb orfod poeni y byddai ganddyn nhw'r un lympiau a smotiau â'r gweddill ohonom.

'Ma'r diwrnod yn dechrau am saith y bore a gorffen am naw y nos. Ar y set. Ac wedyn mae'n rhaid mynd adre i ddysgu sgript erbyn y diwrnod canlynol. Ond ti ddim yn gweithio'r holl amser yna. Rhan fwya o amser ti'n yfed te a chloncan.'

'Shwt foi yw Andy Gates 'te?' Roedd hi'n amlwg bod Erin yn meddwl bod hwnnw'n dipyn o bishyn achos fe'i gwelais yn bywiogi dros dro.

'Iawn. Fel ti a fi,' atebodd Huw.

Efallai bod hynny'n wir, ond roedden ni'n siomedig nad oedd e'n cymryd arno ei fod yn byw ein ffantasi ni o fyd actio.

'Rhaid bod yna *rywbeth* glamyrys am dy waith?' Lowri oedd yr un i wthio'r mater.

'Fues i yng ngwobrau Bafta Cymru llynedd . . .'

Ro'n i'n cael yr argraff bod Huw yn trio'n galed nawr.

'A . . .' meddai Lowri.

'Sai'n cofio lot, o'n i'n feddw gaib.'

Ond roedden ni'n fodlon ar hynny.

'Ti 'di meddwl am gael chwip?'

Pasiodd Lowri got Erin iddi; roedd honno wedi crychu gan ei bod wedi eistedd arni am yr awr ddiwetha.

'I chwipio Brei?' Roedd Erin yn swnio'n ansicr.

'Beth bynnag sy'n ticlo dy ffansi. Ma' catalog 'da fi. Fe wna i ei roi e i Judith yn y gwaith.'

A gyda hynny roedd y ddwy'n ffrindiau eto. Ond o'm rhan i, do'n i ddim yn gwybod beth i'w feddwl.

TAMED 10

'Mynnwch gael jwg bersonol ar gyfer eich defnydd chi yn unig.'

O'n i'n amau mai Mam oedd yno pan ganodd y ffôn cyn deg. Do'n i ddim wedi siarad â hi ers 'embaras y rhech fawr'.

Chafodd dim byd ei ddweud ar y pryd, ond gallwn weld fy mod wedi siomi Mam a Dad. Roedd y ffordd y gwnaeth Dad daro Dr Ken ar ei gefn yn ysgafn, fel petai'n cydymdeimlo . . . Gallwn weld ei fod yn meddwl, 'Welwn ni mohonot ti eto.'

Doedd Mam ddim yn mynd i ildio mor rhwydd.

'Dere i gael coffi a chacen tro nesa,' meddai wrth ffarwelio â Ken a minnau.

Yn amlwg, do'n i ddim yn dryst gyda phryd o fwyd!

Ddywedodd Ken dim byd chwaith.

'Bwyd bendigedig. Braf cael chênj o gyrri,' meddai wrth fynd â fi adre. Yna, gwenodd llond ei geg a gallwn weld mai jocan oedd e. Ac ro'n i'n teimlo'n fwy o ffŵl fyth am gredu am eiliad fach ei fod yn byw ar gyrri.

Felly pan ganodd y ffôn yn y gwaith fe groesodd fy meddwl i beidio â'i ateb. Ond yna, sylweddolais y byddai'n rhaid esbonio i Mam rywbryd yn y dyfodol pam nad o'n i wedi ateb y ffôn a byddwn yn siŵr o wneud annibendod o hynny. Dwi ddim fel pobol eraill, chi'n gweld. Dwi ddim yn gallu dweud celwydd yn rhwydd. Fe allwn i ddweud fy mod i mewn cyfarfod, wrth gwrs, ond beth petai hi'n mynd i holi pa fath o gyfarfod? Pwy oedd yno? Beth gafodd ei drafod? A gofyn i mi rywbryd eto i ddweud wrthi beth o'n i'n ei wneud y diwrnod atebais i mo'r ffôn. Roedd yna beryg y byddai hi'n dod i wybod mod i heb godi'r ffôn achos mod i'n ofni mai hi oedd yno a byddai hynny'n torri'i chalon.

Roedd hi'n bosib hefyd mai cwsmer oedd yn ffonio. Byddai Andrea Ast yn fwy crac fy mod wedi colli cyfle am waith nag y byddai bod cwsmer heb fynd trwyddi hi. Beth petawn i'n cael y sac? Ro'n i wedi cael y swydd hon trwy dwyll, a doedd swyddi ddim yn tyfu ar goed ffordd hyn.

'Bore da, cwmni Chwarae ar Eiriau. Judith Evans yn siarad, sut alla i eich helpu chi?'

'Iesu, Judith! Ti sy 'na? Ti'n swnio'n gorfforaethol iawn! O'n i ddim yn dy nabod di, 'chan!'

Teimlais fy nghalon yn sboncio. Huw oedd y person diwetha ar fy meddwl pan godais y ffôn. Bod Huw yn fy ffonio i fy ngwahodd mas am ddiod oedd y peth olaf un ar fy meddwl! Diod isel mewn calorïau, wrth gwrs. A bûm i bron â gweld chwith am iddo ddweud hynny. Yna, cofiais ein bod i gyd yn aelodau o'r clwb colli pwysau a bod hawl gennym i ddynnu coes yn ysgafn ynghylch ein sefyllfa heb ddynnu blewyn o drwyn. Achos mod i heb ddweud dim, rhaid ei fod e'n meddwl mod i heb ei adnabod.

'Huw sy 'ma . . . Huw Teifi o'r clwb colli pwysau? Alli di gyfieithu hwn i fi plîs, "*Late arrivers will be shot!*" meddai mewn llais uchel, oedd yn ddynwarediad gwael o Pat.

'Wy'n gwbod pwy y'ch chi – ti, sori. A sori, o'n i'n meddwl mai rhywun arall oedd 'na.'

(Ro'n i'n dal i'w chael hi'n anodd ymdopi â'r syniad fy mod i'n galw ti a tithe ar rywun ar *Pobol y Gwm*!)

'Na. Fi ddylai ymddiheuro am dy ffonio di yn y gwaith. Wy'n siŵr bod pethau lot pwysicach gyda ti i'w gwneud na chael rhywun o'r clwb colli pwysau'n dy boeni.'

Curodd fy nghalon yng nghynt. Petai e ond yn gwybod!

'Paid poeni, dwi heb lyncu deugain o donuts, un ar ôl y llall. Dwi ddim yn dy ffonio di i alw am ambiwlans! Wnes i fwynhau dy gwmni di ac o'n i'n meddwl a licet ti ddod mas 'da fi wthnos yma?'

Ro'n i mewn sioc!

'O . . . Y . . . Sai'n credu gall Erin ofyn i Brei ofalu am y plant ddwywaith yn yr un wythnos – ' meddwn.

'Erin? O, y, na. Jest ti o'n i'n feddwl. Jest ti a fi.'

Dwi ddim yn cofio beth ddywedais i, ond rwy'n credu mod i wedi cytuno'n garbwl. Dwi ddim yn cofio rhoi'r ffôn i lawr. Ro'n i wedi cael sioc fy mywyd, tebyg i'r adeg pan gafodd Mam ei salwch Bron Cwrdd â Chreawdwr. Fe sylwodd Lowri mod i mewn gwewyr.

'Pwy oedd yna?' gofynnodd. Roedd hi'n darllen trwy ei nodiadau ar gyfer y cyfarfod misol.

'Neb.' Allwn i ddim canolbwyntio ar unrhyw beth.

'Huw Teifi, ontefe.'

Chododd hi mo'i phen o'r ffolder. Sut oedd hi'n gwybod hynny?!

'Beth oedd e moyn 'te?'

O'n i ffaelu ateb.

'Mae e 'di gofyn i ti fynd mas gydag e!' meddai, gan daro ar y gwir am yr eilwaith.

Allwn i ddim mentro dweud celwydd. Hyd yn oed pan rwy'n dweud dim mae'r gwir yn dod i'r amlwg!

'Ti'n mynd 'te?'

'Odw.'

'Jawl lwcus. Bydde ddim ots 'da fi fynd mas 'da Huw Teifi.' A chaeodd y ffolder yn glep.

Des at fy hunan yn sydyn iawn, 'Ond beth am Ken?' gofynnais.

'Ffrindiau y'n ni . . . yn bennaf,' meddai'n ddrygionus, a gallwn ddychmygu beth oedd rhan arall y berthynas. Neu, yn hytrach, allwn i ddim dychmygu.

'Dyma'r catalog i ti.' Winciodd arna i a thynnu'r amlen frown A4 o'r ffolder a'i phasio i mi. 'O'n i'n meddwl falle bydde'r papur brown yn 'bach o *cliché*. Ond mae *cliché* yn iawn os yw e'n cael ei wneud yn yr ysbryd cywir. I Erin mae e. Ond falle licet ti gadw fe dy hunan nawr.'

Roedd y cyfarfodydd misol yn ddigon gwael i wneud i rywun ddiolch mai dim ond unwaith y mis roedden nhw'n digwydd. Roedden nhw'n gyfle i bob adran adrodd yn ôl ynghylch pa waith oedd wedi cael ei wneud yn ystod y mis. Ac roedd tipyn o gystadleuaeth rhwng y gwahanol adrannau. Pan rwy'n dweud adrannau, dydy hynny ddim yn golygu bod pob adran yn gwneud gwaith gwahanol iawn i'w gilydd.

Cyfieithu roedd pawb. Ond ro'n ni'r gweithwyr wedi ein rhannu'n grwpiau llai gydag uwch-gyfieithydd uwch ein pennau'n rheoli gwaith a bwrw golwg ar bob dim oedd yn mynd o'r swyddfa. Doedd hyn ddim yn gymaint o gyfrifoldeb ag yr oedd yn swnio, achos roedd Andrea Charming yn rheoli gwaith rheoli pob uwch-gyfieithydd ac yn bwrw golwg ar y gwaith cyfieithu roedd yr uwch-gyfieithwyr wedi bwrw golwg arno fe. Ar ben hynny, roedd pob un ohonom yn llenwi ffurflenni yn nodi beth ro'n ni wedi bod yn ei wneud gyda'n hamser. Roedd yna dargedau geiriau i'w cyrraedd bob dydd, yn ddibynnol ar faint oedd eich cyflog. Pan oedd hi'n dod yn amser cyfarfod ro'n i'n falch mai cyfieithydd cyffredin o'n i ac nad oedd yn rhan o fy nisgrifiad swydd i agor fy ngheg.

Doedd gwastraffu amser ddim yn cael ei annog yn Chwarae ar Eiriau, ac roedd y cyfarfodydd yn dechrau'n brydlon. Byddai Andrea'n aros tan yr eiliad olaf cyn cyrraedd. 'Er mwyn cael osgoi mân siarad gyda'r werin,' meddai Lowri.

Roedd Andrea'n nodedig o ddi-wên ac yn gwgu ar bopeth.

'Os yw e'n unrhyw gysur, bydd raid iddi dalu'n ddrud am Botox rhyw ddydd,' meddai Lowri, oedd yn gwybod bod AA yn codi ofn annaturiol arna i. Ro'n i'n siŵr bod Andrea'n gorfod bod yn fwy didrugaredd na dynion yn yr un sefyllfa, ond roedd Lowri'n dweud bod hynny'n 'gelwydd noeth' ac yn 'esgus i fenywod caled fod yn gas'.

Beth bynnag, roedden nhw'n dweud bod Andrea Charming yn codi am bedwar bob bore i ddarllen proflenni, a dyn a ŵyr beth fyddai hi'n ei roi yn yr adran 'diddordebau' petai hi'n ymgeisio am swydd, achos roedd hi'n glir oddi wrth ei siwtiau stiff nad oedd hi byth yn ymlacio.

Yn ystod y cyfarfodydd misol, roedd Andrea'n eistedd ac edrych arnom gydag wyneb carreg tra bod yr uwch-gyfieithwyr yn adrodd pa waith oedd wedi ei wneud. Ond peidiwch chi â meddwl am funud nad yw Andrea'n gwrando, achos os nad oeddech chi wedi ei phlesio byddai hi'n siŵr o ddweud hynny.

Doedd cyfarfod y bore hwnnw ddim gwaeth na dim gwell nag arfer. Cic i dîm Rhiannedd am fod dair awr yn hwyr yn cyrraedd targed (afrealistig) cyfieithu taflenni bwrdd arholi ac i dîm Osian am golli cytundeb Trydan Cymru (er nad eu bai nhw oedd bod cwmni arall wedi cynnig gwell pris). Roedden ni ar fin gorffen pan godwyd un mater arall.

'Ffoniodd Griff Martin ddoe o Gyngor Gweld Gwlad Cymru,' meddai, a'i hwyneb yn gwbwl ddi-emosiwn. Dechreuodd fy nghalon guro achos fi, wrth gwrs, oedd wedi bod yn treulio fy amser yn cyfieithu *Waliau Cerrig Trwy'r Oesoedd* i'r Cyngor Gweld Gwlad.

'Mae e'n eitha hapus gyda'r gwaith, Judith.'

Ro'n i methu credu fy nghlustiau. Fyddai'n rhaid i mi ddweud rhywbeth?! Cefais fy achub gan Andrea.

'Mae ganddo gyfres o ddogfennau ar y gweill am arferion cefn gwlad. Alla i ddibynnu arnot ti, Judith?'

Nodiais fy mhen yn frwdfrydig, yn dal i gosi gan y canmol mawr. A chredwch chi fi, roedd 'eitha' oddi wrth Andrea yn ganmoliaeth hael iawn!

*   *   *

132

I: uncneuen-fach!@enildram.co.uk
Oddi wrth: mam_fach@hatmail.com
Pwnc: Bradwr

Sut gallet ti?!!!!
ON. Gest ti'r catalog?

Teimlais ofn yn codi fel ton o fy mola i ngwddw. Erin oedd fy ffrind pennaf a byddai'n well gen i lifio fy llaw i ffwrdd gyda hen lif rhydlyd na'i digio hi. Roedd pob cyhyr yn fy nghorff yn dynn, a llaw oer yn gafael am fy nghalon. Ro'n i'n teimlo mor ddrwg ro'n i bron iawn â'i ffonio hi a defnyddio'r ffôn at berwyl rhywbeth ar wahân i waith! Ond byddai'n well esbonio beth oedd gen i i'w ddweud wyneb yn wyneb. Mae mor hawdd camddeall dros y ffôn.

Fflachiodd neges ar y sgrin. Gwelais mai Erin oedd wedi ei hanfon, a darllenais yn llawn ofn beth oedd y pwnc.

I: uncneuen-fach!@enildram.co.uk
Oddi wrth: mam_fach@hatmail.com
Pwnc: O'n i'n meddwl ein bod ni'n ffrindiau?!!

Ro'n i'n meddwl yn saff bod ein cyfeillgarwch ar ben. Yna, darllenais y neges.

Ti 'di dweud wrth Lowri am Huw cyn fi!

Dyna i gyd oedd yn ei phoeni hi. Roedd y rhyddhad yn anhygoel! Yna, fe nhrawodd i. Sut oedd hi'n gwybod amdana i a Huw? Fe ffoniodd e. Fe

133

ddyfalodd Lowri. Ac fe aethon ni i gyfarfod misol. Sut gafodd Lowri gyfle i ddweud wrth Erin?!

I: mam_fach@hatmail.com
Oddi wrth: uncneuen-fach!@enildram.co.uk
Pwnc: Dim brad

O, Erin wir i ti, heb ddweud gair wrth Lowri. Lowri wedi geso – a dyn a ŵyr sut! Ti yw fy ffrind gorau. Cris croes, tân poeth.

I: uncneuen-fach!@enildram.co.uk
Oddi wrth: mam_fach@hatmail.com
Pwnc: Dweud dim dweud

O leia mae Lowri yn rhannu'r hanes diweddara.
ON. Ti yw ffrind gorau fi 'fyd.
ONN. Brei ddim yn ffrind. Mae e'n 'gweithio'n hwyr' heno. Cytuno i rhyw *'overtime'* i ni gael gwyliau achos mod i'n haeddu fe. Ofynnes i'n blwmp ac yn blaen, 'Pam?' (Rhaid ti gyfadde bod yr holl fusnes yn amheus iawn.) Oedd 'da fe'r *cheek* i ddweud mod i'n haeddu gwyliau achos bod yr efeilliaid yn lot o waith! Gyda llaw, byth yn cymryd dy gyngor di eto. Siarad ddim yn help!

I: mam_fach@hatmail.com
Oddi wrth: uncneuen-fach!@enildram.co.uk
Pwnc: Onest?

Wyt ti wedi ystyried y posibilrwydd bod Brei yn foi gonest? Ei fod yn caru ei wraig? Ei fod eisiau iddi gael gwyliau achos ei bod yn gweithio'n galed yn gofalu am eich plant?

I: uncneuen-fach!@enildram.co.uk
Oddi wrth: mam_fach@hatmail.com
Pwnc: Onest!

Ac wyt ti'n gwybod unrhyw beth am ddynion?! Mae'r arwyddion affêr yna i gyd! A hyd yn oed os yw e'n 'foi gonest' (dy eiriau di, dim fy rhai i) wyt ti wedi ystyried y bydd mwy o *'overtime'* yn golygu llai o amser i gael secs?
ON. TI 'DI CAEL Y CATALOG?

Fe sicrhais Erin bod y catalog gennyf. Roedd yr amlen wedi'i selio. Fe groesodd fy meddwl y byddwn i wedi ei hagor fel arall. Roedd hi'n dipyn o amser ers i mi gael perthynas gyda dyn a do'n i ddim yn siŵr beth oedd y disgwyliadau bellach.

I: uncneuen-fach!@enildram.co.uk
Oddi wrth: mam_fach@hatmail.com
Pwnc: Catalog

Wyt ti wedi meddwl beth wyt ti'n mynd i'w wisgo ar y dêt?
ON. Dim byd o'r catalog.

Ac mae hynny'n ddigon i wneud i mi ailfeddwl am fynd ar ddêt o gwbwl. Rwy'n cael fy hun yn meddwl rhywbeth anfaddeuol. Licen i petawn i 'bach yn llai.

TAMED 11

'Byddwch yn dysgu i reoli bwyd yn lle bod bwyd yn eich rheoli chi.'

Ro'n i'n grac gyda fi fy hun. Ro'n i wastad yn meddwl petawn i'n dewis colli pwysau – a do'n i ddim yn siŵr mod i wedi gwneud y penderfyniad hwnnw eto – y byddwn i'n gwneud hynny er fy mwyn fy hun. A dyma fi – rhyw ddyn yn gofyn i mi fynd am un ddiod fach gydag e (a doedd wybod i sicrwydd beth oedd ei resymau dros ofyn) ac ro'n i eisiau bod yn falŵn ar goes brwsh! Roedd cywilydd arna i.

Hwyrach bod Erin yn iawn. Efallai petaen ni'n perthyn i lwyth o lesbians na fydden ni 'yn becso dam pwy siâp y'n ni'. Ond ro'n i'n nabod lot o lesbians deniadol iawn. Efallai ei bod hi'n well dweud bod gan bob cymdeithas eu pobol dew a'u pobol denau, yn yr un ffordd ag y mae gan bob cymdeithas eu gweithwyr a'u breninesau. Ro'n i wedi derbyn fy lle ymhlith y gweithwyr, ond ro'n i'n grac nawr mod i'n dyheu am rywbeth amgenach. Do'n i ddim gwell nag Erin eisiau newid Brei bob munud er bod y boi bach yn gwneud ei orau, rwy'n siŵr.

Ond allwn i ddim twyllo fy hun bod Huw yn gwybod pa siâp o'n i chwaith. Yn amlwg, nid oedd yn gwybod y sefyllfa lawn. A doedd e ddim yn mynd i gael gwybod, chwaith, ar ddêt gynta! Os yn wir mai dêt oedd hi. A doedd dim sicrwydd o hynny.

Mewn pwl o wallgofrwydd chwiliais ar y We am ddeiet tri diwrnod. Ac er i mi ddod o hyd i sawl un

136

(roedd modd cael deiet un diwrnod hyd yn oed!) ar ôl eu darllen roedd synnwyr cyffredin yn dweud mai colli dŵr fyddwn i yn hytrach na bloneg. Felly, byddai unrhyw 'golledion' yn cael eu hadennill yn syth unwaith i mi ddechrau yfed a bwyta'n 'normal'. Doedd dim amdani ond sticio gyda Tew Cymru a derbyn cyngor Erin 'y byddai mwy o jans gen ti o actiwali colli pwyse petait ti'n dechre llenwi'r dyddiadur yn onest fel wyt ti i fod'.

Mae rhai pobol o flaen eu hamser, medden nhw, ond cyrraedd yn rhy hwyr wnes i. Pedair canrif yn rhy hwyr a bod yn fanwl gywir. Petaech chi'n fy ngweld yn noeth (a chredwch chi fi, fe fyddwn i'n gwneud popeth i osgoi'r sefyllfa honno) byddech chi'n gweld nad yw fy nghorff yn mynd i ysbrydoli artist cyfoes. Ar wahân i Jackson Pollock, efallai, ond mae ei luniau e fel damwain car. Fodd bynnag, rwy'n fodlon mentro y byddai'r artist Paul Rubens wrth ei fodd gyda ffigwr 'llawn' fel f'un i. Trueni ei fod yn ei fedd er 1640 a bod *designers* bellach yn gwneud dillad i fenywod ffon-denau – 'Achos eu bod nhw i gyd yn hoyw ac yn cynllunio dillad i fodelau sy'n edrych fel bechgyn,' chwedl Lowri. Ac roedd hi'n wybodus iawn am ffasiwn.

Sticiais lun o Victoria Beckham wrth ochr llun ohona i ar ddrws y ffrij. Ro'n ni'n edrych fel Little and Large. Bob tro ro'n i'n mynd yn agos at y gegin gorfodais fy hun i edrych arni hi ac wedyn ar fy siâp cywilyddus innau, ac roedd hynny'n ddigon i'm stopio'n stond. Efallai eich bod yn dychmygu mai unwaith roedd hyn yn digwydd yn ystod noson arferol. Fe fyddech yn anghywir. Roedd hi'n frwydr barhaus rhwng yr angel dda a'r diafol drwg, un yn cario dyddiadur bwyd a'r llall yn cario plât o bastai blasus. Ro'n i'n pendilio rhyngddyn nhw fel rhifau ar dafol.

Diafol – 'Dere mlân. Rwyt ti'n 'i haeddu fe, ti'n gweithio'n galed! Os na alli di gael un pacyn bach o grisps, beth yw pwrpas byw?'

Angel – 'Fe gei di grisps pan fyddi di 'di cyrraedd target'.

Diafol – 'Target?! Fyddi di byth yn target. Waeth i ti ildio nawr!'

'Nôl a mlaen, 'nôl a mlaen drwy'r nos. A'r unig gysur oedd mod i'n cael mwy o ymarfer corff nag arfer gyda'r holl gerdded.

I ganol yr hwrli bwrli daeth Dad a'i focs twls.

'Paned, Dad?'

'Ie, iawn.'

'Bisgïen, Dad?'

'Iawn. Ond paid dweud wrth dy fam. Mae'n becso am fy ngholestrol.'

Roedd golwg mor druenus arno wrth ddweud hynny, rhoddais ddwy fisgïen siocled iddo. Ac achos mai dim ond un oedd ar ôl yn y paced, ac nad oedd pwynt rhoi cyn lleied yn ôl yn y cwpwrdd, bwytais honno fy hun.

Roedd Dad wedi dod i edrych ar y boiler ac roedd yn siomedig pan ddywedais bod y boiler yn iawn. Felly, esgusais bod rhai o'r radiators wedi bod yn gwneud synau rhyfedd. Ro'n i'n gwybod fy mod wedi gwneud y peth iawn pan wrthododd ef ei baned a bisgïen nes ei fod wedi 'gorffen y job'. Treuliodd yr awr nesa ar ei benagliniau (er bod hynny 'bach yn boenus achos ei gryd cymalau) a chyda'i dŵl-bocs ar agor yn gollwng aer o'r radiators i gyfeiliant chwibanu hapus.

Unwaith iddo orffen yfodd ei baned ar ei draed (achos ei benagliniau poenus, dim dowt). Allwn i ddim dweud bod y sgwrs yn llifo. Dyn prin ei eiriau oedd Dad. Holais am Mam a gofynnoddd yntau sut oedd pethau'n mynd yn y gwaith. Yna, fe ganol-bwyntion ni ar yfed ein paneidiau. Ond unwaith i ni yfed rheini'n sych, heb arwydd bod Dad yn meddwl ei throi hi, roedd y tawelwch yn dechrau teimlo'n annifyr. A chi'n gwybod erbyn hyn un mor wael ydw i am ddelio gyda gofod gwag. Dyna'r unig esboniad posib am yr hyn ddywedais i nesa.

'Wy'n mynd mas nos Wener,' meddais.

'Neis iawn.' Doedd Dad ddim yn edrych arna i.

'Mynd i'r dafarn. Erin a Lowri yn tynnu nghoes i mod i'n mynd ar rhyw ddêt fawr.'

'Wyt ti?' Gosododd ei baned ar y bwrdd yn ddidaro.

'Wel, sai'n siŵr os mai 'na beth yw'r term dyddiau 'ma. 'Bach yn henffasiwn – y gair dêt. Ffrindiau y'n ni. Ar hyn o bryd. Sai'n disgwyl gormod.'

'Call iawn,' meddai Dad a doedd dim arwydd ei fod damaid balchach o gael y newyddion yma.

Sut o'n i fod i wybod y byddai Dad yn dweud wrth Mam am y 'dêt' ac y byddai'r ddau yn cymryd yn ganiataol bod y 'dêt' gyda Dr Ken? Fydden nhw ddim yn hapus petaen nhw'n darganfod mod i'n 'chwarae'r ffon ddwybig'. A gadewch i ni fod yn onest, dim ond Mam a Dad allai feddwl y fath beth. Byddai rhywun fel fi'n lwcus i ddenu diddordeb un dyn, heb sôn am ddau!

Do'n i ddim yn awyddus iawn i helpu Erin archebu ar y We. Roedd e'n golygu rhannu manylion fy ngherdyn credyd gyda chwmni *Furry, Kinky, Shiny, Sexy*. *FKSS* yn fyr. Gyda llythrennau fel yna, allech chi byth fod yn siŵr gyda phwy fydden nhw'n rhannu eu bas-data.

'Dweud wrtha i eto pam ry'n ni'n archebu *Thrill and Tease Peephole Bra*, *Edible Pouch* a *Spank Me Tower* ar fy ngherdyn credyd i.' Ro'n i'n cael traed oer wrth i Erin ddewis eitemau ar gyfer ei throli siopa.

'I hala Brei yn wyllt!' Cododd Erin ei llais ar y 'gwyllt'. Roedd ei llygaid yn pefrio.

'I *ti* gael hala Brei yn wyllt,' cywirais hi.

'Alla i ddim gofyn i Brei am fenthyg ei garden e. Wy moyn iddo fe fod yn syrpreis! A dwi ddim isie rhoi'r cyfle iddo archebu dau o bob peth – un i'w wraig ac un i'w feistres.'

Gyda chalon drom pasiais y garden iddi ond wnes i ddim ildio'n dawel.

'Wy'n nabod Brei ers sawl blwyddyn nawr a dwi wir ddim yn meddwl ei fod e'r teip i fod yn anffyddlon,' meddais.

'A beth yw'r teip y dyddie hyn? Ma' chwe deg y cant o wŷr yn anffyddlon. Ddarllenes i e mewn magasîn!'

'Ond beth os yw Brei yn y pedwar deg y cant arall?' meddai Erin, yn fy anwybyddu,

'Pryd fydd y pethe'n cyrraedd? Mae Brei yn dechre *overtime* cyn hir a wy moyn rhoi syrpreis iddo fe cyn ei fod wedi blino gormod i'w werthfawrogi e.'

Llenwodd llygaid Erin â dagrau ond gwnaeth ei gorau i guddio hynny. Roedd hi'n rhyddhad i'r ddwy ohonom weld bod *one size fits all* achos roedd pethau'n ddigon drwg heb orfod cydnabod a oeddech yn *small, medium* neu *large*.

'Meddylia. Gallai Posh a finne archebu'r un seis am unwaith,' meddais yn ysgafn.

Roedd Erin yn trio chwerthin, bendith arni, wrth deipio manylion fy ngherdyn credyd ar y ffurflen ddigidol.

Cloddio Ffosydd a Chymru, Ffynhonnau Gorau'r Wlad, Hwyliau'r Felin a Sut y Maen Nhw'n Gweithio . . . Roedd wyth teitl yn y gyfres i gyd. Ac roedd pob un yn fy masged-mewn i. Rwy'n siŵr eu bod nhw'n bynciau diddorol iawn ynddyn nhw eu hunain, a fyddai dim ots o gwbwl gen i ddod i wybod mwy am arferion cefn gwlad. Ond yn fy marn i, fe ellid gwneud hynny mewn llyfr tenau ychydig filoedd o eiriau o hyd. Beth ar y ddaear ro'n nhw'n ffeindio i'w ddweud mewn bricsen drwchus o lyfr 30,000 o eiriau o hyd!

Codais y peth gyda Lowri, y rheolwr llinell – ond ddim yn uniongyrchol, wrth gwrs.

'Efallai gallen ni rannu'r llyfrau rhwng staff yr adran, er mwyn i ni i gyd gael mewnbwn yn y prosiect,' meddais gan drio swnio fel petawn yn meddwl am les pawb.

'Ond mae Andrea wedi gofyn yn arbennig amdanat ti.' Gwelais Lowri'n gwenu'n wybodus, ond ro'n i 'nôl yn y cyfarfod misol a theimlais fy mrest yn llenwi â balchder.

'Ac rwy'n ddiolchgar iawn bod ganddi gymaint o ffydd yndda i,' meddais.

'Un ai hynny, neu ei bod hi'n dy gasáu di.' Fe chwarddon ni. Ar y pryd. A chodais un fricsen o'r fasged-mewn (gyda dwy law) a dechrau cyfieithu *Torri Gwrychoedd (Ar Dir Gwastad a Llethrau)* gyda gwên. Yna, ailfeddyliais am sylw Lowri. Fel uwch-gyfieithydd roedd hi'n gwybod beth oedd ym meddwl Andrea Charming yn well na chyfieithydd cyffredin. Efallai bod Andrea *yn* fy nghasáu, a bod Lowri'n gwybod hynny, ond ddim eisiau dweud rhag brifo fy nheimladau. A'r mwya ro'n i'n meddwl am y peth, mwya cadarn fy meddwl o'n i. Ai gwobr ynteu cosb oedd cyfieithu beibl am dorri gwrychoedd oedd yn dechrau gyda'r geiriau: 'Mae torri gwrychoedd yn waith llafurus iawn ac fel arfer fe'i gwneir gyda thorrwr petrol. Ond er mwyn deall yr arfer ddifyr hon yn llawn rhaid mynd yn ôl. at wreiddiau'r grefft hynafol a'i dadansoddi'n fanwl, yr hyn a wneir yn ystod y pymtheg pennod ar hugain nesaf.'?

I: mam_fach@hatmail.com
Oddi wrth: uncneuen-fach!@enildram.co.uk
Pwnc: Post

Helo Erin
Parsel wedi cyrraedd i ti bore yma. Heb ei agor am resymau amlwg.
Judith

I: uncneuen-fach!@enildram.co.uk
Oddi wrth: mam_fach@hatmail.com
Pwnc: Operation Secs

Helo Judith
Wwwwww ecseiting!!!!
Erin

I: mam_fach@hatmail.com
Oddi wrth: uncneuen-fach!@enildram.co.uk
Pwnc: Post

Pryd wyt ti'n dod i'w gasglu? Dim am risgo Mam yn ei agor yn ddamweiniol. Aaaah! Sut fyddwn i'n egluro hynny?
ON: Methu defnyddio 'Operation Secs' fel pennawd pwnc achos risg Andrea Charming yn ei weld. Ond, dymuno'r gorau i ti yn y *mission*.

I: uncneuen-fach!@enildram.co.uk
Oddi wrth: mam_fach@hatmail.com
Pwnc: Heno . . .

. . . yw'r noson!
Pryd fyddi di adre?

Ro'n i'n dal i boeni bod Andrea'n fy nghasáu i'n fwy na neb arall yn y byd erbyn amser cinio. Erbyn dechrau'r pnawn ro'n i o nghof. Ro'n i wedi cael awr gyfan i ddadansoddi beth yn union gafodd ei ddweud gan Lowri a sut olwg yn union oedd ar ei hwyneb pan oedd hi'n ei ddweud.

Ro'n i'n swp o ofid pan ces fy ngalw – yn gyhoeddus, ar yr intercom – i swyddfa Andrea Charming. A doedd geiriau Lowri ddim yn gysur i mi: 'Paid becs, dyw hi ddim yn mynd i roi'r sac i ti – dim nes i ti orffen cyfieithu'r pethau boring yna.'

Es yn ufudd i swyddfa Andrea Charming. Wnaeth hi'm gofyn i mi eistedd. Safodd y ddwy ohonom yn ystod y cyfarfod. Y fi o flaen y ddesg fel rhyw ferch fach o flaen y brifathrawes ac Andrea'n cerdded 'nôl a mlaen fel prifathrawes ar fin rhoi'r gansen i ddisgybl drwg.

'Rwy'n chwilio am rywun i roi Chwarae ar Eiriau ar y map.' Edrychais o nghwmpas er mod i'n gwybod mai dim ond y ddwy ohonom sydd yn y swyddfa.

'Wel?' gofynnodd.

Do'n i ddim yn gwybod beth i'w ddweud. Roedd fy nghoesau'n wan.

'Pwy wyt ti'n meddwl sy gen i mewn golwg?'

'O, dw i ddim yn siŵr,' atebais.

'Dyfala.' Ac edrychodd Andrea i fyw fy llygaid.

'Lowri?' cynigiais.

'Dim Lowri. Mae hi'n lot rhy . . . Beth bynnag, rwy'n chwilio am deip penodol. Rhywun i lenwi sgidiau arbennig. Alla i ddim gofyn i rywun-rywun. Mae'n rhaid i ti ei wneud e!'

Yr anrhydedd! Gallwn deimlo fy mrest yn

chwyddo fel baswr mewn côr ar lwyfan yr Eisteddfod. Roedd fy mrest mor dynn ro'n i'n meddwl ar un adeg mod i'n mynd i lewygu.

'Wrth gwrs, fe wna i . . . Beth yn gwmws chi moyn i fi wneud?' Ro'n i fel clai yn ei dwylo.

'Cynrychioli'r cwmni mewn cyflwyniad o bwys,' meddai Andrea.

Roeddwn i'n gegrwth. Cyflwyniad! Ac roedd hi wedi fy newis i! Ro'n i methu aros i ddweud wrth Mam. Er na fyddai hi'n deall yn iawn ro'n i'n gwybod y byddai hi'n falch.

'Mae'n golygu sgrifennu araith fer – ond fydda i'n dy helpu di gyda hynny. Nawr, alli di stopo sefyll fan'na fel petait ti'n mynd i lyncu pry. Whisgit! Mae gen ti waith i'w wneud.'

Araith?! Er mai rhoi araith oedd y peth diwetha ro'n i eisiau ei wneud yn y byd ro'n i'n hynod, hynod falch bod Andrea wedi gofyn i mi.

'Ti 'di cael y sac? Neu oes ail gyfres o 'Arferion Boring Trwy'r Oesoedd' i fod?' gofynnodd Lowri pan dychwelais i at fy nesg yn goch fel tân.

'Mae moyn i fi gynrychioli'r cwmni.'

Gwelwodd wyneb Lowri ac fe gymerodd eiliad neu ddwy yn hirach nag arfer iddi ddod o hyd i ateb ffraeth,

'Mewn beth? Bore coffi?!' gofynnodd.

'Rhyw gynhadledd fawr, mae'n debyg. Cyfle i godi proffil. Ennill cwsmeriaid newydd. 'Na beth ddywedodd Andrea.' Ychwanegais hynny achos do'n i ddim eisiau swnio fel petawn i'n brolio.

'A beth yw'r *punchline*?' Roedd yr ymateb yn fwy

miniog nag arfer a sylweddolais bod Lowri'n teimlo fy 'nyrchafiad' i'r byw.

'Wir i ti Lowri, sai'n credu bod un.' A than y funud honno ro'n i'n meddwl bod Andrea o ddifri, er bod yr esboniad mai jôc oedd y cyfan yn gwneud mwy o synnwyr.

Ar y ffordd adre yn y car roedd ymateb Lowri yn dân ar fy nghroen, a dim ond caws a bisgedi leddfodd fi. Yr unig beth wnaeth fy stopio rhag eu bwyta nhw oedd cloch y drws yn canu.

'Wedi dod i gasglu'r parsel!' Roedd llais Erin fel gwich llygoden fach. 'A drych pwy sy 'di dod i gael glased o win 'fyd . . .'

'Wy angen glased o win ar ôl y prynhawn wy 'di'i gael.' Allech chi feddwl mai Lowri oedd wedi cyfieithu mil o eiriau cynta *Torri Gwrychoedd (Ar Dir Gwastad a Llethrau)*.

Dwi ddim yn gwybod beth fyddai Erin wedi ei wneud petai angen dychwelyd y *Thrill and Tease Peephole Bra*, yr *Edible Pouch* a'r *Spank Me Tower* achos fe rwygodd yn yfflon y bag ro'n nhw wedi cyrraedd ynddo.

Doeddwn i ddim yn hollol ddiniwed, ond do'n i ddim yn meddwl mod i wedi gweld shwt bethau erioed – dim yn fy rŵm ffrynt, beth bynnag. Agorais y gwin ac arllwys gwydraid yr un i ni'n tair. Rhaid ei fod wedi mynd yn syth i fy mhen.

'Efallai y dylet ti ystyried cychwyn yn araf. Canhwyllau. Gŵn nos secsi, falle. Dechrau'n sofft a wedyn symud mlân . . .?' meddais wrth Erin.

146

Lowri atebodd.

'Ti sy'n sofft Judith! Megis dechrau yw hyn. Dydy hi ddim mewn catsiwt lledr a handcuffs eto.'

Chwarddais ar hyn. Wrth gwrs, roedd posibilrwydd ei bod o ddifri a meddyliais am Ken 'ffrindiau yn bennaf' a mwy am yr 'yn bennaf' ar ôl yr hyn roedd hi newydd ei ddweud. (Ro'n i'n poeni am Lowri a Ken. Am Ken, yn bennaf, achos roedd e mor ffein wrtha i.)

'Meddwl am ramant o'n i. Efallai mod i'n henffasiwn,' meddais.

Edrychodd Lowri i lawr ei thrwyn arna i.

'Brynodd Ken flodau i mi ddoe. 'Bach yn *passé*. Byddwn i wedi eu rhoi yn y bin oni bai iddo gytuno mai gweithred eironig oedd hi.'

'Brynodd e flodau i mi ddoe', fel petai honno y weithred mwya naturiol yn y byd.

Yn sydyn cododd Erin a chydio'n farus yn y bagiau: 'Wna i adael i chi wbod sut aeth hi, os na fydda i'n rhy flinedig.'

Ac i ffwrdd â hi.

147

TAMED 12

'Byddwn i ddim yn dweud fy mod i ar ddeiet, achos rwy'n bwyta gormod.'

Roedd cael e-bost am noson Erin yn well na thrafod y peth â hi. Roeddwn i'n cefnogi ei hymdrechion i wella'i pherthynas â Brei gant y cant, ond ro'n i wastad yn teimlo dipyn bach yn anghyfforddus yn gwrando ar fanylion bywyd rhywiol ffrindiau. Wrth gwrs, allwch chi ddim dweud gair heb swnio'n eiddigeddus neu fel hen fursen. (A dwi ddim yn siŵr pa un sydd waetha.) Rwy'n siŵr bod Lowri heb helpu pethau trwy ddweud ei bod hi a Dr Ken 'wrthi ddwy neu dair gwaith y dydd – o leia. (Dim 'wrthi' ddywedodd Lowri.) Dwi ddim yn lico amau ffrind, ond do'n i ddim yn siŵr fy mod i'n ei chredu. Roedd hynny'n swnio fel lot o waith ac ro'n i'n meddwl bod doctoriaid yn gweithio oriau hir.

I: uncneuen-fach!@enildram.co.uk
Oddi wrth: mam_fach@hatmail.com
Pwnc: Oasis

Helo Judith
Dwi ddim yn gwybod sut mae pobol yn gallu bod yn *spontaneous*. Roedd angen eitha lot o drefnu i baratoi'r stafell a fi fy hunan. (Ac ro'n i ar drugaredd yr efeilliaid braidd achos petai un neu'r ddau wedi dihuno byddai'n rhaid bod wedi gohirio. Mae'n wyrth pan mae'r ddau'n cysgu yr un noson.) Erbyn i mi ddod o hyd i fy sodlau (i wneud fy nghoesau edrych yn hirach tra'n gwisgo'r

148

nicers a'r bra *'peephole'*) a chynnau'r canhwyllau (i greu golau ffafriol i fy *cellulite*), roedd tipyn o amser wedi mynd. Petawn i ddim mor despret byddwn i wedi dweud stwffo fe!

Beth bynnag, es i draw i 'swyddfa' Brei (Hynny yw, ble mae'r cyfrifiadur a ble mae e'n treulio'r rhan fwya o'i amser) a sefyll wrth y drws yn fy nics a bra *'peephole'*. (Ro'n i'n teimlo bach yn hunanymwybodol achos mae'r cyntedd i fyny grisiau yn eitha golau a do'n i ddim yn siŵr sut y byddai Brei yn teimlo am gael ei dynnu o checo ei e-bost.)

Fi – Wel?

Fe – Dal sownd. Jest darllen beth mae'n addo o ran tywydd dros y penwythnos.

Fi – Ti'n lico dillad fi?

Fe – (Heb edrych) Neis iawn.

Fi – Dwyt ti ddim 'di edrych. (Wel, doedd e ddim!)

Fe – (Yn edrych tro yma. Llygaid mawr.) Blydi hel! So ti'n mynd â'r plant i Ti a Fi yn edrych fel'na!

Fi – (Yn secsi) *For your eyes only.*

A bod yn onest roedd e'n debycach i olygfa o Benny Hill na James Bond. Fe redodd ar fy ôl i yr holl ffordd i'r stafell wely. Fe'n chwyrnu fel anifail gwyllt a finnau'n giglo fel ffŵl. (Ond ddim rhy uchel rhag dihuno'r efeilliaid.)

Dwi ddim yn mynd i rannu'r manylion i gyd ond dyna'r secs gorau rwy wedi ei gael erioed. (Ond mae'n bosib nad yw hyn yn wir. Fy nghof wedi mynd ers cael yr efeilliaid a mor hir ers cael secs diwetha ddim yn cofio go iawn.)

ON. Y pethau o FKSS yn gweithio'n dda. Ro'n i'n

teimlo'n eitha brwnt. Teimlo fel rhywun arall – dim fi. A'r Dim Fi yn gwneud pethau y byddai Fi byth yn eu gwneud!

Wedi dweud hynny, ffeindio fe'n anodd i beidio cadw hanner llygad ar y canhwyllau hyd yn oed 'ar ganol pethau'. Rwy'n gwybod fy mod wedi dweud mod i eisiau bach o dân yn y stafell wely, ond dim hynny oedd gen i mewn golwg! Ac roedd y cyfan drosodd bach yn gyflym (pethau FKSS yn gweithio yn rhy dda).

ONN. Heb gael cyfle i e-bostio cyn hyn. Wedi bod yn crafu cwyr oer oddi ar y carped nes i un o'r efeilliaid dorri ar fy nhraws – wedi ffeindio'r bocs matsys!
Erin

Ro'n i'n ysu am gael mwy o fanylion am yr 'araith' roedd yn rhaid i mi ei sgrifennu ar gyfer y Gynhadledd O Bwys. Ac ro'n i'n ysu i drafod yr araith honno ar gyfer y Gynhadledd o Bwys gydag Andrea. A dweud y gwir, a gwybod am ei thuedd i edrych dros bob dim cyn iddo adael y swyddfa – hyd yn oed y sbwriel, meddai rhai – ro'n i'n synnu ei bod hi'n mynd i adael i fi sgrifennu'r fflipin peth o gwbwl!

Angen cael fy rhoi ar ben ffordd oeddwn i. Ac mewn unrhyw sefyllfa arall fe fyddech yn mynd i swyddfa'r bòs (ar ôl cnocio'n gynta) a thrafod y peth. Ond allech chi ddim peryglu eich gyrfa gyda'r fath ymddygiad byrbwyll gydag Andrea Charming wrth y llyw! Doedd neb yn mynd i swyddfa Andrea yn ddiwahoddiad – ar wahân i Julie, ei santes o ysgrifenyddes, a'r bachgen ifanc oedd yn dod â pharseli. (A dim ond achos ei fod e'n ddigon golygus i fod yn fodel i *Vogue*.) Os oeddech chi eisiau ei gweld hi, wel, dim fel'na roedd pethau'n gweithio. Roedd Andrea'n gofyn i'ch gweld chi ac nid fel arall.

Fe fûm i'n ystyried ei ffonio hi. Ffonio hi! Er mod i'n gallu ei gweld drwy'r ffenest o fy nesg! Fe wnes ymdrech dila i ofyn i Julie am apwyntiad – heb ddefnyddio'r gair 'apwyntiad' wrth gwrs. Ond mae Julie'n fenyw brysur, llawer yn rhy brysur i stopio'r hyn mae hi'n ei wneud, neu edrych arnoch chi tra ydych chi'n trio cael synnwyr ohoni. Dyna sut cefais fy hun yn llunio e-bost.

I: charming@wahoo.co.uk
Oddi wrth: uncneuen-fach!@enildram.co.uk
Pwnc: Cynhadledd O Bwys

Annwyl Andrea,
Ysgwn i a fyddai modd i mi gael mwy o wybodaeth ynglŷn â'r digwyddiad rydych wedi gofyn i mi ei fynychu ar ran y cwmni? Mae'n anrhydedd cael fy ngofyn ac, felly, fe hoffwn ddechrau llunio'r araith cyn cynted ag y bo modd. I'r perwyl hwnnw, fe fyddwn yn falch o unrhyw wybodaeth ychwanegol.
Yn gywir,
Judith (Evans)

Ond do'n i ddim eisiau iddi feddwl nad oeddwn i'n gallu meddwl drosof fy hun – hyd yn oed os nad oeddwn i'n siŵr beth ro'n i fod yn meddwl amdano.

Wnes i ddileu'r neges. Ac ro'n i'n falch fy mod i wedi gwneud, ar ôl clywed beth oedd gan Lowri i'w ddweud.

'Wyt ti 'di gofyn i ti dy hun pam mae hi wedi dy ddewis di?' Cododd ei haeliau oedd wedi eu plwcio'n berffaith.

'Am ei bod hi'n meddwl mai fi yw'r person gorau ar gyfer y dasg?' Roedd y marc cwestiwn yn anorfod achos roedd hynny'n swnio'n annhebygol hyd yn oed i nghlustiau i.

'Falle bo ti'n iawn.' A gorffennodd Lowri ei phaned a dechrau teipio'n gyflym.

Yfais innau gweddill fy nhe ac edrych ar y sgrin. Roedd y geiriau ro'n i wedi eu teipio ddeg munud ynghynt yn edrych yn ddieithr. Roedd hi'n ddeg munud arall cyn y gallwn i ganolbwyntio ar synnwyr y frawddeg a dod o hyd i'r geiriau iawn.

'Mae coed a gwrychoedd wedi dioddef yn arw oherwydd ffactorau fel tynnu gwrychoedd cyfan, clefyd llwyfen yr Isalmaen, ynn yn gwywo a gordorri gwiail . . .'

Fe fûm i'n palu drwy weddill pennod hir am bethau allai niweidio gwrychoedd (credwch fi, mae cloddiau'n bethau sensitif iawn) ond allwn i ddim anghofio geiriau Lowri. Pum munud i bump ac roedd Lowri'n pacio'i bag. Allwn i ddim dal 'nôl funud yn rhagor,

'Beth arall 'te? Pa reswm arall fyddai dros fy newis i?' Ro'n i wedi corddi!

'Sut fyddwn i'n gwbod?' Roedd hi'n taenu *lipgloss* pinc ar ei gwefusau.

'Ti ofynnodd pam fyddai Andrea'n gofyn i fi. Pwy arall fyddai hi'n gofyn iddyn nhw?'

'Un o'r uwch-gyfieithwyr efallai? Ni yw'r penaethiaid adran. Ac os yw'r digwyddiad yma mor bwysig ag wyt ti'n ddweud . . .'

'Andrea sy'n dweud. Dim fi. Dim fi sy'n gwthio'n hun.' Smiciais fy llygaid. Roedden nhw'n boeth ac yn flinedig ar ôl syllu ar y sgrin drwy'r prynhawn.

'Ti sy'n gwbod. Dyw hi ddim wedi sôn wrtha i.' Caeodd y zip ar ei bag *designer* a gwisgo'i siaced.

'Odi hynny'n dy boeni di?' Ro'n i'n trio'n galed i beidio â chynhyrfu ond allwn i ddim llai na meddwl y byddai ffrind go iawn yn dymuno i mi wneud yn dda.

'Nagyw. Odi e'n dy boeni di?'

Arhosodd hi ddim i gael yr ateb. Gwenodd a chwifio'i llaw. Ac i ffwrdd â hi, clec-clec ei sodlau'n curo yn erbyn y llawr *laminate*. Ddylai e ddim fy mhoeni i. Doedd e ddim yn fy mhoeni i. Wedi'r cwbwl, roedd cael anrhydedd yn rheswm dros ddathlu. Ond unwaith roedd Lowri wedi plannu'r hedyn yn fy meddwl ro'n i ar bigau drain. Ac ro'n i'n gwybod y byddai Lowri'n gwybod hynny. Ac roedd hynny'n fy nghynhyrfu i fwyfwy.

Pan ddaeth Andrea o'i swyddfa a chloi'r drws neidiais ar fy nhraed a brasgamu tuag ati.

'Andrea. Chi'n meddwl y byddai modd cael gair – ynglŷn â'r cyflwyniad? Licen i ddechrau gweithio arno fe'n fuan a – '

Cododd Andrea ei llaw fel Indiad Coch yn dweud '*How*' mewn hen ffilm.

'Mae hi wedi pump ac mae gen i fywyd.' Trodd ei chefn arna i a dechrau cerdded tua'r drws. Yna trodd yn ôl ac edrych arna i'n feddylgar. 'Ond os wyt ti eisiau dechrau arni . . . jest rhywbeth gwych sy angen, am y cwmni.'

Rhywbeth gwych am y cwmni, feddyliais i wrth dacluso fy nodiadau ar *Torri Gwrychoedd (Ar Dir Gwastad a Llethrau)*. Dylai hynny fod yn hawdd.

'Ddaw e i ffitio fi.'

'On'd yw hi'n edrych yn ffantastic!' Dweud, nid gofyn, oedd Robin. Roedd e'n llawn brwdfrydedd, yn patio gwallt Mam a sythu ei blows.

Nodiais fy mhen, ond ro'n i methu cytuno. Roedd hi'n edrych yn flinedig i mi.

'Ti'n fenyw newydd ers i ti golli'r holl bwyse yna! Mae gan bob cwmwl ei leinin arian.'

Ro'n i'n trio'n galed i beidio â dangos hynny, ond roedd cyfieithu sâl bob amser yn gwneud i mi wingo. Roedd Mam yn mynd i siopa i'r dre yn ddiffael bob bore dydd Iau ac yna'n cael cinio yng nghaffi Bwyd Da. Yr unig eithriad oedd pan oedd hi'n sâl ac roedd hynny'n profi mor sâl oedd hi. (Nid bod neb yn meddwl ei bod hi'n ffugio go iawn – ar wahân i Erin . . . a Dad, ond bu'n rhaid iddo newid ei feddwl pan aeth hi ar y fentiletor.) Roedd Mam wrth ei bodd gyda chaffi Bwyd Da am resymau oedd tu hwnt i mi. Byddai Bwyd Iawn yn well disgrifiad neu Bwyd Eitha, Ond Dim Byd Sbeshal – coffi a the mewn mygiau tseina, amrywiaeth o datws pob, wy a rhywbeth, caws a rhywbeth, a dewis o gacennau plaen fel bara brith, pice ar y maen, a thorth gnau. Roedd pob prif gwrs yn dod gyda bara menyn, heb i chi ofyn amdano, ac roedd angen menyn ar y cacennau hefyd achos ro'n nhw wedi bod yn y popty dipyn bach yn rhy hir. Roedd e'n lle peryglus iawn i unrhyw un ar ddeiet, a phetawn i wedi meistroli'r grefft o ddweud 'na' fyddwn i ddim yn eistedd yno gyda Mam a Robin yn cnoi ar sleisen dew o fara brith nad oeddwn i wir yn ei ffansïo.

'Mae rhai pobol yn talu miloedd i edrych hanner mor dda,' meddai Robin yn frwd a sibrwd, '*liposuction*.'

Cnodd Mam ar ei wy a ham, ond gallwn weld wrth siâp ei cheg ei bod wrth ei bodd gyda'r weniaith. Codais fy aeliau fel ateb. Roedd Mam dros bwysau cyn ei salwch, ac ro'n i'n siŵr nad oedd wedi gwneud dim drwg iddi golli stôn neu ddwy. Yn anffodus, roedd y pwysau mwya wedi mynd o'i hwyneb ac edrychai fel balŵn sydd wedi colli ei gwynt. Efallai y byddech chi'n meddwl y byddai gweld Mam wedi colli pwysau ac wrth ei bodd yn gallu ffitio i ddillad llawer mwy *with-it*, fel roedd hi'n eu galw, yn rhoi hwb i mi. I'r gwrthwyneb, roedd gweld ei bochau pantiog a'r croen slac ar ei gwddw yn gwneud i mi feddwl am yr holl drueiniaid sy'n methu help â bod yn denau achos eu bod nhw'n sâl. Roeddwn i'n teimlo'n euog am fod eisiau colli pwysau o ran ffasiwn yn unig ac yn fwy penderfynol byth o beidio â cholli pwys.

'Mae deryn bach yn dweud wrtha i bod *boyfriend* secsi 'da rhywun . . .' meddai Robin.

'Dd'wedes i mo'r gair 'na,' meddai Mam, gan rofio'r darnau olaf o'r ham ac wy ar dafell dew o fara menyn.

Sipian ar ei goffi cryf roedd Robin. Doeddwn i erioed wedi ei weld yn bwyta ac ro'n i'n tybio bod hyn oherwydd ei iwnifform nyrs. Roedd ganddo ormod o hunan-barch i fod eisiau bod yn nyrs tew – a fe'i hun ddywedodd hynny wrtha i.

'Dim *boyfriend* yw e.' Rhaid i mi beidio â rhoi menyn ar y bara brith, er mor sych oedd e.

'Mor *typical* o blant yr oes yma! Smo chi moyn *commitment* o unrhyw fath!' Roedd y peth lleia yn cyffroi Robin, ond dim byd yn fwy na chael ei brofi'n gywir.

Roedd y deisen yn fy ngheg mor ddi-flas â chardfwrdd a thaenais y tamaid lleia o fenyn ar y gweddill, gyda Robin yn gwylio pob symudiad. Cnoais pob cegaid gan deimlo'n euog iawn. Cyn dod yma ro'n i'n benderfynol o beidio â bwyta dim, achos ro'n i'n gweld Huw Teifi y noson honno – ac er nad oedden ni'n mynd am bryd o fwyd ro'n ni'n mynd i dafarn llawn snacs uchel eu caloriïau a do'n i ddim yn siŵr a oedd gen i'r ewyllys i beidio â chael crisps a chnau ar ôl *gin* neu ddau.

'Pryd ti'n gweld e nesa 'te – neu fyddai gwneud trefniade mor bendant yn gwneud pethe'n rhy *serious*?'

Gwenau Robin o glust i glust. Roedd e a Mam yn gwpwl rhyfedd iawn, y math o gwpwl na fyddai ganddyn nhw unrhyw beth yn gyffredin, fyddech chi'n tybio. Ond roedd y profiad BCCh yn beth mawr i Mam ac roedd ei gweld yn gwella'n araf yn fater o falchder proffesiynol i Robin. Roedd Robin yn lico rhoi *massage* pen a Mam yn licio'i dderbyn. Fe arswydodd Mam pan awgrymais un tro ei bod hi'n '*fag hag*'. 'Sai erioed wedi smoco yn fy myw,' meddai.

157

'Heno. Ni'n mynd mas am ddrinc heno.' Roedd hi'n deimlad da i rannu'r wybodaeth.

Cododd Mam ei haeliau, a gofynnodd, 'Ddywedodd Dr Ken rwbeth amdana i? Am fy iechyd i?'

A dyna pryd sylweddolais eu bod nhw'n meddwl am Dr Ken yn hytrach na Huw Teifi.

'Oedd e'n gweld golwg wael arna i? Mae doctoried yn gallu gweld pethe dyw pobol eraill dim yn sylwi arnyn nhw. Fel cŵn yn gallu gwynto canser . . .'

'Dy'ch chi ddim yn meddwl bod canser arnoch chi?' Ac yng nghanol fy mraw collais y cyfle i gywiro'r camsyniad.

'Dr Roberts yn awgrymu mod i'n cael rhyw ddiddordeb newydd . . .'

'Byddai hynny'n neis i chi a Dad.'

'Sdim diddordeb 'da dy dad. A sa inne'n siŵr chwaith. Wy rhy hen i rhyw giamocs newydd.'

'Ffaelu dysgu trics newydd i hen gi?' Gwingais at eiriau Robin. 'Ond mae'n dibynnu, on'd yw e – ar seis y wialen!' A chwarddodd dros y lle nes bod pawb yn troi i edrych.

'Bach o newyddion 'da dy fam.'

Roedd cant a mil o bethau yn mynd trwy fy meddwl.

'Dr Roberts yn ymddeol, meddwl falle licet ti wbod. Mae Dr Roberts yn ddoctor ar Judith ers ei bod hi'n groten fach. Fyddi di'n gweld 'i isie fe sbo, Judith . . .' Ac roedd rhywbeth yn y ffordd ddywedodd hi'r peth. Roedd hi'n gwybod mwy nag oedd hi'n ei ddangos.

Roedd darn o deisen yn fy ngheg ac fe gnoais e, ond doedd dim blas o gwbwl arno nawr.

Canodd fy mobeil y munud ro'n i 'nôl yn y swyddfa. Ro'n i bron â'i ddiffodd achos byddai Andrea siŵr o ddweud fy mod i newydd gael awr gyfan i drafod pethau o natur bersonol. Ond pan welais mai Huw oedd yna fethais i anwybyddu'r alwad. Ro'n i'n siŵr bod newyddion drwg yn mynd i ddilyn newyddion drwg. Atebais â chalon drom.

'Sori i ffonio amser hyn, ond nawr ni'n torri i ginio ac oedd rhaid i mi siarad â ti cyn heno – chênj o' plan, ti'n gweld . . .'

Roedd e'n mynd i ganslo, meddyliais, ac fe baratois fy hun i beidio â swnio'n rhy siomedig. Do'n i ddim eisiau iddo wybod fy mod i wedi bod yn edrych mlaen ers diwrnodau.

'Wy 'di newid fy meddwl am fynd â ti mas am ddrinc heno . . .'

Y siom! Ond o leia roedd e'n ddigon o ddyn i ffonio i ddweud. Roedd e'n dal i barablu,

'Ma' gŵyl y môr mlân yn y dre . . .'

'A ti'n gorfod gweithio, deall yn iawn,' meddais.

'Wel, nagw . . . wyt ti?' Roedd tinc syndod yn ei lais.

'Na, dim o gwbwl –'

Torrodd ar fy nhraws,

'Sori, wy ffaelu bod yn hir neu bydd y bwyd iach i gyd wedi mynd o'r cantîn. A sai moyn siomi Pat, os wyt ti'n gwbod beth fi'n feddwl. Ta beth, ti'n ffansïo cael bwyd yn dre? Cimwch ffres? Maen nhw'n dweud ei fod e'n wych!'

Teimlais chwistrelliad o lawenydd yn llamu trwy fy nghorff.

'Grêt. Grêt! Ond beth wy fod i wisgo?'

'Rhwbeth cyfforddus. Wy'n siŵr y byddi di'n edrych yn bert beth bynnag ti'n wisgo.'

Yn amlwg, nid oedd wedi fy ngweld i yn fy mhyjamas tedi-bêr y peth cynta yn y bore. Ac fe wnaeth meddwl am 'Huw' a 'phyjamas' a 'peth cynta yn y bore' yn yr un anadl yn gwneud i mi gochi fel cimwch!

Roedd hi'n ymdrech i ysgrifennu araith ynglŷn â pham roedd gweithio i Chwarae ar Eiriau yn brofiad mor wych heb ddweud 'achos bod Huw Teifi newydd fy ffonio a ngwahodd i fwyta corgimwch gydag e.' Doedd y ffaith nad oeddwn i'n hoff iawn o bysgod yn mennu dim ar fy mrwdfrydedd.

Achosais i Lowri chwerthin yn uchel pan ofynnais iddi hi, 'Pam ti'n meddwl bod gweithio i Chwarae ar Eiriau yn wych?'

'Achos ein bod ni'n gweithio i fenyw sy eisiau rheoli faint o weithiau ry'n ni'n mynd i'r tŷ bach . . . achos ein bod ni'n gwneud y gwaith i gyd a hynny am chwarter yr arian mae Andrea'n bilio cwsmeriaid amdano fe . . . achos bod bob dydd yr un mor boring â'r nesa a bo ti ffaelu helpu dy hun rhag cyfieithu pob gair ti'n weld – hyd yn oed y tu allan i oriau gwaith. Ble wyt ti eisiau i mi ddechrau?'

'Ydy hynny'n wir – am y toiledau?'

'Ydy, ac mae'n cadw llygaid arbennig arnot ti ar

gownt eich gwendid teuluol.' Roedd gan Lowri synnwyr digrifwch sych iawn ac ro'n i'n gwybod mai tynnu coes roedd hi.

'Ti wedi cael cimwch erioed?'

'Sawl gwaith. Ges i un wythnos ddiwetha. Aeth Ken â fi am swper,' meddai'n ddi-daro.

'Gafoch chi siampên hefyd?' Ro'n i hanner o ddifri.

'O, do wrth gwrs. Y peth druta ar y fwydlen. Ken, ontefe!'

'Oedd e'n cael ei ben-blwydd 'te? Petawn i'n gwbod fyddwn i wedi cael carden.'

'Na, dim byd fel'na. Jest swper cyffredin.'

Ai fi sy'n od? Sdim byd yn 'gyffredin' am gimwch a siampên ar blaned Judith. Dywedais wrth Lowri am ein cynlluniau y noson honno.

'Beth yn y byd wyt ti'n gwneud mewn gŵyl bwyd môr? Dwyt ti ddim hyd yn oed yn lico pysgod!' A phan atebais i ddim, ychwanegodd, 'Gad i fi geso. Dwyt ti ddim wedi dweud hynny wrth Huw . . . Ti a Ken mor sofft â'ch gilydd. Gredi di mod i wedi gorfod cytuno i "swper rhamantus" achos mod i wedi cael fy nghyhuddo o gadw Ken hyd braich?'

'Ac odi Ken yn hapusach nawr?' Roedd e wedi bod mor garedig wrtha i y noson gafon ni swper yn nhŷ Mam a Dad.

'Oedd, ar ôl iddo gael ei bwdin.'

A chan ei bod hi ar ddeiet a bod Lowri byth yn gwneud hanner job, ro'n i'n gwybod nad sôn am fwyd roedd hi.

I: uncneuen-fach!@enildram.co.uk
Oddi wrth: mam_fach@hatmail.com
Pwnc: Dillad gwaith.

Helo Judith.
Brei wedi dechrau *'overtime'* i 'ni' gael mynd ar 'wyliau'.
Rwy wedi gorfod bod yn greadigol iawn gyda fy 'nillad gwaith'.

 Brei wrth ei fodd yn fy ngweld wedi gwisgo fel hwren. Sgert denim at fy nhin (yn llythrennol – anodd rheoli siswrn tra'n gwisgo'r sgert dy hun). Bra *'peephole'* yn 'peep-io' o dan grys-t tynn iawn. Sodlau. Dim nicers.

Brei – Ti'n mynd mas? (Wir i ti! 'Na beth dd'wedodd e!)
Fi – Ydw – i gornel y stryd agosa, oni bai mod i'n ffeindio cwsmer yn y tŷ 'ma gynta.
Brei – (Yn mynd i ysbryd y darn) Faint ti'n godi?
Fi – (Yn mynd i ysbryd y darn hefyd) *Hand job* yn ddeg punt, *blow job* yn ugain, secs yn gant. Dim cusanu.
Brei – Faint yw *massage* ar fy nghefn?
Fi – Kinky. Bydd hynny'n ecstra. (Ddim yn keen, achos ro'n i eisiau secs).

Bydden i wedi lico petai e wedi rhoi arian parod i mi. Wedi ffansïo ffrog yn y Next Directory. Ond yn y diwedd gytunais i ar *'payment in kind'*.

ON. Dim syniad beth yw'r *going rate* go iawn. Ti'n meddwl mod i'n rhy chêp?

Erin

I: mam_fach@hatmail.com
Oddi wrth: uncneuen-fach!@enildram.co.uk
Pwnc: Gwaith a materion ariannol

Helo Erin.

Falch o glywed am dy lwyddiant! Efallai y gwnei di ailfeddwl am y colli pwysau – gan fod Brei yn hoffi'r ffordd rwyt ti'n edrych mewn 'sgert at dy din'.

ON. Re: 'Chêp'? Dim syniad. Rydym yn codi saith deg pum punt y fil am gyfieithu.

ONN. Rhaid mynd. Eisiau gorffen pennod ar 'O'r Gwraidd i'r Gwrych – Problemau Lluosogi' cyn mynd adre ac rwy'n gweld Huw heno.

Judith

TAMED 14

'Mae cystal pysgod yn y môr ag a ddaliwyd erioed.'

Es i ar y dafol cyn gadael y tŷ a synnu gweld fy mod wedi colli pwys. Do'n i ddim yn meddwl am funud mod wedi colli pwys go iawn. Roedd hi'n fanteisiol fy mod yn noethlymun y funud honno, fy mod heb yfed fawr ddim dŵr a bod adrenalin fyny-lawr y dydd wedi bod yn llosgi calorïau ar garlam. Fyddai hynny ddim yn parhau. Ond am heno ro'n i'n edrych yn weddol mewn sgert dros fy mhengliniau, crys-t v-neck oedd yn rhoi siâp i fy mronnau a sgidiau balerina wedi'u haddurno â gemau disglair. Fe fyddwn yn edrych yn well mewn sodlau, ond roedd hi'n well gwisgo rhywbeth cyffordus am fy nhraed os o'n i am gerdded ar hyd y cei drwy'r nos yng nghwmni Huw Teifi. Roedd jest meddwl am 'gerdded yng nghwmni Huw Teifi' yn dod â gwên i fy wyneb. Ro'n i'n dal methu coelio!

Fe fûm yn ystyried bwyta brechdan cyn mynd allan, yn groes i gyfarwyddiadau Huw. Os byddai fy stumog yn weddol lawn, siawns y gallwn gadw fy hun rhag bwyta fel mochyn o'i flaen. Ond penderfynais ymatal yn y diwedd. Os byddwn i'n starfo gallwn i fwyta unrhyw beth – hyd yn oed pysgod ffres.

Roedden ni wedi cytuno i gyfarfod yn y maes parcio ger y Cei – ac er mod i'n hollol sicr na fyddai e'n dod, roedd Huw yno, yn smocio a cherdded 'nôl a mlaen, pan gyrhaeddais i. Roedd ei weld yn ddigon i wneud i mi ddal fy ngwynt. Wir i chi, doedd y sgrin deledu ddim yn gwneud cyfiawnder ag e! Roedd e'n ddyn mawr, sgwâr ac roedd rhywbeth hudol o ddireidus yn ei lygaid sgleiniog a'i wên barod. A doedd e'n poeni dim arna i ei fod e'n dechrau colli'i wallt. Ro'n i'n falch mod i wedi penderfynu yn erbyn y sodlau pan welais i'r bac-pac ar ei gefn. Gwnes ymdrech i feddwl yn gadarnhaol am beth allai fod yn daith gerdded hir!

Ar ôl i mi ymddiheuro am fod yn hwyr (er nad o'n i go iawn) ac iddo yntau ddweud mod i'n edrych yn dlws (wel, roedd rhaid iddo fe ddweud rhywbeth), ro'n i'n ofni y byddai'r sgwrsio'n pallu. Ond roedd Huw Teifi'n gwmni rhwydd achos roedd digon ganddo i'w ddweud. Roedd e'n hen gyfarwydd â pherfformio a does ryfedd ei fod wedi gwneud mor dda iddo'i hun achos roedd e'n gwybod yn iawn sut i blesio cynulleidfa. Roedd wedi deall erbyn hyn beth o'n i, Erin a Lowri yn ei ddisgwyl ganddo ac roedd y sgwrs yn frith o storïau am fwyd sâl y cantîn a chyfarwyddwyr yn newid sgriptiau munud ola; roedd ambell berl am ofynion afresymol rhai o'r sêr mawrion oedd yn dod ar y set ar gyfer y sioe Nadolig a'r gwynt drwg pan oedd dau 'enw' yn gorfod rhannu stafell wisgo. Ro'n i wrth fy modd mod i'n gyfarwydd â rhai o'r 'enwau' dan sylw.

'O'n i'n meddwl falle bydde ti ddim yn dod – ti'n colli *Pobol y Gwm*, cofia,' meddai Huw ar ôl i ni fod yn cerdded am dipyn bach.

'Wy ddim yn 'i golli fe. Wy'n tapo fe! Fydda i'n watsho fe ar ôl mynd gartre.'

Chwarddodd Huw yn uchel ac es i deimlo dipyn bach yn amddiffynnol.

'Wel, mae e'n ecseiting iawn ar hyn o bryd. Wy isie gwbod pa un o'r efeilliaid fydd Harri Wyn yn ei dewis yn groth *surrogate* i fabi ei wraig gynta.'

Ciledrychodd arna i am foment, nid yn unig achos haul diwedd y prynhawn,

''Na ble ry'ch chi arni, ife? Ni'n bell ar y blaen o ran ffilmio, ti'n gweld. Ond sori, alla i ddim dweud wrthot ti beth sy'n digwydd. Mae storïau *Pobol y Gwm* yn *top secret*!'

'Gelet ti'r sac am ddatgelu storïau?' dywedais, gan ei feddwl yn ysgafn.

''Na beth maen nhw'n ddweud.'

Fe gerddon at y cei mewn tawelwch. Roedd pobol o gwmpas o hyd a rhes o stondinau mewn llinell gam ar hyd y cei, fel yr hen farchnad bysgod mae'n siŵr. Ond ro'n i'n cael yr argraff ein bod wedi colli'r ŵyl ar ei gorau. Roedd y llwyfan mawr yn wag ac roedd y rhestr digwyddiadau ar y bwrdd sialc yn nodi amseroedd oedd wedi mynd heibio ers tro.

'Trueni ein bod ni wedi colli *"Can You Tell What it is Yet?* – Bwydo'r Cynghorwyr â danteithion y môr."* Fydden i wedi joio gweld ambell un o'r bois *planning* yna'n gwingo,' meddai Huw. Doedd dim byd yn difetha'i dymer dda yn hir. 'Sdim isie Tesco's anferth pan mae rhywun yn gallu cael bwyd da yn lleol.'

Ddywedais i ddim wrth Huw bod meddwl am flas yr heli ar bysgod ffres yn codi cyfog arna i. Fyddwn i'n hapusach gyda phlât o *fish fingers* yn syth o'r rhewgell. Ond roedd murmur y dŵr yn y cei yn arafu curiadau'r galon ac ymlaciais yn araf bach.

Aeth Huw i nôl cimwch i ni – a mynnu talu amdano. Tynnodd flanced bicnic o'r bac-pac ac fe eisteddon ni ar hances o wair yn edrych dros y cei. Yn ystod ein taith ar hyd y stondinau ro'n i'n gweld wrth wynebau ambell un eu bod yn nabod Huw, ond dim ond y dyn pysgod oedd yn ddigon ewn i gyfeirio at hynny gyda ''Co boi mawr yn dod i brynu pysgod.' Gwenu wnaeth Huw. Nawr, dim ond y gwylanod uwch ein pennau oedd yn gwmni i ni ac ro'n i'n falch o hynny.

Huw ddangosodd i mi sut i fwyta'r cimwch, ac achos nad oedden ni'n 'bobol fawr' ro'n ni'n hapus i wneud hynny gyda bys a bawd.

'Wneith e mo dy gnoi ti. Mae e wedi marw,' meddai pan y gwelodd fi'n gwingo wrth fwyta'r gegaid gynta. Ond, wir! Doedd dim gormod o flas y môr ar y creadur yma. Roedd e'n flas glân iawn a dwi ddim yn amau y byddwn i'n fodlon ei drio eto. Wrth i ni fwyta ochr yn ochr sylwais ar y pethau bach. Oglau aftershêf egsotic, ddim yn rhy gryf. Blew bach ar gefn ei wddf, a'i wallt yn gynffonnau ŵyn bach o gwmpas ei glustiau. Roedd yr agosatrwydd a'r bwyta gyda bysedd yn gwneud i mi boethi. Trawodd mellt o'm stumog lawr rhwng fy nghoesau a chlywais fy anadl yn cyflymu. Do'n i ddim yn gwybod beth oedd yn mynd trwy feddwl Huw. Actor oedd e, wedi'r cwbwl. Ond roedd e'n gwybod sut i wneud i fenyw deimlo fel y person mwya pwysig yn y byd. Pan o'n ni'n siarad roedd

e'n rhoi ei sylw i gyd i mi ac roedd hynny'n gwneud
i nghalon guro'n gyflymach na'r aftershêf secsi a'r
cynffonnau ŵyn bach a'i gorff mawr yn ddigon agos
i'w gyffwrdd. Ar ôl y wledd fe lyfon ni ein bysedd yn
lân rhoddodd Huw'r pacedi gweigion yn y bin –'er
mwyn bod yn amgylcheddol gywir a rhag ofn bod
un o racs y papurau yn ein gwylio'. Ro'n ni'n teimlo
fel lêdi!

'Sdim isie bod cywilydd arnon ni roi'r pryd yna
yn ein dyddiadur bwyd,' meddai Huw yn llon.

'Wrth gwrs, wnaethon ni ddim pwyso'r cimwch
gynta.'

''So ti'n meddwl bod Patricia'n dishgwl i ni
bwyso popeth, wyt ti?'

'Odw!'

A chwarddodd y ddau ohonom ar ddim.

'Beth? Mae hi'n dishgwl i ni garto scêls o gwmpas
y lle i bob man? Bydd isie *handbag* mwy o faint arno
i 'te!' meddai Huw.

Roedd yr haul a'r heli wedi mynd i mhen achos
chwarddais yn afreolus ac roedd e wrth ei fodd gyda
hynny.

'Pam wnest ti benderfynu mynd i glwb colli
pwysau 'te?' gofynnodd Huw ar ôl i mi dawelu.

'Ma' hynny'n amlwg!' Ac fe gyfeiriais at y rhofiau
o floneg o gwmpas fy wast a nghluniau. Ro'n i'n
gwenu ond roedd fy llais yn fwy caled nag y bydden
i wedi lico.

'Dyw e ddim yn amlwg i fi . . . Hynny yw, wy'n
credu bod siâp neis arnot ti . . . Sori, wy 'di embarrasso
ti nawr . . .' Cym'rodd gip arna i ac yn edrych ar y

llawr. 'Sdim isie i ti fod yn *embarrassed*!' Ro'n i'n gobeithio na fyddai'n sylwi fy mod wedi cochi.

'Wel, wy'n bod bach yn ewn ar ddêt gynta.' Gwingodd. 'Dêt gynta? 'Co fi eto – digywilydd. Wy'n mynd i gau 'mhen nawr!' Roedd golwg wylaidd iawn arno.

'Na, ti'n iawn.' Ac roedd e. Roedd popeth rhyngddom yn teimlo'n naturiol iawn. Roedd Huw yn edrych i fyny o'i draed ac fe ddalion ni lygaid ein gilydd am eiliadau hir. Fe allai siarc fod wedi neidio o'r cei a bygwth ein bwyta a fyddwn i wedi methu edrych oddi ar lygaid disglair Huw.

'O ddifri, beth wnaeth i ti benderfynu ymuno â'r clwb colli pwysau?' Fe dorrodd y cwestiwn ar y hud.

'Y gwir?'

'Wrth gwrs.'

'Er mwyn Erin fy ffrind. Ond sai'n credu bod lot o obaith i fi. Ges i fy ngeni'n fawr, a mawr fydda i.' Yn rhy hwyr cofiais y cyngor am beidio â thynnu sylw at fy ngwendidau. 'Ffordd o siarad. Wy'n gwbod mod i ddim yn fawr, fawr go iawn.'

'Wy'n deall yn iawn beth ti'n ddweud. Yn fy myd i mae pawb yn denau. Os o's rhywun yn rhoi owns mlân maen nhw'n banics gwyllt bod eu gyrfa ar ben! Pawb yn paranoid! 'Na pam ma' pawb yn smoco.' Ac fe gyfeiriodd at y sigarét loyw yn ei law.

'Dwi ddim yn meddwl y byddwn i'n gwneud actores dda iawn 'te. Wy'n lico bwyd. Sai'n bwyta achos mod i'n drist neu'n hapus – wy jest yn bwyta pan mae eisiau bwyd arna i – ac ma' eisiau bwyd arna i'n aml!'

A dyna'r mwya ro'n i wedi ei gyfadde i neb ers sbel. Roedd e'n deimlad da i rannu tipyn bach o beth oedd yn fy nghalon achos roedd Huw yn nodio'i ben ac yn rhoi ei fraich amdana i – yn yr un ffordd ag y byddech chi'n cysuro ffrind. Yna, fe ddaliodd rhywbeth arall ei sylw ac fe ollyngodd fi.

Roedd y llwyfan ar sgwâr y cei yn fyw gyda rhyw hen griw oedd yn edrych fel petaen nhw wedi cael eu tynnu'n syth o'r môr. Hetiau dŵr tri chornel, bochau cochion, barfau rhaffog. Bron y gallwch weld y gwymon yn eu gwalltiau! Roedden nhw'n chwythu ar bibau, yn chwarae gitârs, a bwrw offerynnau cyntefig yr olwg. Ro'n ni'n cael ein galw fel cŵn defaid gan y chwibanu hudolus, ond ro'n ni'n ofalus i sefyll yn ddigon agos at y cefn. Pan nad oedd neb yn edrych byddai Huw'n dawnsio'n wirion ac yn gwneud i mi chwerthin ac roedd hynny'n gwneud iddo yntau ddawnsio eto. Ro'n i'n mwynhau fy hun, nid o achos y gerddoriaeth ond achos bod Huw wrth ddawnsio yn bwrw yn fy erbyn ambell waith ac roedd e'n teimlo'n solet iawn.

Roeddwn i eisiau ffonio rhywun yn syth pan gyrhaeddais i adre. Do'n ni ddim wedi cusanu, ond nid oeddwn yn siomedig achos do'n i ddim yn disgwyl hynny.

Ro'n i methu ffonio Mam achos byddai'n rhaid i mi gofio galw 'Ken' ar Huw, ac yn fy nghyffro fe fyddwn yn siŵr o anghofio – a beth bynnag, byddai Mam yn rhoi si ar led bod 'priodas i fod' a byddai hynny'n ysgogi cymdogion a pherthnasau i ddechrau holi am eu gwahoddiadau. Ro'n i methu ffonio Erin achos fyddai hi'n siŵr o fod wedi'i gwisgo fel hwren yn cael secs gwyllt gyda'r 'cleient' – oedd hefyd yn ŵr iddi. A do'n i methu ffonio Lowri achos roedd hi'n siŵr o fod wedi mynd allan i rywle ffantastic gyda'r hyfryd Ken – a do'n i ddim eisiau iddi ddweud rhywbeth brathog (yn anfwriadol) a fyddai'n gwneud i mi ail-feddwl am y 'dêt' oedd ddim yn 'ddêt'.

Roeddwn i methu cysgu chwaith. Felly, troais y cyfrifiadur ymlaen gyda'r bwriad o syrffio'r We i weld a allwn i ffeindio beth oedd y *going rate* am wasanaethau hwrod ar ran Erin. Achos gyda'r efeilliaid a'r holl ryw yna roedd hi'n bosib iawn ei bod hi'n rhy lluddedig i wneud hynny ei hun. Roedd un neges.

I: uncneuen-fach!@enildram.co.uk
Oddi wrth: charming@wahoo.co.uk
Pwnc: Gwisg

Oedd Andrea wedi dechrau gwisgo i fyny hefyd? Pa fath o wisg fyddai hi'n ei dewis? Un y byddai hi wedi ei mesur a'i theilwra ei hun – y *control freak* boncyrs â hi! Darllenais y neges.

Annwyl Judith
Dere i fy swyddfa peth cynta bore Llun. Rwy eisiau trafod dy wisg ar gyfer y cyfarfod. Mae cyllid ar gael.
ON. Peth cynta = hanner awr wedi wyth.
Andrea Charming

Cyllid ar gyfer y cyfarfod? Roedd hi'n mynd i dalu am ddillad newydd i mi! Ro'n i bron iawn â ffonio Erin yn fy nghyffro. Bron iawn.

TAMED 15

'Pa mor dda yw'r braster ry'ch chi'n ei fwyta?
Dywedwch "ie" wrth fraster da a "na" wrth fraster
drwg.'

Pennaeth y Feddygfa
Meddygfa Eifion
Tre Fyrddin
Ceredigion

Judith Myfanwy Evans
2, Ffordd y Rhiw
Tre Fyrddin
Ceredigion

Rhif Claf: 1733

Annwyl Glaf,

Ysgrifennaf i'ch hysbysu bod Dr Deiniol Roberts yn ymddeol o Feddygfa Eifion ar ôl 37 o flynyddoedd fel meddyg teulu.

Dymunwn y gorau iddo yn ei ymddeoliad.

Gofynnwn i chi gysylltu gyda'r dderbynfa i gofrestru gyda meddyg arall.

Yn gywir,
Alyson Graham
Rheolwr y Feddygfa

Tri deg saith. Pa fath o rif oedd tri deg saith?

Deugain. Wel, fe allwn i ddeall deugain. Mae deugain yn garreg filltir. Yn rhif o bwys. Deugain niwrnod a deugain noson yr oedd Iesu Grist yn yr anialwch. Deugain munud oedd yr hiraf ro'n i wedi gwneud i diwb o greision Pringles bara unwaith i fi eu hagor. Roedd bywyd yn dechrau pan roeddech chi'n cyrraedd y deugain oed. Pam na allai Dr Roberts fod wedi dal ati am dair blynedd fach eto? Fe fydden nhw drosodd mewn chwinciad chwannen. A doedd e ddim fel petai e'n ymddeol achos tor-iechyd. Roedd Mam wedi gweld Glenys ei wraig yn y dref yr wythnos ddiwetha ac roedd ei iechyd ef dipyn gwell na'i hiechyd hi. (Ond dyna ni, roedd Glenys wastad yn cwyno am rywbeth. 'Pam ti'n meddwl briododd hi ddoctor?' meddai Mam.) Roedden nhw'n bwriadu rhoi cynnig ar dyfu tegeiriannau o had, teithio gogledd Cymru yn y garafàn, derbyn y gadair yn y Rotary a gweld y neiaint bach yn Stockport yn amlach na dwywaith y flwyddyn . . . Gwneud cyn y bydden nhw'n methu gwneud. 'A dych chi ddim yn gwbod pryd fydd afiechyd yn eich taro,' meddai Glenys Roberts.

Pam na fyddai e wedi aros tair blynedd arall? Damo fe.

I: uncneuen-fach!@enildram.co.uk
Oddi wrth: mam_fach@hatmail.com
Pwnc: Waw!

Helo Judith
Blydi hel!
Dwi ddim yn credu hyn!
Fi – lan at fy ngwddw mewn smwddo a sterics. (Ydy e'n normal i gwympo mas am pwy sy'n cael helpu Mam i blygu dillad?)
Ti – lan at dy wddw mewn dillad *designer*! A rwyt ti'n cael y cwbwl am ddim! A bydd siopwr personol gyda ti i helpu ti ddewis . . . a cynorthwyydd y siopwr personol i gario'r bagiau!

ON. Ble es i'n rong?
Erin

I: mam_fach@hatmail.com
Oddi wrth: uncneuen-fach!@enildram.co.uk
Pwnc: Dim mor waw

Helo Erin

Dwi ddim yn gwbod a fydd y dillad yn *designer*. A dwi ddim yn gwbod a fydd siopwr personol. Pam? Achos fydda i ddim yno pan fydd y dillad yn cael eu dewis!
Andrea wedi fy mesur bore yma. (Dim yn llythrennol, wrth gwrs. Wedi cael Julie i fy mesur ar ei rhan.)
Cael fy mesur yn erchyll ffwl-stop. Y profiad o gael Julie yn fy mesur yn erchyll iawn, iawn. Cymryd oes wrth ei gwaith! A gwneud i mi deimlo fel mynydd mawr yn ei hymdrechion i gael deupen llinyn mesur ynghyd. Rwy'n siŵr mai ei breichiau byrion hi oedd y rheswm pam roedd rhaid cael Bruce Bins (oedd yn digwydd bod yn y swyddfa ar y pryd. O am lwc!) i'w helpu i fesur o gwmpas fy mrest. Ro'n i'n sefyll yn fraich-agored fel Angel y Gogledd am oes! Ymarfer corff da, dwi ddim yn dweud llai. Blydi hel.

ON. Ddylet ti gael mwy o blant os y'n nhw mor awyddus i helpu o gwmpas y tŷ.

Judith

I: uncneuen-fach!@enildram.co.uk
Oddi wrth: mam_fach@hatmail.com
Pwnc: Rybish

Siŵr bod Bruce Bins yn meddwl ei bod hi'n ben-blwydd arno.

ON. Ydy e byth wedi sorto'r broblem chwysu yna?

ONN. Mwy o blant? Dwi ddim yn meddwl. Wedi bod yn edrych ar y We am fanylion y 'snip'.

174

I: mam_fach@hatmail.com
Oddi wrth: uncneuen-fach!@enildram.co.uk
Pwnc: Problem

Mae Bruce Bins wedi gwagu fy min i ddwywaith heddiw. Ond fe yw'r lleia o mhroblemau. Rhyw ffordd rwy wedi cytuno i adael i Andrea ddewis fy ngwisg! Hyn yn greisis achos ni all person tenau seis wyth byth ddeall beth yw anghenion person tew seis un deg chwech. Gall dilledyn edrych yn hyfryd yn seis wyth, ond erbyn iddo gyrraedd seis un deg chwech mae e wedi troi'n smoc enfawr di-siâp sy'n debycach i babell i bedwar na rhywbeth i'w wisgo.

ONN. Bydd dim secs am sbel os gaiff Brei y 'snip'.

Roedd Tew Cymru yn dweud na ddylech bwyso eich hun rhwng bob dosbarth. Dyna pam mai dim ond unwaith y pwysais fy hun cyn gadael y tŷ. (Roedd yn well gen i baratoi fy hun am y gwaetha.) Ond ro'n i wedi colli un pwys. Un pwys cyfan! Fe gododd hynny fy nghalon am foment. Yna, cofiais.

Allwn i ddim dweud fy mod yn edrych mlaen at fynd i'r clwb o gwbwl. Ond do'n i'n sicr ddim yn edrych mlaen y noson honno. Byddai Huw yno a doedd e ddim wedi ffonio ers y 'dêt'. Neu, fyddai Huw ddim yno – a byddai hynny'n waeth fyth. Byddai yna bosibilrwydd ei fod yn fy osgoi.

Fe anfonais decst y diwrnod ar ôl y dêt – gydag anogaeth Erin. (Ei syniad hi oedd e.)

Bûm yn pendroni am sbel beth i'w anfon:

Diolch am noson ffantastic.

(Na. Rhy despret!)

Diolch am noson hyfryd.

('Hyfryd'?! Fel hen anti'n diolch am botel sent!)

Wedi joio cimwch cynta!
Diolch. Judith.

Ro'n i'n difaru'n syth achos ges i ddim ateb am oriau. Ateb un gair oedd e. 'Grêt.' A chusan fach gyfeillgar.

Dwi ddim yn gwybod shwt, achos y cyfan fwytais i oedd y frechdan leia welsoch chi erioed. A dim byd arall . . . ar wahân i fanana, tamaid o gaws a phacet o grisps. Ond, rhywsut, ro'n i wedi rhoi pwysau ymlaen ers i mi fynd ar y dafol yn y tŷ. Felly, allwn i ddim teimlo'n falch mod i wedi colli hanner pwys achos ro'n i'n galaru am yr hanner pwys ro'n i wedi'i roi ymlaen!

Erbyn i mi eistedd, roedd Huw wedi cyrraedd. Ac roedd e'n wahanol i'r dyn welais i yn y cyfarfod cynta. 'Daniel Carr o *Pobol y Cwm*' oedd hwnnw, ond y person cyffredin roedd e wedi trio mor galed i'w werthu i ni oedd hwn. Edrychai'n fachgennaidd mewn hen jîns a chrys-t. Dwi byth yn gwybod beth yw'r peth iawn i'w wneud: eisteddai Huw yn y rhes gefn a do'n i ddim yn siŵr a ddylwn i droi rownd i ddweud 'helô' neu beidio. Cyn i mi allu penderfynu beth fyddai waetha – bod yn orgyfeillgar neu'n hen bishyn sych – roedd Lowri wedi gwneud sioe fawr o godi'i llaw a gweiddi 'hiya' fawr arno nes bod pawb yn edrych. Rhaid ei bod hi, fel finnau, yn lico'r hyn roedd hi wedi'i weld,

'Sen i ddim yn mynd mas 'da Doctor Ken . . .' meddai.

'Beth? Ti'n cyfadde eich bod chi'n mynd mas 'da'ch gilydd' nawr?'

Fyddai hi byth yn ymrwymo i hynny fel arfer, hyd yn oed pan oedd hi a rhyw ddyn yn byw yng ngwelyau ei gilydd.

'Wna i gyfadde y diwrnod y byddi di'n cyfadde dy deimladau wrth Huw TV.'

Ro'n i eisiau ei hateb hi. A phe bai gen i ateb parod, byddwn wedi gwneud.

Troais fy mhen mor ddidaro ag y gallwn i – gan esgus crafu cefn fy ngwddw ar yr un pryd – ond roedd Huw yn brysur yn sgrifennu yn ei lyfr nodiadau. Roedd pethau i weld yn annheg iawn. Fe fyddech chi'n meddwl y byddai hi'n haws siarad â rhywun unwaith i chi ddod i'w nabod dipyn bach, ond ro'n i'n fwy swil yng nghwmni Huw Teifi na phetawn i'n ei gyfarfod am y tro cynta.

Triais yn galed i beidio â chwarae â godrau fy sgert. Roedd hi'n ddigon drwg bod Erin ar bigau'r drain. Edrychai wedi ymlâdd, ac ro'n i'n ofni mai gofid oedd y rheswm dros hynny yn hytrach na'i bywyd rhywiol prysur. Doedd hi heb golli pwys yr wythnos yma, er ei bod yn byw ar ei nerfau ers i Brei ddechrau gweithio 'overtime'. Roedd hi'n rhoi'r bai ar y siocled corff ddaeth am ddim ym mharsel FKSS. Doedd dim label i ddweud faint o galorïau oedd ynddo, ac felly roedd hi wedi gorfod ei gofnodi fel 'G and T'. 'G' am Guess a 'T' am 'Treat'.

'O'n i'n meddwl petaen ni'n cael rhyw bob dydd

cyn iddo fe ddechre 'overtime' na fydde fe ddim yn cael ei demtio – neu ddim yn gwneud yr 'overtime' o gwbwl,' meddai'n drist.

'Ond mae e eisiau'r arian ychwanegol i dalu am wyliau i ti.' Rhaid bod yn gadarn weithiau.

'Ges i decst wrtho fe o'r swyddfa hanner awr 'nôl yn dweud ei fod "ar ei ben ei hun, gwaetha'r modd". Beth mae hynny i fod i feddwl?'

'Ei fod e'n dy golli di, y ffŵl!'

Crychodd ei thalcen a gwenu gwên fach. Roedd hi'n fodlon ar hynny. Wnaeth hi ddim clywed Lowri'n dweud, 'god, ti'n sofft' dan ei hanadl ac ro'n i'n falch achos roedd posibilrwydd y byddai Erin wedi camddeall.

Roedd Sheryl Tizer wedi colli hanner pwys ac edrychai ddwywaith mor hapus ag o'n i'n deimlo. Roedd Heulwen Darling wedi colli pwys, dwywaith cymaint â mi, ond edrychai hanner mor hapus. Roedd Hannah Metcalfe wedi ennill pwys, o bosib achos y pinafffôr brethyn ych-a-fi roedd hi wedi dewis ei wisgo. Do'n i ddim yn meddwl fy mod i erioed wedi gweld dim byd mor erchyll, dim hyd yn oed ar y *catwalk*. Roedd y drosedd yn erbyn ffasiwn yn saethu allan dros ei bronnau mawr ac yna'n mynd i lawr yn syth i'w thraed mewn un llinell. Rwy'n gwybod fy mod i'n un pert yn siarad, ond roedd hi'n edrych yn anferth!

Seren y dosbarth oedd Lowri achos roedd hi wedi colli pwys a hanner. Pwys a hanner arall a hithau ond angen colli saith pwys i gyd! Crymodd ei hysgwyddau'n ddidaro iawn. Ond pe bai hi eisiau dathlu'r gampwaith yma fe fyddai wedi cael siom ar ei thin. Roedd Huw Teifi wedi colli pwys ac roedd Patricia wrth ei bodd. Ni fyddai wedi bod yn hapusach pe bai Huw wedi cyflwyno'r pwys o gnawd iddi ei werthu ar e-bay. Ond doedd hynny'n ddim byd o'i gymharu â'r olwg ar ei hwyneb pan bwysodd hi'r fenyw denau mewn du oedd ddim yn berchen ar ben ôl. Edrychai'r fenyw heb ben-ôl fel pe na bai angen colli owns arni. Yn wir, doedd y fenyw heb ben ôl heb golli owns (do'n i ddim yn gwybod beth ddigwyddodd i'w phen-ôl). Roedd Patricia ar ben ei digon.

'*No Progress!* Ardderchog, Gwenda!' bloeddiodd dros y lle. Curodd ei dwylo a'n hannog ni i gyd i glapio er nad oedden ni'n gwybod pam roedden ni'n gwneud hynny. Gwagiodd Beryl arian clwb yn glatsh ar y bwrdd a dechrau cyfri gan lusgo pob deg ceiniog ar hyd y bwrdd yn swnllyd.

'Pan ddaeth Gwenda i'r clwb gynta roedd hi'n fenyw fawr ac yn fenyw drist. Does dim ots gyda Gwenda bo fi'n dweud hynny, o's e Gwenda?'

Edrychodd Gwenda ar ei sgidiau di-raen yn ateb.

'Roedd hi ddwy stôn a hanner dros bwysau. Allwch chi ddychmygu faint roedd hi wedi gor-fwyta i fod mor fawr â hynny? Dwi ddim yn meddwl hynny'n gas, odw i Gwenda?'

Siglodd Gwenda ei phen.

'Ond nawr mae Gwenda wedi cyrraedd target! Mae Gwenda yn target ers pump wythnos! Gallwch chi i gyd fod fel Gwenda. Mae e i fyny i chi.'

'Gas 'da fi'r ffordd mae'n gwneud iddo fe swnio'n rhwydd.'

A Lowri ddywedodd hynny. Doedd dim gwell hwyliau arni pan dynnodd Patricia bethau o'i bocs trysorau i ddangos i ni sut roedd gwneud pryd bwyd yn achlysur. Hambwrdd. Lliain fach. Test tiwb. *Carnation* wedi gwywo. Cyllell a fforc arian. (Y math o bethau oedd ond yn cael eu defnyddio yn ein tŷ ni ar ddydd Nadolig.) Tseina gorau.

'Neu, gallech chi fwyta bwyd wrth y bwrdd,' sibrydodd Lowri.

'Ro'n ni arfer gwneud hynny gyda'r efeilliaid . . . nes iddyn nhw ddechre cerdded.'

Yna, fe alwodd Patricia ar Lowri i ddod ymlaen i dynnu'r raffl.

'Ladda i di os dynni di fy enw i mas.' Efallai bod Erin yn teimlo bod ganddi ddigon ar ei phlât yn barod.

Huw Teifi ennillodd y tun mawr o ffa pob di-halen ac fe orfododd Patricia iddo ddod i'r blaen i'w nôl. Chwarae teg, fe wnaeth hynny gyda gwên ar ei wyneb fel gŵr bonheddig.

Ar y ffordd 'nôl i'w sedd, fe ddaliodd fy llygaid,

'Ti moyn rhannu hwn 'da fi?' meddai'n gellweirus.

Cochais. Oedd e'n credu mod i'n meddwl am ddim byd ond bwyd? Triais i feddwl sut o'n i wedi bwyta'r cimwch yna. Do'n i ddim yn cofio mod i wedi gwneud unrhyw synau slochian i godi cywilydd.

Ro'n i'n gobeithio y byddai wedi mynd erbyn i mi wisgo fy nghot a chodi ar fy nhraed mor araf â chrwban yn codi ar ôl gaeafgwsg. Rhaid ei fod wedi cael ei ddal gan un o'r lleill achos roedd e'n sefyll y tu allan i'r stafell pan ddes i mas. Roedd hi'n sefyllfa lletchwith braidd a beth allai e wneud ond dweud rhywbeth i ladd y tawelwch,

'Wnes i fwynhau clywed dy farn am fwyd a cholli pwysau. Diddorol uffernol. Chwa o awyr iach,' meddai.

Cymerais gip y tu ôl i mi, ond doedd neb arall o gwmpas. Rhaid ei fod yn siarad â mi.

'Jest dweud fy marn yn onest wnes i . . .' Sylweddolais mewn pryd fy mod ar fin torri rheol aur Erin a rhoi fy hun i lawr.

'Ie, 'na ti. Dweud dy farn yn onest.' Roedd e'n gwenu o glust i glust ac yn cyffroi gyda phob gair. 'Ti'n meddwl y byddet ti . . . Hynny yw, licet ti gwrdd 'to . . . i ni gael siarad rhagor . . . falle allen ni fynd am bryd o fwyd teidi tro nesa . . . *bar meal* neu rywbeth?'

Cariad bach! Roedd e'n swnio'n nerfus! A fynte'n seren bydenwog yng Nghymru! Llwyddais i wenu,

'Ocê. Ond paid â dweud wrth Patricia,' meddais.

'Ie, paid â dweud wrth Patricia,' cytunodd a chamu ymlaen ataf a rhoi cusan ar fy moch!

Yn fy ngwely yn nes ymlaen, allwn i ddim canolbwyntio ar sgrifennu 'beth sy'n wych am Chwarae ar Eiriau'. Allwn i wneud dim ond meddwl am Huw Teifi a'i foch arw yn rhwbio yn erbyn fy moch innau, ac oglau cryf ei aftershêf yn mynd â ngwynt, a'r gusan wlyb oedd yn addo mwy.

'Beth sy'n wych am weithio i gwmni Chwarae ar Eiriau?'

'Rwyt ti'n cael amser i e-bostio dy ffrind gorau.'
(cynnig Erin)

'Mae e'n well na sychu tinau hen ddynion mewn cartre hen bobol – jest.' (cynnig Lowri)

'Rwy'n teimlo fy mod yn gweithio dros Gymru. Mae'n gam ymlaen tuag at y freuddwyd o Gymru gwbwl ddwyieithog.'
(fy nghynnig gorau i, ar ôl hir feddwl)

'Chi 'di cael fy nodiadau ar gyfer yr araith?' Gofynnais hyn wrth gael fy arwain o swyddfa Andrea gan Julie a'i thâp mesur, fel y *best in show* yn y Sioe Frenhinol.

Chwifiodd Andrea ei llaw, fel petai eisiau cael gwared ohonof.

'Do, diolch i ti. Paid poeni. Wna i sgrifennu'r araith fy hun.'

'Mae'r rhan fwya ohonom yn hoffi rhyw fath o ffrwyth i frecwast.'

Pobol y Gwm – y diweddara:
> Mae pethau'n poethi rhwng Daniel Carr (brawd Roger) ac Angela (cyn-wraig Daniel a gafodd affêr gyda Roger). Ond ydy Roger yn amau?

Roeddwn i'n beio'r hysbyseb *crackers* ar ddiwedd y rhan gyntaf. Achos newydd orffen gwylio *Pobol y Gwm* o'n i pan ges i'r syniad gwych o glirio'r cwpwrdd bwrdd.

Ro'n i'n gymaint o ffan o'r Gwm ag erioed, er mod i'n nabod 'Daniel Carr' erbyn hyn! (Sori, rhaid stopio tra mod i'n gwenu!) Roedd e'n gyfle i syllu'n gwbwl ddigywilydd ar Huw Teifi (fel 'Daniel Carr'), heb i neb amau mod i'n ei ffansïo. Serch hynny, doedd y camera ddim yn gwneud cyfiawnder ag e. Doedd e ddim yn dal y sglein yn ei lygaid na'r carisma naturiol oedd mor amlwg yn y cnawd. (Cnawd. Sori, rhaid stopio gwenu!)

Ro'n i wrth fy modd ar y pryd achos roedd gan Huw *story-line* gyffrous tu hwnt! Roedd e'n meddwl mynd 'nôl at ei gyn-wraig – yr un gyn-wraig oedd wedi cael affêr gyda'i frawd. Roedd angen darllen ei ben a hithau wedi'i fradychu fel'na! Ac, eto, unwaith bod cariad rhwng dau berson . . . Ffiw! Roedd hi'n stori gymhleth! Ac mae rhai pobol yn dweud mai teledu ar gyfer pobol syml yw operâu sebon!

Dyna ddod â ni at fy theori i. Mae yna ddau fath o bobol. Pobol sy'n gwylio operâu sebon. A phobol sydd ddim yn cyfadde eu bod nhw'n gwylio operâu sebon. Mae Lowri'n enghraifft berffaith o hyn. Mae hi'n dweud nad yw hi byth yn gwylio'r Gwm, ond bob tro ro'n i'n dweud wrthi am stori fawr, bydddai'n dweud 'Wy'n gwbod'.

Y mwya ro'n i'n dod i nabod Huw Teifi (nid 'Daniel Carr'), y mwya golygus roedd e'n ymddangos. A'r mwya golygus roedd e i weld, y mwy siŵr o'n i na fyddai e byth yn fy ffansïo go iawn. Roedd Erin yn anghytuno.

'Dyw pob dyn ddim yn mynd am *looks* yn unig,' meddai. 'Mae rhai dynion yn dewis merched salw'n fwriadol. Maen nhw'n lico teimlo eu bod nhw'n well na nhw – dim bo ti'n salw, wrth gwrs.'

Ro'n i'n gweld eironi fy sefyllfa – ar fy mhen-gliniau ar lawr y gegin yn cael gwared o'r pethau da o'r cwpwrdd, y pethau ro'n i'n eu ffansïo.

Ges i wared o'r popcorn halen, y Pringles (Caws, a Halen a Finegr), bisgedi TUC, *Jacob's crackers*, bisgedi *Animals* siocled, cnau *dry roasted*, cnau *cashew*, tartennau afal Mr Kipling a theisennau moron Weight Watchers, *peanut butter* a mêl. (Ro'n i rhwng dau feddwl am y cnau *cashew* nes i mi chwilio amdanyn nhw yn y llyfr bach a gweld bod y llond llaw leia yr un faint o ran calorïau â thafell o fara.) Rhoddais y cyfan allan o fy nghyrraedd yn y cwpwrdd top.

Fe gadwais i'r ffa pob, y pasta, y tiwna, y cous cous (yn y cwpwrdd ers llynedd, achos mod i byth wedi gweithio mas beth i'w wneud ag e), ffa gwynion (gweler cous cous), cracers reis (oedd yn edrych mor flasus â pholisteirîn) a'r tun pys slwj (roedd Lowri wedi ei ennill yn y raffl). A'r tartennau afal Mr Kipling a theisennau moron Weight Watchers (ie, yr un rhai ro'n i wedi eu rhoi yn y cwpwrdd top) – rhag ofn y byddai rhywun yn galw – a'r Pringles (rhaid i mi gael un trît!).

Ond beth os mai Huw oedd fy nhrît? Oedd hi'n bosib y gallai trît fod yn rhywbeth heblaw bwyd?

Ro'n i methu taflu'r pethau da achos y ffordd ges i fy magu. Doedd arian ddim yn tyfu ar goed ac roedd pobol yn marw o newyn yn y trydydd byd felly bwytwch bob dim ar eich plât, hyd yn oed os y'ch chi'n llawn. A do'n i ddim yn amau mai rhyw feddylfryd fel hyn oedd yn fy rhwystro nawr.

Ro'n i'n hapus iawn ar ôl i mi orffen y gwaith. Yn un peth, roedd y Gynhadledd O Bwys ar y gorwel. Ac os o'n i'n mynd i wneud colli pwysau'n flaenoriaeth dyma'r amser i wneud hynny. Ac yn ail, do'n i heb faglu dros Mister Pringles oedd yn mewian am fwyd, er ei fod wedi cael ei swper. (Roedd Mister Pringles yn esiampl sâl iawn i rywun oedd yn trio colli pwysau.) Ro'n i'n ymwybodol nad oeddwn i eisiau colli gormod o bwysau achos roedd Julie, ar ran Andrea Charming, wedi fy mesur ar gyfer y wisg (nad oeddwn wedi ei gweld byth).

Wrth orwedd yn fy ngwely gyda'r nos byddwn yn breuddwydio am honno. Ni allwn ddychmygu y byddai Andrea'n talu am ddillad *designer* – oni bai bod rhyw arian ar gael o Ewrop na ellid ei ddefnyddio at ddim byd call fel addasu stafelloedd dosbarth at yr oes fodern, glanhau hen ysbytai neu achub yr iaith ond y dylid ei wario yn unig ar bethau dwl fel partïon neu doilet rôls neu ddillad *designer* neu gwmnïau o bant fyddai'n ei baglu hi i Asia ar ôl blwyddyn.

Yn ôl Lowri, dyna'n union sut y byddai Andrea'n gwastraffu arian ddylai fynd at gyflogau staff, 'I dynnu blewyn o drwynau'r uwch-gyfieithwyr achos bod Yr Ast wedi ein clywed yn siarad am fwy o gyflog. A ti'n haeddu rhyw fath o fonws am ddewrder yn taclo'r beiblau boring yna am hanes cefn gwlad na bydd neb ond Iolo Williams yn eu darllen.'

Ro'n i wedi bod yn cyfieithu mwy o eiriau na nhargedau dyddiol achos bod hynny'n tynnu fy meddwl oddi ar y ddau beth oedd yn mynd â mryd. Bwyd a Huw. Weithiau, byddai'r ddau beth yna'n dod i'r meddwl yr un pryd – hyd yn oed yn y gwaith. Yn dilyn llwyddiant Erin gyda'r paent corff blas siocled, ro'n i wedi dechrau meddwl nid yn unig am fwyd a Huw ond am fwyd *ar* Huw. Roedd hi'n amser hir iawn ers i mi gael y cyfle i hel meddyliau am rywun fel yna, heb sôn am wneud y peth ei hun.

Roedd Huw wedi cael yr argraff mod i wrth fy modd gyda'r cimwch ac mai tipyn bach o arweiniad fyddai ei angen arna i os oeddwn i am ddod i fwynhau pysgod o bob math.

Dyna pam yr oedd wrth ei fodd ei fod wedi dod o hyd i'r unig fwyty Siapaneaidd yn y sir ac wedi llwyddo i gael bwrdd i ddau ar fyr rybudd.

'Cyfrinach orau'r sir ac ry'n ni wedi ei ffeindio!' Roedd ei lygaid yn disgleirio'n ddireidus.

Do'n i ddim mor hapus. Do'n i ddim yn hoffi pysgod – heb sôn am bysgod amrwd – ac ro'n i'n amau bod pobol y sir wedi ffeindio'r bwyty ac wedi penderfynu bod un ymweliad yn ddigon.

Ro'n i'n fwy anhapus fyth bod yna bobol yn y bwyty a'r rheini fel petaen nhw'n syllu arnom. Ac roedd hi'n amlwg beth oedd yn mynd trwy eu meddyliau – 'O chwarae teg i'r brawd mawr golygus am fynd â'i chwaer fach salw mas am bryd o fwyd achos mae'n gwbwl amlwg na allai hi ffeindio dyn ei hun gyda chorff fel yna.'

Roedd Huw'n gwisgo jîns tywyll newydd sbon a chrys gwyn wedi'i smwddio'n ofalus. Ro'n i'n gallu dweud yn ôl gwneuthuriad ei siaced ei bod hi'n un ddrud. Roedd wedi torri ei wallt ers i mi ei weld ddiwetha – i guddio'r moelni, byddai Lowri'n ei ddweud – ond roedd y cỳt newydd yn ei siwto. Edrychai'n fwy garw ac yn . . . wel, yn secsi mae'n siŵr.

'Ti wedi bod yma o'r blaen?' gofynnais ar ôl i'r weinyddes brydferth alw Huw wrth ei enw heb iddo ef ddweud gair.

'Naddo.' Crymodd Huw ei ysgwyddau breision. Edrychai fel crwt bach drwg.

'Pam mae pawb yn syllu 'te?' gofynnais, braidd yn naïf erbyn meddwl.

Doedd Huw ddim am ddangos ei hun.

'Achos bo ti mor bert.' Gwenodd, ac rwy'n siŵr i mi weld ei lygaid yn symud at fy mronnau, oedd ddim yn edrych yn rhy ddrwg diolch i'r bra *push up* a *push out*.

Eisteddon ni ar ddwy glustog fawr ar y llawr, un bob pen i rywbeth tebyg i fwrdd coffi is na'r cyffredin. Ar y ffordd i'n 'seddau' dywedodd sawl person yn dweud 'helô' wrth Huw. Ro'n i'n dechrau meddwl ei fod yn dod â phob menyw fan hyn ac yn mynd dipyn bach yn grac pan ddywedodd un cês, 'Beth sy'n mynd i ddigwydd rhyngddot ti a dy frawd?'

Ro'n i mewn penbleth am foment achos roedd Huw, fel finnau, yn unig blentyn. Atebodd yn syth ac yn serchog, 'Fiw i fi ddweud dim. Gelen i'r sac!'

Dyna pryd sylweddolais mai ar 'Daniel Carr' o *Pobol y Gwm* roedd pobol yn edrych, ac os o'n nhw'n edrych arna i hefyd – wel, siawns bod hynny â chenfigen. Dechreuais fagu hyder. Rwy'n gwybod ei fod e'n swnio'n ddwl, ond ro'n i wedi colli hanner pwys ac roedd fy ffrog polka dots du a gwyn yn edrych yn well o achos hynny. Ac roedd y nicers mawr a'r bais yn help i guddio'r dyrnau bloneg.

Daeth y gweinydd â'r cwrs cynta. Tapas o wahanol bysgod. Ro'n i'n falch o weld bod yna ambell beth y byddwn i'n barod i'w drio – twr o reis gyda thamaid o diwna ar ei ben a rholyn o samwn gyda rhyw fath o bast oedd ddim yn ogleuo'n rhy ddrewllyd. Caeais fy llygaid a rhoi'r rholyn samwn yn fy ngheg a'i gnoi'n gyflym.

'Pryd sylweddolaist ti bod gen ti broblem bwyta?' Cnodd Huw'n awchus ar gocos ar ddeilen letys.

'Sdim problem bwyta 'da fi.' Llyncais y samwn. Wnes i ddim cyfogi.

'Diddorol.'

188

'Wy'n gwbod beth sy angen ei wneud – bwyta llai a symud mwy. Ond wy'n lico bwyd mwy nag wy'n lico cadw'n heini.'

Gafaelodd Huw mewn cragen â rhywbeth gwlyb tu mewn iddo a'i dywallt lawr ei wddw. Ro'n i'n dyfalu mai wystrysen oedd e er nad o'n i erioed wedi gweld y fath beth heblaw mewn llun.

'Odi dy fam yn gwc dda 'te?'

'Odi. Ges i fy magu ar fwyd da. Bwyta o gwmpas y bwrdd. Swper, pwdin. Bwyd plaen ond bwyd ffein ac o'n i'n bwyta'r cwbwl – 'na hen-ffasiwn ontefe? A dydy fy *metabolism* i ddim yn helpu.'

'O's problem feddygol 'da ti?'

'Sai'n siŵr. Mae e'n fetabolism araf iawn, iawn.'

'Ac ma'r doctor wedi cadarnhau hynny?'

'Sdim angen. Jest edrych arna i!'

'Wy'n credu bo ti'n edrych yn grêt.'

Chwarddais yn sarcastic.

'Wy o ddifri. Mae'r top yna . . .'

Dilynais ei lygaid i lawr at y siâp 'v' ar wddw fy ffrog. Roedd y ffrog wedi slipo i lawr dipyn bach yn is nag y byddwn i'n dymuno. Tynnodd Huw ei lygaid oddi ar fy mronnau a gwelodd fi'n syllu arno. Gwridodd a gwenu, heb edrych arna i. Yna, cliriodd ei wddw'n hunanymwybodol a chymryd llond ceg o win. Llowciais innau'r gwin hefyd. Ond roedd Huw wedi gwneud yr amhosib. Roedd wedi gwneud i mi deimlo'n secsi. Gallwn deimlo cosi ysgafn yn y man rhwng fy nghoesau.

'Wy'n lico pethau hallt,' meddais. A duw a ŵyr nad honna oedd y llinell fwya rhamantus gafodd ei dweud erioed. 'Cnau. Creision. *Crackers. Popcorn* halen.'

Rhoddodd Huw ei ben ar sgiw: 'Pethau hallt neu snacs caled – pethau rwyt ti'n gallu eu crenshio'n uchel?'

'Sai 'di meddwl am y peth . . .'

'Ddarllenais i erthygl am seicoleg bwyta – '

Daeth dyn tal â locsys blewog i sefyll wrth ein bwrdd.

'Drychwch ar hwn, yn ddyn pwysig! Chi'n siŵr o fod yn bwyta mas bob nos ar beth maen nhw'n eich talu chi.' Yn hollol ddigywilydd! Ac fe aeth gan dynnu ei got amdano gyda help ei iâr fach o wraig.

Gwenodd Huw. Ond ro'n ei nabod yn ddigon da erbyn hyn i wybod mai gwên esgus oedd hi gan 'Daniel Carr'.

'Wyt ti'n gwc?' Dweud unrhyw beth rhag i bethau fod yn lletchwith ar ôl sarhad y dyn digywilydd.

'Wy'n gallu dilyn rysáit . . . Efallai y gallwn i wneud swper i ni rywbryd – i ni gael trafod heb neb yn torri ar ein traws . . . A byddai'n ddiddorol cael dy farn ar dâp.'

Ac fe gytunais. A dim ond ar ôl cytuno y sylweddolais mod i wedi cytuno fel 'tai hynny y cam naturiol nesa.

Dewisais y peth ar y fwydlen oedd yn swnio leia fel pysgodyn. *Sea bass* a reis. O leia gallwn i fwyta'r reis. Dewisodd Huw *Moules Marinières*. Meddyliais am sut mae bwydydd arbennig yn cael eu cysylltu ag emosiynau arbennig. *Moules* ac *oysters*. Affrodisiaid.

Ond os y'ch chi eisiau bach o gysur . . .? Byddwch chi'n cael sosej a thatws wedi pwtsho.

'Profiad newydd i ti?' Roedd Huw yn fy ngwylio'n procio'r *sea bass* gyda fforc.

'Odi, braidd.'

'Ti'n nerfus?'

'M'bach.'

'Sdim isie i ti fod. Ti'n fodlon i fi ddangos i ti?'

Nodiais fy mhen.

Daeth Huw draw ata i. Roedden ni'n penlinio ochr yn ochr, ein cyrff yn cyffwrdd. Gallawn ogleuo ei afteshêf sitrws cryf a rhywbeth arall, oglau dynol. Yn dyner iawn gafaelodd yng nghorff y pysgodyn rhwng chyllell a fforc.

'Fel hyn mae gwneud. Ti'n gweld?' Agorodd y pysgodyn fel petai'n agor blows a datgelu'r corff pinc. Yn fwy cadarn, gafaelodd yn yr asennau rhwng bys a bawd. Gydag un plwc cadarn dyma fe'n eu tynnu a'u diosg fel dillad ddoe.

'Edrych mor ffres mae'r cnawd yna. Mmm. Hyfryd. Ti'n barod i'w flasu?'

Gallwn glywed fy anadl yn cyflymu. Ro'n i'n methu peidio ag edrych ar Huw a dyma ni'n syllu i fyw llygaid ein gilydd. Roedd darn tew o bysgodyn ar y fforc.

'Ti'n barod?'

'Odw.' Llyfais fy ngwefusau.

'Ti'n siŵr nawr? Sai isie dy orfodi di.'

Pe bawn i ddim yn gwybod yn well, byddwn i'n meddwl ei fod e'n fflyrtio gyda fi!

'Huw! Stopa bryfocio!' meddais yn chwareus.

191

Gyda hynny gwthiodd Huw y pysgodyn i ngheg. Roedd yn dipyn bach o sioc i ddechrau a phetrusais. Ond yna ymlaciais a sylweddoli fy mod yn mwynhau'r blas. Dechreuais fwyta'r cyfan yn awchus.

'Mmm.' Daeth yr ymateb heb yn wybod i mi.

'Mwy?' gofynnodd Huw. Roedd y sglein yna yn ei lygaid unwaith eto yn dweud bod yn y dyn fachgen drwg.

Wnaethon ni ddim cael pwdin achos ro'n ni ar ddeiet ac wedi cael gwin. Do'n i ddim yn siŵr a oedd Huw wedi gwrthod coffi'n fwriadol, ond pan wnaethon ni gyrraedd nôl y tu allan i fy nhŷ fues i mor hy â gofyn, 'Ti eisiau dod mewn i gael coffi?'

Aeth eiliad fach heibio cyn iddo ateb pan feddyliais ei fod am gytuno. Yna, rhoddodd ei ddwy law bob ochr i fy wyneb a nhynnu ato. Cusanodd fi'n glatsh. Yna, sibrwd yn fy nghlust, 'Sai'n siŵr ydw i'n trystio fy hun.'

Roedd y cyfan drosodd mewn dim. Ond yn fy ngwely'r noson honno, ro'n i'n dal i deimlo'r ias i lawr fy nghefn.

TAMED 17

'Dyfalwch cyn lleied ag y gallwch chi os y'ch chi am gyfri calorïau'n llwyddiannus.'

Pobol y Gwm – y diweddara:

> Mae diddordeb newydd gan Roger (brawd Daniel Carr a'r dyn gafodd affêr gydag Angela, cyn-wraig Daniel). I fyny ar y maes tanio, mae e'n siot dda.

'Faint ti'n meddwl y dylen i aros cyn neud, ti'mod?' gofynnais i Erin.

'Secs, ti'n feddwl?'

'Mm. Ie.' Roedd hyfdra Erin yn fy ngwneud i'n anghyfforddus weithiau.

'Pam dweud "ti'mod" te? Jest dweda "secs".'

'Ie, ti'n iawn.' Unrhyw beth i gau ei cheg.

'So ti'n gallu'i ddweud e, wyt ti? Secs, secs, secs! Dyw e ddim yn anodd, odi e?'

'Secs . . . Wyt ti'n hapus nawr?'

'Secs.' Fy nynwared fel hen ferch. 'Ti'n ei ddweud e fel petai e'n rhwbeth i'w ofni. Fel pry cop yn dy nicers neu lygoden yn dy geg.'

'Ych a fi, Erin! Stopa hi! Sa i eisiau meddwl am bethau fel'na!'

'Yn gwmws. *I rest my case.*'

Roeddwn wedi dewis yr amser gorau i gael y sgwrs yma gydag Erin. Ro'n ni'n gwylio pennod o ER yn ei thŷ hi. Roedd Brei i ffwrdd am dridiau mewn cynhadledd flynyddol. Roedd hi'n ddeg o'r gloch ac roedd yr efeilliaid yn cysgu ers chwarter awr. Ro'n ni

193

wedi diffodd y golau – i dwyllo'r efeilliaid ein bod ninnau'n cysgu hefyd – ac er mwyn i ni gael hoelio ein sylw ar y doctoriaid hyfryd ar y sgrin (nad oedden nhw mor hyfryd â Dr Ken yn fy nhyb i).

Gyda'r golau ffwrdd a sylw Erin ar y ddrama feddygol, doedd dim rhaid i mi ofni y byddai hi'n edrych arna i wrth i mi drafod drama fy mywyd rhywiol. Ar ôl dechrau bywiog ond anfoddhaol ro'n i eisiau tewi ond roedd yn rhaid cael ateb, achos do'n i ddim yn siŵr o'r rheolau caru fy hun.

'Meddwl o'n i beth yw'r *etiquette* . . . pa mor hir dylai rhywun aros cyn, ti'mod . . .?'

'Cael secs am y tro cynta?'

'Ie. Cael . . .' Roeddwn i'n mwmial rhywbeth tebyg i 'sycs'. 'Am y tro cynta . . .'

'Wel, arhosodd Brei a fi sbel hir . . . pythefnos . . . ond ti'n mynd 'nôl chwe blynedd nawr. Sai'n gwbod os yw pobol mor gul dyddie hyn.'

'Wyt ti'n meddwl am "lai na phythefnos"?' Roedd Huw a finnau eisoes yn nabod ein gilydd yn hirach na hynny. Teimlais y panic yn codi. Beth os o'n i wedi pasio'r pwynt pan mae dau berson yn mynd i fod yn gariadon? Do'n i ddim eisiau meddwl y gwaetha . . . Ond beth os fydden ni'n ddim byd mwy na ffrindiau?!

'Mae rhai pobol yn cael secs ar ôl un diwrnod,' meddai Erin yn syllu ar Dr John Carter ar ER mewn ffordd ddigon tebyg i'r ffordd ro'n i'n syllu ar 'Daniel Carr' ar *Pobol y Gwm.*

'Wel, wy'n siŵr bod rhai pobol yn cael "sycs" ar ôl un awr – ond odi "merched neis" yn gwneud hynny?'

'Mae merched neis yn boring.' Roedd Erin yn bendant. 'Ocê, dyw e ddim yn dy barchu di yn y bore. *So what?* O leia ti 'di cael un noson o acsion chwilboeth.'

Ar ôl dod dros embaras yr hyn roedd hi wedi'i ddweud roedd rhaid cyfadde bod ganddi bwynt.

'Ti ffaelu gwneud dim byd nes i ti fynd ar y pil,' meddai Erin fel petai'n trafod pris peint o laeth. 'Well i ti neud *appointment* yn y syrjeri, gwdgirl – neu fyddi di'n styc yn byta cimwch am weddill dy fywyd!'

Dechrauais boeni o ddifri am y busnes bod yn 'rhy rwydd' yma. Ond do'n i ddim yn poeni digon i holi Lowri am ei barn. Doedd gen i ddim amheuaeth ei bod hi a Dr Ken wrthi 'fel cwningod', fel roedd hi'n ei ddweud, ac roedd gen i deimlad annifyr ym mêr fy esgyrn nad oedd Lowri'n parchu dim ar Dr Ken y bore cynta nac unrhyw fore wedi hynny.

Roedd Lowri wedi bod yn gwneud tipyn o holi ei hun. Holi am 'Y Gynhadledd O Bwys'. (Doedd hi ddim yn holi fawr am Huw TV – fel roedd hi'n i'w alw – ac ro'n i'n gobeithio bod hynny achos bod ei bryd ar Dr Ken.)

Doeddwn i dal ddim wedi cael fy mrîffio am fanylion 'Y Gynhadledd'. Dwi ddim yn siŵr ai 'brîffio' oedd y gair cywir. Roedd hynny'n swnio rhywbeth tebyg i beth fyddech chi'n ddisgwyl i MI5 ei wneud i'w gweithwyr cudd. Ro'n i'n trio peidio â mynd i banic am y ffaith nad oeddddwn i'n gwybod braidd dim am 'Y Gynhadledd' er bod yr amser yn prysur agosáu. Ac ro'n i'n llwyddo pan do'n i ddim yn meddwl am y peth o gwbwl. Yna, do'n i ddim yn clywed fy mhwysau gwaed fel y môr yn fy nghlustiau, na'r pryder yn codi fel cyfog yn fy mrest. Pan roeddwn i'n anghofio do'n i ddim wedi fy mharlysu gan ofn. Doedd e ddim yn help cael fy atgoffa,

'Wnest ti orffen dy "araith" ar mor "wych" yw gweithio i Chwarae ar Eiriau?' Rhaid bod Lowri wedi colli rhagor o bwysau. Roedd hi'n edrych yn hyfryd mewn sgert bensel a sgidiau sodlau uchel.

'Mwy neu lai.' Ni allwn edrych arni a dweud celwydd yr un pryd.

'Ac ydy Andrea Ast wedi gweld yr araith yma? Bydd hi'n siŵr o fod eisiau ei gweld cyn "Y Gynhadledd O Bwys"? Sut arall y bydd hi'n gallu ei newid hi?'

'Mae Andrea'n hapus iawn.'

Cododd Lowri ei haeliau'n ddramatig. 'Od, so ti'n meddwl? Ei bod hi heb sôn am "Y Gynhadledd" wrth unrhyw un arall? Mae'r cyfan fel rhyw gyfrinach fawr.'

'Falle nad yw hi eisiau lot o fân siarad.' Ro'n i'n trio perswadio fy hun hefyd achos gallawn deimlo'r cryndod yn fy mynwes unwaith eto.

'Ond mae hi'n lico mân siarad. Gwneud i ni feddwl bod ganddi ffefryn. Ein cadw ni i gyd ar flaenau'n traed. Od. Od iawn, fyddwn i'n ei ddweud. Petai e'n rhywun ar wahân i ti – ti'n gwbod beth arall fyddwn i'n ei ddweud?'

Siglais fy mhen, ro'n i'n ofni agor fy ngheg rhag ofn i mi chwydu.

'Fyddwn i'n dweud nad yw'r "Gynhadledd O Bwys" yma'n bod o gwbwl.'

A sythodd ei sgert dros ei chluniau lluniaidd, eistedd i lawr a pharhau i deipio ar garlam.

Roeddwn i'n gwybod beth ddylwn i ei wneud. Brasgamu i swyddfa Andrea, agor y drws – ar ôl cnocio'n gynta. Ac aros am ateb cadarnhaol – a mynnu cael y manylion llawn yn y man a'r lle!

Roedd geiriau Lowri'n rhoi tân yn fy mol. Dim digon o dân i daclo Andrea, efallai, ond digon i holi Julie i holi Andrea ar fy rhan.

'Sori i'ch poeni chi, Julie – rwy'n gallu gweld eich bod chi'n brysur . . .' Ro'n i'n swnio'n ddewr ond roedd fy nghalon yn curo fel gordd.

'Beth alla i wneud i chi, Judith?' Plethodd ei dwylo a rhoi ei gên i orffwys arnyn nhw. Roedd hi'n edrych arna i'n ddisgwylgar.

'Meddwl o'n i sut mae'r araith yn dod yn ei blaen?'

Aeth eiliad neu ddwy heibio cyn iddi ateb. Os nad oedd hi'n siŵr pa araith ro'n i'n sôn amdani wnaeth ei llygaid ddim dangos hynny.

'Mae Andrea'n gydwybodol iawn. Rwy'n siŵr bod yr araith yn dod yn ei blaen yn iawn.'

''Dych chi ddim wedi ei gweld hi 'te? 'Dych chi ddim wedi teipio'r araith ei hun?'

'Mae Andrea'n teipio dogfennau pwysig ei hun.'

'Oes rhyw syniad 'da Andrea pryd fydd yr araith yn barod?'

'O nabod Andrea, mae siŵr o fod yn barod nawr.'

197

'O! . . . O, grêt!'

Aeth yr ymateb â ngwynt. Am unwaith ro'n i'n falch mod i wedi cael y dewrder i holi! Roedd e'n talu ffordd i fynd i lygad y ffynnon!

'Grêt. Diolch am eich ymholiad.' Edrychodd Julie i lawr ar ei nodiadau.

Ni ddywedodd neb air am eiliad neu ddwy.

'Pryd y'ch chi'n meddwl y caf i ei gweld hi?' Fi, wedi'r cwbwl, oedd yn mynd i'w dweud hi!

'Unwaith fydd Andrea'n barod i chi ei gweld hi. Ydych chi am i mi ffonio Andrea? Mae hi yng nghanol gwaith prisio pwysig ac mae ganddi gyfarfod gyda chleient newydd mewn hanner awr . . . ond os y'ch chi eisiau, Judith, galla i dorri ar draws llif ei meddwl a'i hamserlen dynn a dweud eich bod chi'n boenus am yr araith.'

'Ddim yn boenus.' Chwarddiad ysgafn. 'Ddim yn boenus o gwbwl. Jest holi. Mynd nawr.'

A brasgamu 'nôl i'm sedd ac eistedd yno'n berwi wrth feddwl bod Julie'n meddwl mod i'n boen.

I: uncneuen-fach!@enildram.co.uk
Oddi wrth: mam_fach@hatmail.com
Pwnc: Ar y ffôn

Helo Judith
Fy mhriodas ar ben.
Erin

I: mam_fach@hatmail.com
Oddi wrth: uncneuen-fach!@enildram.co.uk
Pwnc: Dros y ffôn?!!!

Helo Erin

Gwybod bod Britney Spears wedi gorffen ei phriodas drwy decst. Ond methu credu'r peth! Brei wedi gorffen eich priodas dros y ffôn?

Judith

I: uncneuen-fach!@enildram.co.uk
Oddi wrth: mam_fach@hatmail.com
Pwnc: Croeswifrau

Hy! Byddai e ddim yn gorffen priodas dros y ffôn.
Gwrthod gwneud dim dros y ffôn. Dim hyd yn oed cael secs!

I: mam_fach@hatmail.com
Oddi wrth: uncneuen-fach!@enildram.co.uk
Pwnc: Croeswifrau

Ydy hi'n bosib cael secs dros ffôn? (Sori, dim *wireless* gen i gartre.)

I: uncneuen-fach!@enildram.co.uk
Oddi wrth: mam_fach@hatmail.com
Pwnc: Dim *wireless* – cliw-less!

Fi   – 'Ble mae dy law di nawr?'
Brei – 'Dal y ffôn i siarad â ti.'
Fi   – 'Y llall? Ble mae'r llall?'
Brei – 'Y, wel, wrth fy ochr i sbo.'
Fi   – 'Rho fe lawr dy drowsus di.'
Brei – 'Dwi ddim yn meddwl bod hynny'n syniad da.'
Fi   – 'Paid â bod yn fachgen drwg. Gwna fel rwy'n dweud. Mae fy llaw i rhwng fy nghoesau i. Www, rwy'n teimlo'n wlyb, bachgen drwg!'

Brei – 'Y . . . Alla i ffonio ti nôl?'

Fi　–　'Na wy moyn ti nawr! Tynna fy nicers i lawr! Wy methu aros! Rhwyga fy nicers i ffwrdd!'

Brei – 'Mae'r coffi newydd gyrraedd ac mae'r Chief Exec ar fin rhoi ei araith chwe misol. Alli di ddod i ben hebdda i?'

Dod i ben hebddo fe! Dyna stori fy mywyd i!

ON. Dim dyna yw'r peth mwya trist. Dyma'r peth mwya trist. Dyna stori'r rhan fwya o fenywod. Dim rhyfedd mai'n ffrind penna newydd i ydy'r botel win!

TAMED 18

'Y peth da am ddilyn deiet o nifer gyfyngedig o galorïau ydy eich bod chi'n rhydd i gynnwys eich hoff fwydydd i gyd, ond i aros yn iach mae'n bwysig bwyta amrywiaeth dda o fwydydd.'

Pobol y Gwm – y diweddara:
> Mae Daniel yn cusanu Angela (ei gyn-wraig gafodd affêr gyda'i frawd). Ond a fyddan nhw'n mynd yn bellach?

Roeddwn i wedi archebu siwt i fi fy hun o'r *Next Directory* i wisgo i'r 'Gynhadledd O Bwys'. Roedd Andrea'n cadw'r wisg o dan glatsh gyda'r araith. Prynais wisg i mi fy hun rhag ofn nad oedd y 'dillad', fel y 'gynhadledd', yn bodoli o gwbwl. Do'n i ddim eisiau bod yn noeth! Roedd y siwt yn edrych yn dderbyniol o ambell ongl. Siwt ddu oedd hi ac nid 'hufen' – gweler barn Lowri am y mater:
> 'Byddai siwt wen neu liw hufen yn drawiadol iawn.'

Dim ond person tenau fyddai'n awgrymu'r fath beth!

Byddai'n rhaid i mi golli hanner stôn o leia cyn i mi adael i Huw fy ngweld yn noeth. Ond sut o'n i'n mynd i osgoi gadael iddo fy ngweld i'n noeth a finnau'n mynd i'w dŷ? Trwy gadw fy nillad amdanaf – byddai hynny'n un opsiwn, sbo.

Ro'n i wedi cytuno i fynd i'w gartre i 'drafod ar dâp' (beth bynnag oedd hynny'n ei feddwl. Fe allai fod yn rhyw fath o siarad rhywiol am yr oll ro'n i'n ei wybod! Na. Doedd sêr teledu ond yn 'cysgu' gyda sêr teledu eraill.) Ro'n i'n hapus iawn bod Huw wedi gofyn i mi i ddechrau. Dwi ddim yn gwybod ai'r 'Gynhadledd O Bwys' oedd yn fy ngyrru i'n orffwyll, ond y mwya ro'n i'n meddwl am y peth y mwya ro'n i'n siŵr y dylen i fod wedi gwrthod. Gwrthod ei wahoddiad, er mod i eisiau derbyn. Byddwn yn osgoi edrych fel person trist sydd bob amser ar gael ac, felly, ddim yn eiddo ar ei bywyd ei hun. Gwell fyddai eistedd adre ar ben fy hun na rhoi'r argraff honno.

Roedd gwên Peredur IT hyd yn oed yn lletach nag arfer wrth ddweud wrtha i bod angen uwchraddio fy rhaglen prosesu geiriau. Roedd e wedi treulio'r wythnos yn gwella ein systemau gweithio. Rhaid bod fy nghyfrifiadur i'n arafach nag un pawb arall achos fe gym'rodd dwywaith yr amser i Peredur roi trefn arno a hynny tra ein bod yn eistedd ochr yn ochr y tu ôl i'r ddesg fach. Rwy'n siŵr ei fod yn ogleuo yn fwy mwsglyd nag arfer, ac roedd hynny'n egluro'n rhannol beth fuodd e'n ei wneud am yr hanner awr pan oedd dim sôn amdano cyn iddo ddod at fy ngorsaf waith i.

Agorodd ffeil i ddangos i mi sut byddai'r rhaglen newydd yn fwy effeithiol. Roedd yr hyn deipiodd e'n y ffeil yn dipyn o syndod.

'Llongyfarchiadau.' Cilwenodd arna i.

Rhaid i mi fynd yn agos iawn at Peredur i deipio yn y ffeil ac fe gyffyrddodd fy mraich ei fraich yntau.

'Pam llongyfarchiadau?'

Roedd llygaid Peredur yn pefrio, wrth ei fodd gyda'n gêm fach ni.

'Clywed si bo ti'n mentro i faes newydd . . .'

'Odw.' Mae rhai pobol wrth eu boddau yn cadw gwybodaeth oddi wrthych chi. Felly, wnes i ddim dangos ei fod e'n gwybod mwy na fi. Gallwn innau chwarae gêmau hefyd.

'Llongyfarchiadau.' Dechreuodd Peredur giglo iddo'i hun a gwneud sŵn garglio yng nghefn ei wddw.

'Beth glywaist ti?' Roedd chwilfrydedd yn fy nhrechu. Camgymeriad.

'Shh! Cyfrinach fawr.' Rhoddodd Peredur ei law ar ei geg i dawelu tipyn bach ar ei chwerthin.

Ni allwn ddal fy hun 'nôl, 'Oes rhywbeth ddylen i wbod?'

Siglodd Peredur ei ben, 'Ti'n mynd i fod yn seren.'

Ac roedd e'n gwrthod yn deg cael ei dynnu i drafod ymhellach.

Beth roedd e'n ei wybod? Sut roedd e'n gwybod?! Gobeithio nad oedd e'n gallu hacio i mewn i'n e-bost ni – o gofio'r math o bynciau oedd wedi bod yn mynd â bryd Erin yn ddiweddar. Holais Lowri, oedd yn gwybod mwy am dechnoleg na fi.

'Dim ond rhywun sy'n gwbod beth maen nhw'n ei wneud fyddai'n gallu hacio i mewn i'r e-bost. Sdim eisiau i ti boeni am Peredur,' meddai.

Roedd hynny'n rhyddhad nes i mi feddwl o ddifri am yr hyn roedd hi newydd ei ddweud. Yna, ro'n i'n teimlo gymaint o drueni dros Peredur nes mod i bron yn dymuno iddo hacio i'r system a dod o hyd i e-bostau Erin a finnau – hyd yn oed petai hynny'n golygu fy mod i mewn mwy o drwbwl nag o'n i'n barod.

Roedd hi wedi deg ar Huw Teifi yn fy ffonio ac yntau newydd gyrraedd yn ôl yn y dre ar ôl diwrnod hir o ffilmio. Gadawodd ei gar y tu allan i fy nhŷ a chynnig ei fraich i mi wrth i ni gerdded i'r dafarn. A hithau bron yn amser ar gyfer y rownd ola fe archebon ni ddau ddwbwl yr un a mynd i eistedd mewn cornel dawel. Prin awr gafon ni yng nghwmni'n gilydd cyn cael ein hel allan. Roedd e'n ddigon o amser am sgwrs ddifyr am ein plentyndod, ond prin yn ddigon i yfed dau ddwbwl. O ganlyniad, aeth y *gin* yn syth i mhen a ro'n i'n llai gofalus nag arfer pan soniais am fy magwraeth, am gael fy nifetha fel unig ferch, ond ddim yn ormodol, am bob cyfle, pob cefnogaeth dros y blynyddoedd, am golli nabod ar Mam pan o'n i'n gorffen yr ysgol uwchradd.

Ro'n ni'n gadael pan ddaeth ffrind Huw Teifi atom – actor arall, ro'n i'n tybio, achos roedd rhywbeth cyfarwydd iawn yn ei gylch er nad o'n yn ei nabod yn saff.

'Hei, 'slawer dydd! Sut wyt ti, boi?' Ffluwchiodd ei wallt ei hun mewn ffordd hunan-ymwybodol iawn.

'O, ti'mod? Wedi blino. Amser mynd gartre.'

Ond roedd ffrind Huw yn sefyll rhwng y drws a

ninnau. Roedd golwg flinedig arno, neu roedd yn rhoi'r argraff honno wrth y ffordd oedd e'n siarad trwy lygaid cul oedd bron wedi cau.

'Beth wyt ti'n ei wneud ar hyn o bryd?' Roedd e'n siarad â Huw, ond roedd e'n edrych arna i.

'Ymlacio.' Gwenodd Huw a rhoi ei fraich amdana i.

'Ydy hynny yr un peth â resto?' Roedd llygaid cam yn gwenu hefyd.

Chwarddodd Huw yn annaturiol o hir, 'Na, na. Dim o gwbwl.' Yn gadarn. 'Mae gen i haearn mewn sawl tân.'

Fe sobrodd y gwynt ffres oedd yn chwipio'n hwynebau dipyn bach ar Huw achos roedd e'n dawel ar y ffordd 'nôl i'r tŷ. Wnes i'm gofyn pwy oedd ei ffrind llygaid cam. Lle Huw oedd dweud wrtha i.

'Bydd raid i fi gael tacsi. Wy wedi cael gormod i allu gyrru gartre.' Ro'n ni'n sefyll ar y pafin y tu allan i'r drws ffrynt.

'Dy'n ni ddim eisiau i ti gael dy ddal am yfed a gyrru!' Ro'n i'n trio bod yn ysgafn ond do'n i ddim eisiau iddo fynd go iawn.

'Na. Yn union.'

'Dere mewn i ti gael ffonio am dacsi 'te.'

Edrychodd Huw arna i am amser hir. Mor hir roedd yn rhaid i mi edrych bant yn y diwedd.

'Licen i. Ond well i fi beidio,' meddai.

'O, wy'n gweld.' Ro'n i'n un sâl am guddio fy siom ar ôl *gin*. Ro'n i'n gweld y sefyllfa'n glir. Ffrind

205

o'n i iddo fe. Dim ond fi fyddai mor ddwl â meddwl ei fod yn fy ffansïo ar ôl un gusan glatsh. Ro'n i'n chwilota yn fy mag am yr allwedd ac ar droi i agor y drws pan siaradodd e,

'T'wel, ti'n edrych mor brydferth, bydden i'n ffaelu dal fy hun nôl . . .'

Fe actiais mor cŵl ag y gallwn i er bod fy nghalon yn curo ar ras.

'Fyddai hynny ddim yn ddiwedd y byd, fyddai e?' Y *gin* oedd yn siarad, wrth gwrs.

'Yyyy . . . wel . . . Na fyddai falle, ond sdim . . . sdim byd gyda fi. A wy'n siŵr bo ti ddim ar y . . .'

'Nagw. Nagw wy ddim. Ond dere mewn am goffi? A paid â becso – fydd Mister Pringles ar y gwely, a fydd e ddim yn fodlon symud i neb.'

'Wneith Dr Singh eich gweld chi nawr.'

'Dr Kenneth Singh?' Ro'n i methu credu fy nghlustiau.

'Ie. Oes problem?' Roedd Ann y derbynnydd yn archwilio fy ymateb gyda'i llygaid marblis.

Doeddwn i ddim eisiau cyfadde bod problem. Do'n i ddim eisiau i neb feddwl fy mod i'n hen snoben hiliol oedd ddim eisiau doctor ag enw tramorol er nad hynny oedd yn fy mlino o gwbwl, wrth gwrs.

'Sdim problem.' Codais yn hyderus o'r sedd yn y stafell aros brysur. Ro'n i'n fenyw yn fy oed a'm hamser oedd yn ymddwyn mewn ffordd gwbwl gyfrifol. Doedd dim angen bod â chas o gwbwl.

Nid oedd swyddfa newydd Dr Singh yn debyg i

hen swyddfa Dr Roberts. Roedd y pentyrrau anniben o lyfrau a phapurau wedi mynd. Gallwn weld carped glân a chadeiriau a soffa a desg ddestlus a lle chwarae i blant bach. Roedd hyd yn oed hwnnw fel pìn mewn papur.

'Judith.' Roedd llais Ken mor gynnes a'i wên. Cododd a dod ataf i ysgwyd llaw; gwell bod yn or-ffurfiol nag yn anfoesgar. Edrychodd Ken yn drawiadol o drwsiadus. Roedd e'n gwisgo crys streipiog a thei, ac unwaith eto edmygais ei groen llyfn lliw coffi.

'Sut mae dy rieni?' gofynnodd yn llon a ches fy nhynnu i sgwrs hwyliog.

'Iawn, diolch yn fawr. Holi amdanat ti.' Ro'n i'n teimlo'r euogrwydd fel cyllell oer yn fy mrest. Fyddwn i ddim wedi dod petawn i'n gwybod y byddwn i'n gorfod ei wynebu.

'Chwarae teg. Wnes i fwynhau'r noson honno. Wnes i fwynhau eich cwmni chi i gyd.'

Roedd e'n fachan mor ffein, do'n i ddim yn siŵr iawn beth i'w ddweud. Dr Ken siaradodd gynta.

'Wyt ti'n dal i weld Huw TV?' Gwenodd arna i'n ddireidus, ei lygaid fel gemau gloyw.

'Odw. Ni'n ffrindiau . . . Lowri'n iawn?' Gofynnais er mwyn bod yn foesgar, er mod i wedi ei gweld ddeg munud yn gynt.

'Ti'n gweld mwy arni na fi, mae'n siŵr. Mae'n dal i nghadw hyd braich.'

Teimlais i'r byw drosto,

'Mae'n dwlu arnat ti,' meddais. Ac roedd e'n edrych mor hapus ro'n i'n teimlo'n euog ofnadwy achos doedd dim sail gen i dros ddweud hynny, dim ond yr awydd i blesio.

'Wy eisiau mynd ar y pil.' Dywedais hynny er mwyn newid y pwnc. Os oedd e'n synnu ni ddangosodd hynny. Mae doctoriaid wedi cael eu hyfforddi, mae'n siŵr, i beidio â synnu na gwingo rhag unrhyw newyddion na chlwy.

'Dim problem,' meddai gyda gwên ddiddannedd.

Doeddwn i ddim eisiau iddo edrych ar fy ffeiliau meddygol. Ond roedd hi'n rhy hwyr achos roedd Dr Ken eisoes yn edrych ar y sgrin gyfrifiadur – ac wedi agor fy ffeil innau mae'n siŵr.

'Bydd raid i fi ofyn nifer o gwestiynau i ti,' meddai gan syllu ar y sgrin. 'Wyt ti wedi bod ar y bilsen o'r blaen?'

TAMED 19

'Ni ddylai'r nosweithiau fod yn broblem o gwbwl!
Mae stir-fry mawr yn hawdd i'w wneud ac yn
barod mewn munudau.'

Pobol y Gwm – y diweddara:
> Hawdd cynnau tân ar hen aelwyd i Daniel ac
> Angela (ei gyn-wraig gafodd affêr gyda'i frawd).
> Ond a oes rhywun yn llercian tu allan i lenni'r
> stafell wely?

Bore'r gynhadledd, ac ro'n i'n gwisgo'r siwt o'r *Next*
Directory. Roedd fy ymddygiad yn gwbwl resymol. Os
byddai dewis Andrea o ddillad yn erchyll – doedd h'n
gwybod dim am ofynion unrhyw un dros seis 8 –
fyddwn i ddim yn styc yn areithio i lond stafell o
bwysigion yn fy jîns *wide fit*. (Os fyddai gen i'r gyts i
wrthod gwisg Andrea, hynny yw.)

Roedd pendroni ynghylch hyn yn rhoi rhywbeth
i mi ei wneud yn ystod y siwrne i Gaerdydd yn y car.
Tynnodd fy meddwl oddi ar y ffaith mod i'n dal heb
gael yr araith. A dim ond hyn a hyn o weithiau y
mae rhywun yn gallu gwrando ar Dionne Warwick,
er mor grêt yw'r *Greatest Hits*. Ro'n i'n ymarfer
dweud, 'Na'. Neu, 'Na, wy'n hapus yn fy siwt'. (Os
fyddai rhaid i mi ychwanegu rhywbeth o gwbwl.) Ac
roedd 'wy'n hapus yn fy siwt' yn ddatganiad yn
hytrach nag esgus. Roedd hynny'n welliant ar fy
rheidrwydd arferol i esbonio pob peth.

O'r diwedd fe ffeindiais le yn y maes parcio. Ro'n
i'n chwysu braidd achos nerfau. Fe ddywedais wrthyf

fy hun mod i'n grêt, fel maen nhw'n cynghori yn y cylchgronau, a chamais i'r ganolfan. Hen adeilad o oes Fictoria oedd e ond, er iddo gael ei ail wneud yn y blynyddoedd diwetha edrychai mor groesawgar â hen warws o amser rhyfel.

Arswydais! Gas gen i gerdded i mewn i adeilad anghyfarwydd yn llawn o bobol ddieithr ar y gorau. Fe orfodais fy hun i fynd i mewn trwy'r drws a thrio sylwi ar bob dim ar yr un pryd. Ble oedd y dderbynfa? Oedd arwydd yn dangos y ffordd i'r gynhadledd, er mwyn osgoi poeni staff y dderbynfa? Oedd rhywun yno ro'n i'n eu nabod ac y dylwn i ddweud 'helô' wrthyn nhw? Oedd yna risiau, rhag ofn mod i'n cwympo? A hyn i gyd i osgoi gwneud ffŵl ohonof fy hun.

Dywedais fy enw wrth fenyw ifanc y tu ôl i'r ddesg.

'Ah, Judith!' meddai'n gynnes. Edrychai fel petai hi yn ei harddegau. Ond yr hyna rwy'n mynd y mwya aml rwy'n meddwl hyn. Ac roedd ei gwên hyderus yn arwydd o aeddfedrwydd. Nid ei gwên seren ffilm na'r meicroffôn roedd hi'n ei gwisgo o gwmpas ei phen oedd y peth mwya trawiadol amdani. Roedd ganddi wallt pinc mewn 'bob' ac roedd hi'n gwisgo ffrog streipiog mewn gwahanol haenau o binc a breichledau (ie, pinc) am ei braich. Edrychai fel cymeriad o hoff raglen yr efeilliaid, *Lazy Town*, ar Cbeebies. Ro'n i'n fodlon mentro bod y rheolwr yn difaru ei enaid gadael i'r staff wisgo eu dillad eu hunain i'r gwaith.

Wedi dweud hynny, roedd hi'n foesgar iawn (yn amlwg wedi bod ar ryw gwrs Bwrdd Croeso).

'Wna i adael i Ms Andrea Charming wybod bo chi wedi cyrraedd nawr.' A siaradodd i geg y meicroffôn pen.

Cyn i mi allu mynd ymhellach na thudalen gynnwys y llyfryn *Datblygiad Plant* ar y ddesg, ymddangosodd Andrea o rywle yn edrych yn hynod o *glam* mewn siwt lliw hufen a wnai iddi edrych fel angyles o'r nefoedd. Gwenodd yn annwyl arna i ac ro'n i'n gwybod pam. Pan ry'ch chi'n mynd i'r cynadleddau hyn ac yn nabod neb, ry'ch chi'n falch o weld rhywun ry'ch chi'n eu lled nabod – hyd yn oed rhywun o'ch cwmni chi nad y'ch chi erioed wedi siarad â nhw o'r blaen – ac ry'ch chi'n glynu gyda'ch gilydd fel slywod.

'Sdim eisiau i ti fod yn nerfus,' meddai Andrea gan edrych o'i chwmpas a gwenu ar bawb ac ar neb.

Fe wnaeth hynny i mi deimlo'n nerfus iawn.

'Fyddai hi'n bosib i mi gael yr araith nawr?' gofynnais.

'Dere i ti gael newid gynta.' Fe arweiniodd y ffordd ar hyd y coridor at ddrysau dwbwl yng nghefn yr adeilad, a minnau'n ymarfer dweud 'Na' a 'Na, rwy'n hapus yn fy siwt' yn fy mhen.

Fe aeth yr olygfa drwy'r drysau â ngwynt. Roedd fel camu o stafell fyglyd i gefn gwlad achos roedd to gwydr uchel yn llenwi'r gofod â golau. Roedd dau lawr agored uwch ein pennau yn ychwanegu at yr ehangder. Roedd baneri enfawr yn hongian o bob llawr, fel baneri rhyfel ac arnynt wynebau cyfarwydd iawn. Sam Tân, Bob y Bildar, Sali Mali a'r Bobinogi. Ar y llawr cynta lle oedden ni, roedd llinyn hir o

211

stondinau igam ogam, pob un yn llwythog o lyfrau a gêmau a DVDs. Roedd awyrgylch carnifal yna a syllais ar ambell blentyn o gwmpas y lle. Yn amlwg roedd gofal plant gwych gan rai cwmnïau. Ro'n nhw'n fwy eangfrydig na fi, oedd yn gobeithio y byddai'r rhain yn dawelach nag efeilliaid Erin yn ystod fy araith.

'O'n i'n meddwl y byddet ti yma'n gynt na hyn,' meddai Andrea.

'Naw o'r gloch ddywedoch chi.' Roedd yr awyrgylch yn fy ngwneud i'n ddewr.

'Ti yma nawr, sbo. Ffordd hyn mae'r stafell wisgo.' Cerddodd Andrea heibio'r stondinau a heibio'r clown yn paentio wynebau a'r dywysoges yn ymarfer sgiliau syrcas. Ro'n ni'n baglu dros falŵns bob siâp ac roedd sgrin enfawr yn dangos anturiaethau Superted drws nesa i ogof Twm Siôn Cati.

'Mae fel cynhadledd plant!' meddais yn llon.

'Cynhadledd deunyddiau datblygiad plant, a bod yn fanwl gywir.' Ac roedd e'n union fel Andrea i fod eisiau bod yn hynny.

'Mae arian mawr i'w wneud o gyfieithu deunyddiau o Saesneg i'r Gymraeg – llyfrau, sgriptiau teledu, deunyddiau dysgu a chwarae – ac o'r Gymraeg i ieithoedd eraill, wrth gwrs.'

Ro'n i'n panico braidd pan glywais i'r 'ieithoedd eraill' yna. Ro'n i'n gobeithio bod Andrea'n cofio mai Saesneg oedd yr unig 'iaith arall' ro'n i'n gallu'i siarad a do'n i ddim yn hyderus iawn yn siarad honno!

Cnociodd ar ddrws cul a dilynais hi i stafell chwilboeth yn syrcas o bethau bach a mawr. Roedd fel agor bocs hen ddillad yn nhŷ Mam. Roedd yno gownter hir ac arno bob math o drugareddau gan gynnwys colur, wigiau lliwgar, brwshys a *rollers*, *straighteners* gwallt, gwlân cotwm, *wipes* a hylifau o bob math. Roedd rheilen hir yn mynd ar hyd y stafell ac arni bob mathau o ddillad gwisgo-i-fyny gwyllt. Ar stôl uchel, eisteddai menyw â gwallt melyn ac amrannau hir, hir. Pan gododd hi ar ei thraed ro'n i'n synnu pa mor fyr oedd hi. Roedd y stafell fel palas i dywysoges fach a phwy allai weld bai arna i am feddwl taw diddanwraig plant oedd y fenyw â'r amrannau ffals?

Do'n i ddim yn ei nabod o bobol y byd ond roedd hi'n fy nabod i. Mor gynted ag y gwelodd fi dechreuodd chwilota trwy'r dillad ar y reilen, yn ddigon chwim chwarae teg, ond dim hanner digon chwim i fod wrth fodd Andrea. Roedd hi'n gwthio'r *hangers* ar hyd y rheilen ar ras nes eu bod yn gwibio'n swnllyd fel y *boy racers* sy'n goryrru heibio fy nhŷ ganol nos.

Edrychais ar y dillad yn anghreidiniol. Lliwiau llachar, deunyddiau sgleiniog, steils rhyfedd ac ofnadwy. Nid oeddwn erioed wedi gweld casgliad mor echrydus, hyd yn oed mewn sêl. Roedd Andrea a Miss Amrannau yn dod at y wisg olaf – a'r waetha – ac fe welais y dyfodol. Fi mewn pwmpen fawr oren.

Estynnodd Andrea'r wisg – gyda stryffîg achos roedd hi'n drwm. Edrychodd Miss Amrannau'n ar y tocyn oedd wedi pinio mor ofalus i'r frest. Roedd yn dweud enw. Nid fy enw i oedd e.

'Pali Mali.'

Pali Mali?! Ro'n i methu credu'r peth! Ffrind newydd Sali Mali – a byddech chi'n meddwl bod Jac y Jwc yn ddigon. A doedd Pali yn amlwg ddim mor ofalus o'r hyn roedd hi'n fwyta â'i ffrind Sali. Roedd y gostiwm yn enfawr!

A deallais pam roedd Andrea'n chwilio am rywun o 'statws arbennig' a doedd ganddo ddim o gwbwl i'w wneud â safon fy ngwaith a fy nyfalbarhad ym maes cyfieithu deunydd am arferion cefn gwlad. Roedd hi wedi fy newis i achos mod i'n dew! Achos mod i'n DEW!!!

Gallwn i grio. Wir dduw i chi. Llefain y glaw yn y fan a'r lle. A gallwn deimlo'r crugni fel dolur gwddw a'r dagrau'n dechrau dod. Ond wnes i'm crio. Llyncais y dagrau yn llawn styfnigrwydd. Yna, anadlais yn ddofn a dweud yn benuchel, 'Oes lle i mi newid?'

Ro'n i'n gwybod beth oedd bod yn dew – yn dew go iawn – unwaith fy mod i yn y gostiwm pwmpen. Roedd fy mreichiau ddwywaith eu maint arferol ac roedd fy mola fel cafn wedi troi ben i waered. Roedd pob rhan flonegol ohonof yn rhwbio yn erbyn ei gilydd – fel braster ar restlwr Sumo. Ro'n i mor grwn roedd fy mreichiau'n gorwedd yn barhaus yn yr awyr, fel petawn i'n esgus bod yn awyren.

'Mae'n ffito'n berffaith!' Roedd yr Ast wrth ei blydi bodd!

Roedd Miss Amrannau'n falch bod ei chreadigaeth diweddara'n plesio. Gosododd wìg ar fy mhen – bynsen felen annifyr fel nyth cacwn. Os oedd y gostiwm yn boeth ac yn chwyslyd, roedd y fynsen yn uffern coslyd. Gyda fy wìg a'm mochau cochion colur a nghorff Wîbls do'n i ddim yn edrych yn debyg i mi. Do'n i ddim yn nabod fy hun ac roedd cysur yn hynny.

'Ti'n edrych yn union 'run peth â hi.' Pwyntyiodd Andrea at bwmpen benfelen ar glawr llyfr newydd i blant.

'A beth y'ch chi eisiau i mi wneud nawr?' Roedd fy llais yn oer ac yn broffesiynol.

Dywedodd Andrea wrtha i beth fyddai fy 'araith'.

'Un, dau, tri. Dewch 'da fi. Pawb sydd yma yn cael sbri! Croeso oddi wrth gwmni cyfieithu Chwarae ar Eiriau!'

Ro'n i fod i godi fy llais ar 'sbri' er mwyn codi hwyl ac fel arwydd y dylai'r gynulleidfa ddechrau cymeradwyo.

'Pedair brawddeg. Rwy'n siŵr y galli di gofio hynny.' Doedd hi ddim yn dweud y peth yn gas, roedd hi mewn gormod o gyffro.

Ond a oedd yr arian mawr roedd hi'n gobeithio ei ennill yn bris digonol am godi cywilydd ar un o'i gweithwyr ffyddlon? Meddwl am Huw ac Erin roddodd gryfder i mi. Meddyliais am Huw yng nghymeriad Daniel Carr yn *Pobol y Gwm* ac am Erin yn gwisgo fel hwren i demtio Brei. Ac roedd y cynddaredd yn fy nghalon yn fy ngwneud i'n fwy penderfynol byth o wneud fy ngwaith yn dda.

'Alli di gofio hynny?' gofynnodd Andrea.

'Wrth gwrs y galla i gofio hynny. Dim problem o gwbwl.'

A oedd cais newydd Andrea yn waeth na

chyfieithu miloedd o eiriau am waliau cerrig a gwrychoedd gwyllt? Oedd. A gallwn i sgrechen dros bob man fel rhywun o'i cho. Roedd fy wyneb yn goch fel tân o dan y masg colur. Ond daliais yn ôl achos do'n i ddim eisiau dangos.

Daeth yr amser a chamais ar y llwyfan. Roedd fy nghoesau'n crynu. Ro'n i'n gweld oedolion yn pwyntio bys i wneud i'r plant gymryd sylw, yna wynebau bach yn gloywi. Os gallai Gwyneth Paltrow, gallwn i! Ro'n i'n benderfynol o wneud sioe dda.

'Un, dau, tri. Dewch 'da fi. Pawb sydd yma yn cael sbri! Croeso oddi wrth gwmni cyfieithu Chwarae ar Eiriau!'

Arhosais ar y llwyfan i fwynhau'r gymeradwyaeth am eiliad fach yn fwy ng oedd yn chwaethus a chrymais fy mhen i ddangos fy ngwerthfawrogiad. Gwnes hynny'n fyrfyfyr ac i ddangos i Andrea nad oedd hi'n gallu rheoli pob dim.

Roedd e drosodd mewn chwinciad chwannen. Camais i lawr y staer ac ar hyd cefn y llwyfan a thrwy'r drws cul at balas y dywysoges gan anwybyddu pawb oedd am fy llongyfarch am fod yn 'dipyn o haden' ac yn 'gês'.

Yr unig beth gododd fy nghalon oedd pan ddaeth Andrea i'r cefn ymhen hir a hwyr a dweud,

'O't ti'n edrych fel petaet ti'n enjoio.'

A gwenais achos doedd hi ddim.

Ro'n i wedi sefyll o flaen cannoedd o bobol ddieithr – a rhai pobol ro'n i'n eu nabod – ac roedd rhywbeth wedi dod drosta i. Do'n i ddim yn teimlo fel fi ac roedd e'n deimlad braf. Pan dynnais y bwmpen oren roedd y rhyddhad yn gymysg â siom. Ro'n i'n mynd yn fwy crac fesul milltir ar fy ffordd adre. Ai dyna oedd pawb yn ei weld? Casgen fawr dew?! Ro'n i'n wallgo erbyn i mi gyrraedd y tŷ.

Y peth cynta wnes i ar ôl y daith hir oedd rhoi'r creision a'r cnau a'r bisgedi a'r teisennau a'r *popcorn* a'r *crackers* oedd yn y cwpwrdd top i gyd yn y bin. A do'n i ddim yn becso dam os byddai Mam yn digwydd eu gweld ac yn cwyno fy mod yn wastrafflyd achos bod plant yn newynu yn y Trydydd Byd!

A dyna pryd ganodd cloch y drws. Ac fe neidiodd fy nghalon. Huw oedd yno! Ac roedd e'n mynd i rwygo fy nillad i ffwrdd a chael secs 'da fi – ie, secs! – condom neu ddim condom!

Ond Erin oedd yno. Gwelais ei chysgod fel deryn bach yn y drws. Roedd golwg arni. Roedd ei mascara'n stremps am ei bochau fel petai'n aelod o grŵp *Heavy Metal*. Roedd hi'n wylofain trwy ei cheg agored ac roedd poer yn mynd i bob man.

'Bastard!' Tasgodd unwaith iddi gael ei gwynt ati. 'Bastaaaaard!'

A sylwais ar y bag plastig llawn. Meddyliais, 'O'n i'n rong 'te. Roedd Brei yn cael affêr. Dwi byth yn mynd i roi cyngor i ffrind eto er mwyn gwneud iddyn nhw deimlo'n well!'

Ond dyma ddywedais i,

'O my god! Ti 'di gadael Brei!'

'Na, Judith . . . mae Brei wedi nhaflu i allan.'

'Peidiwch â thynnu sylw at eich gwendidau. Bydd rheini'n tynnu digon o sylw at eu hunain.'

Pobol y Gwm – y diweddara:

Mae Roger (brawd Daniel, gafodd affêr gydag Angela, cyn-wraig Daniel, ei frawd) wedi bod yn siopa. Ond beth mae e wedi'i brynu yn y siop ddrylliau?

Ro'n i wedi gwneud te parti i ferched mawr. Merched ddylai wybod yn well o gofio eu bod yn aelodau ffyddlon o Tew Cymru. Ond roedd hyn yn greisis! Estynnais bopeth oedd wedi'u halltudio yn y bin cynt. TUCs, Pringles, cnau *dry roasted* a chnau *cashews*. Roedd eu gweld yn gwneud i fi wenu fel petawn i'n gweld hen ffrind. O'r ffrij estynnais y gwin a'r caws (nad oedden nhw wedi'u halltudio ar y sail bod rhaid cael rhyw bleser mewn bywyd). Yn absenoldeb lliain bwrdd, rhoddais dau ddarn o bapur cegin ar hambwrdd gyda dau *serviette* coch oedd dros ben ers Nadolig a'u gosod o flaen Erin fel petawn i'n cynnig y greal sanctaidd iddi.

'Sori am dy amau di.'

Edrychodd Erin arna i'n syn,

'Ti oedd yn iawn am Brei.'

Llowciodd lond ceg o win ac yna dechreuodd grio'n wyllt – a dwi ddim yn gwybod sut llwyddodd i beidio â thagu ar y gwin. Roedd ei gweld yn torri fy nghalon innau. Fe lefodd cymaint nes iddi socian y ddau ddarn o bapur cegin ar yr hambwrdd, y ddau *serviette* coch dros ben ers Nadolig a chardfwrdd ysgafn y pecyn bisgedi. Dim ond lleuad lawn o ffoil ar ben y Pringles oedd ar ôl i socian y dagrau, a do'n i ddim yn siŵr pa mor effeithiol fyddai hwnnw fel macyn, felly ro'n i'n eitha balch pan beidiodd y dagrau. Yna, daeth y stori allan i gyd.

Roedd Erin yn barod amdano pan ddaeth Brei adre o'r gwaith a hithau wedi wyth o'r gloch. Roedd hi'n gwisgo pâr o siorts denim gyda'r zip ar agor (do'n nhw ddim yn cau ers iddi gael y *caesarian*), bra *push-up* (achos doedd ei bronnau ddim yr un peth ers bwydo o'r fron), crys-t gwddw-v sgiwiff (wedi'i dorri â siswrn ei hun) a phâr o sodlau gwyn o New Look (roedd wedi eu prynu ar sêl ar gyfer defnydd yn y stafell wely yn unig).

'Os ti'n lico beth ti'n weld, dere i ni weld beth ti'n lico.' Addawodd Erin i mi ei bod wedi defnyddio'i llais secsi gorau. Fe gerddodd hi i fyny'r staer yn siglo'i phen ôl mewn ffordd amlwg a chan edrych yn ôl bob hyn a hyn i weld a oedd Brei yn gwylio'i phen ôl. Fe ddechreuodd pethau'n addawol achos fe ddilynodd Brei hi yr holl ffordd i'r stafell wely – a dim ond unwaith ofynnodd e sut oedd yr efeilliaid, ac unwaith a oedden nhw'n cysgu, achos roedd 'dadi' wedi eu colli. Roedd Erin yn teimlo yn ysbryd y darn. Hi oedd yr hwren a Brei oedd y dyn busnes priod oedd yn mynd i'w thalu hi am secs. Gorweddodd ar ei chefn ar y gwely a dechrau troi a throelli ei choesau fel petai hi'n reidio beic. Tynnodd Brei siaced ei siwt,

'Dwi ddim yn siŵr alla i wneud hyn,' meddai.

Gafaelodd Erin ynddo gerfydd ei dei (fel maen nhw'n ei wneud yn y ffilms), tynnu'r zip i lawr ar ei drowsus a gwneud ei gorau i anwybyddu cwynion Brei ei bod hi'n 'ei dagu e wrth dynnu'r tei' a'i fod 'wedi blino ar ôl gyrru am saith awr'. Tynnodd ei drowsus i lawr at ei draed fel cyffion ac ysgwyd ei bronnau yn ei wyneb, gorau gallai hi gyda chyn lleied oedd ganddi. Marciau llawn am ymdrech, achos roedd hi wedi trio llyfu ei bronnau ei hun (eto, fel maen nhw'n gwneud yn y ffilms), ond roedd hi wedi methu eu mestyn (melltith bwydo o'r fron unwaith eto). Dim ond wedyn yr aeth amdani a rhoi ei llaw yn nhrôns Brei. Cafodd siom. Doedd dim byd yno. (Ro'n i'n cymryd bod mwy na dim byd, ond ry'n ni i gyd yn gwybod at ba ddiffyg roedd hi'n cyfeirio.)

Shifflodd Brei yn agosach at y gwely, achos cyffion ei drowsus am ei fferau. Taflodd ei hun ar y cwrlid wrth ochr Erin a sibrwd yn gryg, 'Ti'n meddwl y bydden ni'n gallu cael cwtsh yn lle hynny?'

A dyna pryd ddywedodd hi fe. Roedd hi mor siomedig doedd hi ddim yn gallu meddwl yn glir. Yng ngwres y foment roedd e wedi ei gwrthod hi a gallai hynny ond bod yn arwydd o un peth . . .

'Ti'n cael affêr, on'd wyt ti!' Ac unwaith iddi ddechrau dweud y peth roedd hi wedi bod yn ei gadw iddi hi ei hun ers wythnosau, doedd dim stop arni. Roedd ei hofnau i gyd wedi dod allan yn un dwmbwl dambal fel dillad brwnt o fasged olchi.

'Pwy yw hi 'te?!' sgrechiodd Erin. 'Y peth lleia alli di wneud yw dweud wrtha i pwy yw hi, ble mae hi'n gweithio – yn y swyddfa, synnen i daten! Wy'n haeddu hynny ar ôl gwastraffu chwe mlynedd a dau blentyn arnot ti! On'd ydw i?! On'd ydw i?!! WEL?!!!'

Wrth iddi floeddio fel gwrach wyllt gallai weld Brei yn gwingo, fel petai mewn poen. Ond unwaith iddi dawelu fe newidiodd ei wyneb yn gyfan gwbwl. Aeth pob cyhyr yn llyfn, fel petai wedi tynnu hosan denau dros ei wyneb. Roedd ei lais yn galed fel dur.

'Gallet ti ddweud bo fi wedi bod yn cael affêr . . . a, wir, wy'n teimlo fel petawn i wedi bod yn cael affêr, a hynny gyda fy ngwraig! . . . Achos dwi ddim yn gwbod beth sy wedi dod drosot ti'n ddiweddar – yr holl ffansi-dress yma! Mae byw 'da ti wedi bod fel pantomeim!'

Tynnodd ei drowsus i fyny. Roedd rhywbeth tefynol am sŵn y zip yn cau.

'Fydda i yn y stafell sbâr,' meddai Brei yn flinedig.

Ac fe ddylai hi fod wedi gadael pethau i fod, roedd Erin yn cydnabod hynny nawr. Siawns y bydden nhw wedi gallu dechrau eto yn y bore. Ond heno roedd ei hemosiynau'n glwyfedig fel cig byw.

'A pham fyddet ti isie mynd i'r stafell sbâr os nad i guddio? Achos bo ti wedi treulio'r wthnose ddwetha yma'n ffwcio rhyw hwren fach arall!'

Doedd Brei erioed wedi edrych arni fel yna – gyda'r fath atgasedd pur. Collodd ei limpyn yn llwyr.

'Wy'n mynd i'r stafell sbâr achos bo fi methu wynebu'r fenyw yma yn fy ngwely i – pwy bynnag yw hi – dim fy ngwraig!' Roedd e'n gweiddi nawr. 'Petait ti'n wraig i fi byddet ti'n fy nhrysto i. Heb dryst sdim dyfodol i'n perthynas ni.'

Aeth 'nôl i'w stafell nhw a dechrau agor droriau a thynnu pethau allan ar hap. Clywodd Erin glec gafael mewn bag plastig fel clatshen. Gwasgodd Brei ddyrnau o ddillad i'w grombil a photeli a photiau'n clindarddach o ben y cwpwrdd.

'Cer! Cer o 'ma! Cer!' Taflodd y bag at Erin fel bom.

Cafodd hi ofn wedyn a dechrau ymbil arno.

'Brei . . . wy'n sori . . . sori . . . Brei?'

Ond roedd e fel dyn o'i go'.

'Dwi ddim moyn ti yma! Dwi ddim moyn ti yn fy nhŷ i!'

A gafaelodd ynddi'n arw gerfydd ei garddwrn a dechrau ei llusgo allan o'r stafell wely, ar hyd y landin ac i lawr y staer ac allan trwy ddrws y tŷ. Clywodd Erin y drws ffrynt yn cau'n glatsh.

Roedd yr awyr iach yn sioc. Gorweddai'r bag plastig ar ei ochr yn chwydu ei berfedd ar y llwybr. Roedd ambell ddarn o ddillad ar y gwair. Fe groesodd ei meddwl y dylai eu codi cyn iddyn nhw faeddu. Yna, gwelodd yng ngwydr y drws bod golau'r cyntedd wedi dod 'nôl ymlaen. Clywodd y drws yn agor a gwelodd Brei yn brasgamu allan. Neidiodd ei chalon. Roedd yn mynd i'w chofleidio!

'Mae tacsi ar y ffordd. 'Co arian i ti dalu amdano,' meddai Brei cyn mynd.

Ac roedd hi'n gwybod wedyn beth oedd teimlo fel hwren tsiêp.

222

'Ac mae Brei mor neis, roedd e'n fodlon rhoi arian tacsi i hwren!' meddai Erin wrtha i.

'Dim hwren wyt ti. Chwarae oedd hynny. Roedd Brei yn rhoi arian i'w wraig achos ei fod e'n dy garu di!' Ond doedd dim byd yn tycio.

'A ti'n nabod Brei yn well na fi. Dd'wedest ti o'r dechre ei fod e'n ffyddlon i fi. A fi sy i fod yn wraig iddo fe.' Dechreuodd hwban crio eto.

Ro'n i'n dal i allu ei chlywed hi'n udo'n ysgafn ar ôl i mi roi DVD *Dirty Dancing* ymlaen a *Love Actually* ar ôl hynny. Ond pan glywais i chwerthin hefyd ro'n i'n gwybod y byddai hi byw. Jest rhag ofn, es i nôl y *duvet* ac yn y fan honno ar y soffa aeth y ddwy ohonom i gysgu'n anfodlon.

Do'n i ddim yn edrych mlaen at wynebu pawb yn y gwaith. Ond siawns os nad oedd neb yn gwybod am 'Y Gynhadledd O Bwys' yn y lle cynta na fyddai neb yn gwybod am 'Warth Y Gynhadledd O Bwys' chwaith. Roedd newyddion drwg yn amlwg yn fwy diddorol na newyddion da, achos roedd hyd yn oed Bruce Bins a Glenda, oedd yn bennaeth diogelwch yn y maes parcio, yn gwybod yr hanes. Yn rhyfeddach fyth ro'n nhw wedi troi newyddion drwg yn newyddion da! A do'n i ddim yn siŵr a oedd hynny'n newyddion da i ngyrfa i.

Roedd Lowri ar ben ei digon. Yn ei thyb hi roedd Andrea wedi bod yn 'real ast', ond roedd hi'n meddwl ei fod e'n ddigri dros ben mod i wedi 'sefyll lan' iddi (a dwi ddim yn gwybod ble gafodd hi'r syniad yna).

'Wrth gwrs, fydden i jest wedi gwrthod,' meddai wedyn.

Ro'n i bron yn teimlo fel, wel, fel rhyw fath o arwres fach, fach. Roedd pawb yn y swyddfa'n gwybod ac yn gwenu neu'n nodio eu cymeradwyaeth arna i – (a fuodd ddim rhaid i mi wneud fy nghoffi fy hun y diwrnod cynta yna yn ôl yn y gwaith). Ro'n i'n teimlo bach yn ddwl am boeni am y peth. Achos ro'n i'n gallu chwerthin ar ben fy hun cystal ag unrhyw un. Ac mae ymyl arian i bob cwmwl du achos roedd Chwarae ar Eiriau wedi ennill cytundeb mawr i gyfieithu deunyddiau addysgol o bob math i'r Gymraeg. Ac ar ôl yr holl bethau 'boring' (yng ngeiriau Lowri) ro'n i wedi eu cyfieithu'n ddiweddar efallai y byddwn i'n cael newid byd yn y gwaith hefyd.

Aeth Lowri a finnau i'r clwb colli pwysau heb Erin – er mae'n siŵr y byddai hi wedi colli mwy na'r ddwy ohonon ni gyda'n gilydd. Roedd hi wedi colli dŵr mawr trwy grio a, chan bod 70% o'r corff yn ddŵr roedd hynny'n gorfod bod yn enghraifft effeithiol o reoli pwysau. Ar ôl gobaith y noson gynta (tra'n gwylio DVD *Love Actually*) doedd hi ddim wedi gwneud llawer o gynnydd o gwbwl. Roedd hi'n iawn ar adegau ac yna'n llefain y glaw y munud nesa. A doedd dim diddordeb ganddi mewn dim – ac roedd hynny'n cynnwys Brei a'r plant.

A dweud y gwir, do'n i ddim eisiau ei gadael ar ei phen ei hun yn enwedig â hithau'n fin nos. A do'n i ddim yn mynd i'w gadael hi nes i Lowri fy atgoffa ei bod hithau'n ffrind hefyd ac angen fy nghefnogaeth i o flaen Tew Cymru. Rhyw fyny lawr fuodd hi i'n pwysau ni i gyd dros yr wythnosau diwetha – ond i lawr yn benna i Lowri, wrth gwrs.

Roedd hi mewn gwell hwyliau ar ôl gweld ei bod hi wedi colli hanner pwys. Ond ddim cystal ar ôl gweld fy mod i wedi colli pwys. (Mewn gofid achos Erin.) Roedd Huw yn hwyr yn cyrraedd, neu ddim yn dod o gwbwl. A thriais yn galed i beidio â meddwl bod hynny achos ei fod yn fy osgoi i, achos roedd yn rhaid i hyd yn oed finnau gyfadde nad oedd sail dros feddwl hynny – er nad oeddem wedi cael amser i gyfarfod i 'drafod ar dâp' rhwng un peth â'r llall.

Roedd Pat wedi dod â chardiau rysáit i ddangos i ni. Do'n nhw ddim yn swnio'n ddrwg er eu bod yn isel mewn braster. Bonws arall oedd nad oeddent yn cynnwys gormod o gynhwysion na fyddent yn sicr i'w cael yn y cwpwrdd ac, os y prynech nhw, y byddech ond yn eu defnyddio unwaith.

'Maen nhw'n *tried and tested*,' meddai Patricia yn ei Chymraeg gorau. A galla i gredu hynny achos roedd yna dinc bach henffasiwn i rai o'r enwau . . . *broth* . . . *stew* . . . *flan* . . . do'n i ddim yn gwybod bod cenhedlaeth Jamie Oliver yn dal i goginio pethau fel yna.

Fe gyrhaeddodd Huw yng nghanol arddangosfa gardiau Pat. Ac fe fu'n rhaid iddo fod yn eitha cadarn gyda hi er mwyn ei chadw rhag torri ar draws yr araith er mwyn ei bwyso'n syth.

'Fyddai hi ddim wedi rhoi'r un flaenoriaeth i ni fenywod,' meddai Lowri.

Roedd Huw wedi colli dau bwys a dwi ddim yn gwybod pwy oedd mwya balch. Dywedodd bod ei lwyddiant oherwydd y ffaith ei fod wedi dechrau mynd i'r gampfa dair gwaith yr wythnos. Roedd hynny'n gwneud i mi deimlo'n euog. Os oedd Huw yn gallu dod o hyd i'r amser ac yntau'n gweithio oriau mor hir . . .

'Mae golwg sionc iawn arnot ti ta beth.' Chwarddodd Patricia ar ddim byd.

'Wy'n teimlo'n dda y dyddiau hyn,' atebodd Huw ac roedd rhywbeth yn y ffordd ddywedodd e hynny a wnaeth i mi gochi. Sylwodd Patricia'n hefyd achos chwarddodd eto, yn uwch y tro hwn.

'Ti'n well? . . . Glywais i bo ti wedi bod yn gweld Ken sbel 'nôl,' sibrydodd Lowri yn fy nghlust.

Gallwn ddychmygu'r arswyd yn fy wyneb.

'Sdim eisiau i ti boeni. Mae Ken fel y banc.'

Ac fe dawelodd hynny fy meddwl nes ein bod yn y dafarn ar ôl clwb. Ro'n i'n cael *gin* a hanner potel o donic calori isel. Un sydyn, sydyn a hynny dim ond achos bod Lowri'n mynnu. Roedd Huw yn siarad gyda Heulwen Darling a Sheryl Tizer, ond roedd jest ei bresenoldeb yn gwneud i mi deimlo fy mod yn rhoi fy 'sboner' o flaen fy ffrind.

'Rhywbeth dros dro yw'r swydd i Ken . . .' meddai Lowri ac fe archwiliodd fy wyneb, fel petai'n disgwyl i mi ddweud rhywbeth arall.

'Ges i sioc i'w weld,' meddais.

'Bydd esgus 'da ti i fynd i'w weld e nawr.'

Chwarddais am eiliad neu ddwy. Yna, stopiais, 'Sai'n ffansïo fe.'

'Paid becso. Dwi ddim yn meddwl ein bod ni'n cystadlu am yr un dyn. Ti'n mynd mas 'da Huw nawr . . . '

'Odw, mae'n siŵr.'

'Ti'n cyfadde 'te?'

'Os wyt ti'n cyfadde amdanat ti a Ken . . .' Gwelais fy nghyfle. 'Wy'n cyfadde. Ni wedi bod yn mynd mas 'da'n gilydd am ambell ddrinc. Wedi cusanu.'

'Judith! *Go girl*!'

'Wy'n falch mod i wedi dweud wrthot ti. Mae'n neis weithiau i rannu pethau. Neis i ddyn a menyw fod yn agored am eu teimladau . . .'

'Ti a Huw . . .?'

'A ti a Ken.' Ro'n i eisiau iddi fod yn gariadus gyda Ken. Ond do'n i ddim yn siŵr ei bod yn cymryd fy nghyngor yn yr ysbryd iawn.

'Bod yn agored? Ti'n un pert yn siarad,' meddai.

A phan ddaeth Huw atom i eistedd dywedodd ei bod yn bryd i ni fynd adre at Erin, fyddai'n fy nisgwyl.

Tra mod i yn y clwb colli pwysau y noson honno roedd Dad wedi gadael neges ar y peiriant ateb. Dyma'r arwydd cynta bod Mam wedi dechrau diddordeb newydd.

'(BLiP) Helo . . . Helo! . . . Dad sy yma . . . Sneb gartre? . . . O, y fflipin peiriant ateb . . . (CLIRIO GWDDW) . . . Y, wel helo 'te, shwmae . . . Dad sy yma . . . O'n i isie gair am (SAIB HIR) pethau . . . dy fam sy eisiau mynd yno

. . . y cwestiwn yw a ddylen i gytuno? O'n i ddim yn lot o foi 'clwb darllen' na'r 'aromatherapi' 'na drion ni - ond ma' hyn yn waeth . . . Helo, helo! Ti'n fy nghlywed i o hyd? . . . T'wel, sai'n lot o foi am ddawnsio '*ballroom*' fel maen nhw'n ei alw e . . . Mambo blincin jymbo os ti'n gofyn i fi . . . A bod yn onest â ti dwi ddim isie mynd. A sai'n deall dy fam isie mynd chwaith achos oedd hi ddim y person mwya ffit hyd yn oed cyn y profiad Bron Cwrdd â Chreawdwr . . . Ti yna o hyd? . . . A ddyweda i un peth arall wrthot ti - (BLîiiiiiP).'

TAMED 21

'Bwyta fe i gyd! Bydd dy fola di'n gefn i ti.'

Pobol y Gwm – Y diweddara:
Mae Daniel yn trefnu noson arbennig iddo fe ac Angela (ei gyn-wraig gafodd affêr gyda'i frawd, Roger). A fydd hi'n noson fawr am fwy nag un rheswm?

Roedd gen i ddwy alwad ffôn bwysig i'w gwneud ar ôl dod 'nôl o'r gwaith. Mae gwaed yn dewach na dŵr, felly Dad oedd yn dod gynta. Ro'n i'n teimlo'n euog fy mod heb gysylltu ag e cyn hyn. Roedd tipyn wedi bod ar fy mhlât – a dim bwyd, am unwaith. Ond rhyfedd mor bitw roedd hynny'n swnio unwaith i mi ddechrau egluro. Ceisiais wneud yn iawn trwy holi'n llawn brwdfrydedd am hynt y dawnsio *ballroom*.

'Dwi ddim yn mynd,' meddai Dad gan dorri ar fy nhraws yn gwta. 'Benderfynais i y byddai e'n well petai hi'n mynd gyda rhywun arall.'

'Jenny Grindell?' meddais yn obeithiol.

'Nage. Fe aeth hi gyda'r Robin 'na.'

Mewn fflach meddyliais am ddawnsio boch ym moch, corff wrth gorff, coesau a breichiau wedi eu plethu'n un. Meddyliais am guriadau rhywiol y samba a'r tango, ac am y ddarlledwraig newyddion a'i haffêr gyda'i chymar dawnsio.

'A chi'n hapus gyda hynny?' Roedd e'n fwy na fyddwn i wedi mentro dweud fel arfer.

'Odw. Pansen yw Robin.' Ro'n i methu credu ei fod yn dweud y fath beth!

'Dyn hoyw yw'r term cywir, Dad. A ta beth, dyw Robin ddim yn "bansen" nag yn "hoyw".'

'Mae'n gwestiwn 'da fi.'

Roedd pethau'n go ddu a gwyn ym myd Dad. Roedd e'n caru ei deulu, felly, doedd dim angen dweud hynny.

Licen i petai pethau mor syml ym myd Erin a Brei. Fe ffeindiais fy mod i'n galaru am yr amser pan oedd Erin yn torri'i chalon. Ac rwy'n gwybod bod hynny'n beth ofnadwy i ffrind ei ddweud. Ond o leia roedd hynny'n ymateb naturiol i golli enaid hoff cytûn.

Ond roedd hi'n bosib cael gŵr newydd. Beth ro'n i methu'i ddeall oedd ei diffyg diddordeb yn y plant. Un diddordeb oedd gan Erin ar hyn o bryd, a hi ei hun oedd hwnna.

Fe ddechreuodd gyda chais i mi ddod â thriniaeth olew poeth i'w gwallt o'r dre. (Doedd Erin ei hun heb fod allan ers iddi gyrraedd yma.) Masg clai oedd y peth nesa. Yna, sgrwb halen i'r traed a *conditioner* mintys drud, brwsh i lanhau'r corff, stribedi cwyr i eillio'r coesau, a *moisturiser* menyn coco oedd yn ogleuo'n ddigon da i'w fwyta. A phob math o driniaethau roedd hi wedi eu ffeindio heb eu hagor yn y stafell sbâr. Popeth y byddech chi'n lico'i wneud i'ch gwallt a'ch croen petai gennych chi amser – a does byth digon o amser pan ry'ch chi'n sengl, heb sôn am fod yn fam i ddau o blant (beth bynnag mae'r cylchgronau'n ei ddweud) . . . Doedd dim ots gen i eu nôl yn fy awr ginio, na thalu amdanyn nhw. Byddai'r pwyntiau'n handi ar fy ngharden Boots pan fyddai Nadolig yn dod.

Roedd hi wedi dechrau darllen llyfr (y cynta ers i'r efeilliaid gael eu geni) ac wedi ymrwymo i wylio *Sex and The City* (bocs-set hir y byddai ei wylio yn cymryd mwy o amser na dysgu iaith newydd). Roedd hi wedi dechrau cymryd diddordeb mewn mynd i'r gampfa. Roedd wedi bod yn cadw'n ffit gyda DVD Claire Sweeney, ac ni allwn fod yn siomedig bod hwnnw'n cael defnydd o'r diwedd. A dweud y gwir, edrychai'n well, nid gwaeth, ers iddi hi a Brei wahanu. A do'n i ddim yn siŵr sut ro'n i fod i deimlo am hynny. Roedd y bwrdd bwyd wedi mynd yn faes y gad . . .

Bwyd roedd Erin eisiau'i fwyta? Dim.

Bwyd roedd Erin yn fodlon ei fwyta? Unrhyw beth roedd hi wir yn joio ac oedd yn a-men i'n deiet ni . . . Bara, caws, pizza, siocled poeth, *milkshake* mefus.

Fel mam euog ro'n i'n cyfiawnhau hyn trwy ddweud 'o leia mae hi'n cael rhywbeth yn ei stumog'. A doedd dim ots gen i goginio iddi achos doedd dim sbel ers i mi wneud yr un peth i Mam.

'Sut mae hi?' Geiriau cynta Brei, ac roedd fy nghalon yn toddi.

'Cystal â'r disgwyl.' Achos ro'n i am iddyn nhw fynd yn ôl at ei gilydd.

'Mae'n flin 'da fi am hynny.'

'Wyt ti'n meddwl falle y byddet ti'n fodlon ystyried dod draw 'te – i chi gael siarad . . .?' Mentrais.

'Wy methu ar hyn o bryd.' Roedd e'n swnio'n anghyfforddus.

'Achos y plant?'

'Achos fi.'

Saib hir. Brei siaradodd gynta.

'Wyt ti am i mi ddod â'r efeilliaid draw iddi gael eu gweld nhw?' Ai methu dweud ei henw hi oedd Brei?

'Diolch, Brei. Mae hi'n siarad amdanyn nhw drwy'r amser.'

Mewn gwirionedd, roedd Erin yn y bath gyda *blockbuster* Marian Keyes a gwydraid mawr o win coch. Gallwn ei chlywed yn canu'n hapus o'r fan hyn. Ar ôl ei bath ro'n i'n disgwyl ei gweld yn gorwedd ar y gwely gyda *face mask* organig ar ei hwyneb ac yn gwylio a blysio am Mr Big, *Sex and the City*, hyd berfeddion.

'Maen nhw'n gweld ei isie hi hefyd sbo,' meddai Brei am y plant. Rhyfedd eu bod mor dawel, achos do'n nhw ddim y gorau am fynd i'r gwely'n gynnar.

Meddyliais ddwywaith cyn gofyn y cwestiwn nesa. Ro'n i'n teimlo'n sâl o anghyfforddus yn gwneud.

'A sut wyt ti? . . . Wyt ti'n ocê?' Mewn llais bach main.

'Ti'n gwbod . . . Mae'n rhaid cario mlân . . . Ac mae'r plant yn rhwydd, chwarae teg . . . O'n i'n meddwl y byddwn i wedi ei gweld hi erbyn hyn – cynffon rhwng ei choese, despret isie gweld y plant, despret . . .'

'Ofn sy arni. Mae hi wedi cael loes.' Yn rhy hwyr sylweddolais bod hyn yn swnio fel beirniadaeth.

'Ti sy wedi bod yn ei bwydo hi gyda syniade twp?!' Roedd yr ymosodiad yn annisgwyl.

'Paid â bod yn ddwl! Y peth diwetha wy eisiau yw eich gweld chi'ch dau'n gwahanu – ' Ro'n i'n amddiffynnol, yn syth.

'Wy'n clywed bo ti'n caru.' Roedd e'n meddalu dipyn bach, ond roedd e'n dal i swnio'n chwerw.

'Wel, dwi ddim yn gwbod a fydden i'n – '

'Gobeithio bydd pethe'n gweithio mas i chi.' Dweud achos mai dyna ddylai e ddweud.

'Diolch, Brei. Ti'n ŵr bonheddig.'

'Hmm. A wy fod i gredu ti.' Yn sarcastic reit.

Gadewais y ffôn i ganu achos ro'n i, wel, 'ar y tŷ bach'. Ac ro'n i'n ofni mai Huw oedd yno'n holi pryd ro'n i'n mynd draw i 'drafod ar dâp'. Roedd ei anwybyddu'n haws na gorfod esgusodi fy hun. Doedd Erin ddim yn ateb y ffôn chwaith. Drannoeth roedd neges ar y peiriant ateb.

'Geson ni amser . . . Un, dau, tri, cha, cha, cha . . . Gwranda . . . (SAIB FER, DIM) . . . Ti'n clywed hynna? . . . (DIM) . . . Dere i fi ddal y ffôn yn agos at y llawr . . . (SŴN CNOCIO) Wps! Na, dim hynny! Dere i fi ddechre eto . . . (SAIB. RHAGOR O SŴN CNOCIO) . . . Ti'n clywed? Beth ti'n feddwl 'te? Sai 'di cael shwt sbort ers cyn i fi briodi! Lot gwell na rhyw 'glwb llyfre' ac 'aromatherapi' . . . O'n i'n meddwl y byddai sgrwb 'da fi, ond wy'n llawn egni! Wy'n mynd i brynu sgidie dawnsio. Mae Jennie Grindell yn gwneud shifft yn y siop elusen. Mae hi wedi addo cadw golwg am y stwff gorau. Wy'n clywed bod pethe *vintage* yn *hip* dyddiau hyn – neu pwy bynnag eirie y'ch chi bethau ifanc yn iwso. O't ti ddim yn gwbod bod dy fam mor trendi o't ti? . . . Dwi ddim yn siŵr am wisgo sgidie rhywun arall. Ond fel wedodd Robin, 'na beth ma' *odour eaters* yn dda. A sdim pwynt mynd i wario nes mod i'n gwbod os wy'n mynd i lico . . . (BLîiiiP)'

Daeth Lowri'n i'r tŷ gydag addewid o godi calon Erin gyda 'newyddion mawr'. Do'n i ddim yn siŵr faint rhagor o 'newyddion mawr' y gallwn i ei odde. Roedd Erin wedi treulio oriau'n ymbincio at yr achlysur. Archebwyd têc-awê i arbed i mi goginio. A chan nad oes y fath beth â thec-awê isel mewn braster yn y wlad hon, fe ddewison y lleia o sawl drwg. Bwyd Indiaidd. Fe archebais reis plaen a chyw iâr sych – a chan nad oes neb yn bwyta reis a chyw iâr sych archebais *mango chutney* yn ychwanegol a chael llwyaid o weddill cyri Erin (ddim ar fy mhlât i, felly ddim angen ei roi yn y dyddiadur bwyd.) Cafodd Erin *Chicken Korma* a reis gyda llysiau ychwanegol trwy gyfiawnhad DVD Claire Sweeney gofynnodd Lowri am y *'manager's* sbeshal' ac yna pigo arno pan ddaeth hwnnw (achos ei fod yn rhy boeth, ond doedd hi ddim yn cyfadde hynny.)

Roedd hi hefyd yn ein cadw ni dan ein dwylo am gyhyd â phosib cyn datgelu ei 'newyddion' – ar ôl llawer o fegian. Hyd yn oed wedyn fe droiodd y dweud yn gêm,

'Geswch pwy welais i yn Tesco . . .'

Huw, meddyliais, a chofiais gydag arswyd fy mod heb ateb y tecst yr oedd wedi'i anfon yn gynharach y diwrnod hwnnw.

'Mr Big,' meddai Erin yn sur a bwyta llond fforc o *korma* o flaen Lowri, oedd yn siŵr o fod bron â starfo erbyn hyn.

'Patricia,' meddai Lowri yn cŵl.

'Mae'n rhaid i bawb fyta – hyd yn oed Miss Tew Cymru,' meddai Erin gan wrthod y 'newyddion'.

'Ond beth oedd yn ei throli hi, 'na'r cwestiwn.'

Ar ôl oedi mawr – a llawer o fegian eto – fe ddechreuodd Lowri ddweud.

'Pob math o rybish . . . creision, bisgedi, cacennau, *Coco Pops*, tships wedi rhewi, *gateaux*, *Dairy Milk* mawr a phedair potel enfawr o bop ffwl ffat!'

'*No way*!' Methodd Erin ddal ei hun yn ôl rhag ymateb.

Nodiodd Lowri ei phen yn wybodus.

'Mae hawl 'da chi gael mwy o trîts unwaith i chi gyrraedd target.' Ro'n i'n trio amddiffyn Pat.

'Un neu ddau yw *trît*. Doedd ddim byd *ond* trîts yn nhroli Pat. A chi'n gwbod beth mae hynny'n feddwl . . .'

Do'ni ddim yn gwybod beth oedd hynny'n feddwl.

'Mae hi'n gwneud lot o ymarfer corff?' cynigiais.

'Mae hi'n *bulimic*!' Ac o'r olwg flin ar wyneb Lowri, Erin oedd yn iawn.

Hei Jude, sut wt t? St mae Erin? Dim isie bod n boen ond pryd fn mnd i weld t? Gweld isie t. x

Roedd hi'n hwyr erbyn i fi ateb neges Huw ac ro'n i wedi cael un yn ormod.

Hlo Guw. Erin n hocê. Fn ko. Sri heb gsylltu r. Di bod n fisi. Gld t cynbo hir. Beithio. Gld ise t fyd. Ahhhhhhhh. T mor neis. xxx NO. Judef sy ma gyda llawx. x'

TAMED 22

'Mae system fancio unigryw yn eich galluogi i safio ar gyfer diwrnodau pan mae'n well gennych chi gael mwy o galorïau.'

Pobol y Gwm – Y diweddara:
> Mae Daniel wrth ei fodd ar ôl i Angela syrthio ar ei bai am gael affêr gyda Roger (brawd Daniel). Ond dydy Roger ddim yn hapus o gwbwl ac mae e eisiau dial.

Roedd cyfarfod chwe misol ar y gweill. Doedd dim byd yn anarferol yn hynny. Ond roedd y sibrydion yn bla o gwmpas y swyddfa bod Andrea'n bwriadu canmol! Doeddwn i ddim yn credu'r peth fy hun. Dyw sibrydion yn ddim byd ond hynny. Ac eto rhaid bod y stori wedi dechrau yn rhywle ac o wybod am reolaeth lem Andrea dros bob dim ni allwn lai nag amau eu bod wedi dod oddi wrthi hi.

Ro'n i'n teimlo'n hapus iawn y diwrnod hwnnw. Ac nid achos fy mod, o'r diwedd, yn swpera gyda Huw yn nes mlaen yn yr wythnos. (Felly gallai Lowri stopio fy mhryfocio am hynny y funud honno!) Roedd hi'n mynd yn argyfwng dillad glân yn y tŷ achos mod i ddim yn cael amser i wneud popeth rhwng bob dim. (Ac roedd y pob dim yna yn cynnwys Lowri a fe Mister Pringles. Fe ddylai Erin wybod yn well achos ro'n i wastad wedi bod yn serchog tuag at ei phlant hi. Roedd Mister Pringles yn *typical* dyn. Doedd e ddim yn gwybod beth i'w wneud â menyw ddagreuol, heblaw am agor ei geg yn ddi-hid. Roedd y naill a'r llall fel plant drwg yn ymladd am fy sylw a'r holl beth yn fy mlino a dweud y gwir!)

Ro'n i'n hapus ar ôl gallu gwisgo sgert nad oeddwn wedi gallu ei gwisgo y llynedd achos nad oedd yn ffito!

'Dim ond jest dy ffito di mae hi nawr.' Fyddai Lowri byth yn cyfadde ei bod hi'n nerfus am y cyfarfod, ond roedd yna arwyddion yn ei siarad ymosodol.

'Wy'n gallu anadlu,' chwarddais i ysgafnhau'r tensiwn ac i gymryd arnaf nad oedd ei geiriau'n brifo.

'Hyd yn oed pan wyt ti'n eistedd?'

'Odw . . . jest â bod. Pam ti'n meddwl mod i'n gwisgo'r siwmper fawr yma? I guddio'r *fat* sy'n dod dros dop y sgert!'

'*Muffin top.*' Nodiodd Lowri ei phen. Fel petai hi'n gwybod!

Ro'n i'n difaru'n enaid fy mod wedi gwisgo'r fflipin sgert wedyn. Ni allwn stopio fy hun rhag edrych o gwmpas bob hyn a hyn rhag ofn bod yna bobol eraill oedd yn poeni nad oeddwn yn gallu anadlu yn y sgert-rhy-dynn. Dychmygwn weld paramedics yn rhuthro drwy'r drws unrhyw funud! Roedd hi'n ddolur calon i mi fod yn fater *health and safety*.

Daeth Peredur i jeco fy nghyfrifiadur. Do'n i ddim wedi ei weld yn tjeco peiriant neb arall.

'Lyfli,' meddai'n uchel.

O leia roedd rhywun yn lico'r sgert!

'Diolch yn fawr,' meddwn gan edrych ar madam Lowri gan nodio fy mhen.

'Lyfli'r ffordd mae'r cyfrifiadur yn gweithio ar ôl yr ypdêt.' Roedd Peredur wrth ei fodd – ond nid gyda'r sgert, erbyn gweld.

'Mae e dipyn yn gyflymach . . .' Ro'n i'n dod ataf fy hun ar ôl y siom.

'Odi e?' Roedd ei lygaid yn pefrio.

'Mae e'n hwyluso ngwaith i.' Roedd e'n hwyluso'r gwaith o dderbyn e-bost, hynny yw (er bod llai o negeseuon ers i Erin symud i fyw ataf).

Dychwelodd Peredur y compliment trwy rannu gwybodaeth â mi.

'Barod am ffau'r llewod? Clywed bo ti am fod yn seren,' meddai gan dapio'i fys yn erbyn ochr ei drwyn.

'Cyfarfod chwe misol?'

Winciodd arnaf a rhoi ei fys at ei geg. Roedd fy nghalon yn rasio. Beth gythraul roedd Andrea eisiau i mi ei wneud nawr?!

'Dyna ni. Wedi gorffen.' Patiodd dop y cyfrifiadur fel anifail anwes, neu gariad.

'Sain gwbod shwt i ddiolch i ti.' Fyddwn i ddim wedi dweud shwt beth petawn i'n meddwl yn strêt!

'Allet ti wastad dod am ddrinc 'da fi!' Roedd Peredur yn gwenu llond ei geg.

'Ie!' Cogio o'n i, fel Peredur. Do'n i ddim yn meddwl am funud ei fod o ddifri.

Ches i ddim amser i feddwl am y peth yn iawn. Roedd yr uwch-gyfieithwyr yn mynd i'r stafell gyfarfod. Byddai Andrea ar ei thraed toc. Cododd Julie'r ysgrifenyddes o'r tu ôl i'w desg ddestlus.

'Pob lwc, Judith,' meddai gan wenu.

A dwi ddim yn gwybod beth oedd yn fy mhoeni fwya – meddwl am fod yn ganolbwynt yr isafbwynt chwe misol neu'r ffaith mod i wedi rhoi'r argraff anghywir i un o'r bobol neisa yn y swyddfa.

'Ti'n meddwl bod y sibrydion yn wir?' gofynnais i Lowri ar y ffordd.

Crymodd ei hysgwyddau.

'Mae yna dro ym mhob cynffon,' meddai.

Ro'n i'n disgwyl y gwaetha. Ro'n i wedi gweld digon o glwyfedigion gwelwon yn dod o gyfarfod chwe misol ar ôl bod o dan chwyddwydr Andrea. Os byddai mater angen sylw byddai Andrea'n codi'r peth yn gwbwl ddiflewyn-ar-dafod. Roedd hi'n gallu holi cwestiynau caled fel peiriant. Weithiau, ro'n i'n genfigennus o'i diffyg cydwybod.

Y diwrnod hwnnw, roedd yna griw mwy na'r cyffredin o gwmpas y bwrdd mawr crwn. Ac roedd hynny jest fy lwc i.

Yn ogystal ag Andrea (golwg wyllt, gwallt mwy nag arfer, fel Crystal Tips o *Crystal Tips and Alistair*) a'r staff (gan gynnwys Lowri guchiog – achos fy mhresenoldeb i, gobeithio), roedd Ceri Johnson, Pennaeth Gweld Gwlad Cymru, wedi ymuno â ni. Roedd ganddi fochau cochion a chroen garw rhywun sy'n treulio'r rhan fwya o'i hamser yn yr awyr agored. Er ei bod hi wedi dod o bell (Bangor) i fod yn y cyfarfod heddiw, roedd hi wedi ei gwisgo mewn dillad 'cyfforddus' cwbwl anaddas ar gyfer cyfarfod mewn swyddfa ddieithr. Dyma'r math o berson sy'n byw mewn trowsus esmwyth, crys rygbi a *fleece* llewys byr

240

ac yn codi dau fys at ffasiwn gyda'i gwallt byr anniben a'i diffyg colur. Teimlais o'r cychwyn y byddwn yn sgyrnygu rhag treulio amser yn styc mewn lifft gyda hi. Roedd hi'n dechrau pob ymholiad parthed ei diddordebau allgyrsiol gyda'r frawddeg, 'Aeth Shep a fi . . .' Ci defaid oedd Shep ac er nad oedd wedi gallu bod gyda ni yn y cnawd y diwrnod hwnnw, roedd wedi anfon dirprwyaeth. Roedd ei flew tywyll yn blastar dros y *fleece* lliw hufen.

Byddai rhai wedi peswch yn ysgafn er mwyn torri ar draws hanesyn am 'Shep a fi', 'mynydd Llandygái' a 'thoriad gwawr'. Nid Andrea. Anwybyddodd gleber Ceri a dechrau'r cyfarfod yn ddi-lol.

Bydd unrhyw un sydd erioed wedi eistedd mewn cyfarfod yn gwybod yn union sut ro'n i'n teimlo y diwrnod hwnnw. Fe aeth Andrea gyda'r cloc o un pennaeth adran i'r llall gan wrando gyda wyneb carreg ar bob un, heb ymateb ond i hollti ambell flewyn. Dwi ddim yn meddwl fy mod wedi gallu canolbwyntio ar air a ddaeth o gegau'r chwech o ddewrion. Roedd hi'n amhosib clywed dim uwch curo carlamus fy nghalon, fel tonnau'n dryllio yn fy nghlustiau. Eto, roedd fy nghlyw wedi ei diwnio i glywed y cyfeiriad lleia ata i, a phan ddaeth hwnnw ar ôl oes hir fe barodd i mi neidio.

'Mae wedi bod yn gyfnod o brysurdeb i Chwarae ar Eiriau ac rydym erbyn hyn ar flaen y gad ym maes cyfieithu cefn gwlad . . .'

Llamodd fy nghalon. Er na chefais fy enwi'n benodol, ni allwn lai na dihuno o glywed y cyfeiriad at 'gefn gwlad'.

Nodiodd Ceri Johnson ei phen. Gwelais ei brest yn chwyddo a'i cheg yn agor, fel petai am ddweud rhywbeth. Ond fe achubodd Andrea'r blaen arni.

'Ond mae ein diddordebau'n eang. Fe lwyddwyd i ennill cytundeb go fawr ym maes teledu gan ddangos ein bod ar faes y gad wrth ryngweithio hefyd . . .'

Pipodd Lowri arna i gan godi'i haeliau. Roedd hi'n amlwg yn meddwl bod Andrea'n dangos ei hun o flaen 'pobol dieithr'. Bu bron i mi chwerthin.

'Un sydd wedi chwarae rhan allweddol yn y datblygiadau hyn yw Judith Evans. Ac rwy'n falch o longyfarch Judith heddiw . . .'

Edrychais arni'n syn! Doedd Andrea erioed wedi fy nghanmol fel hyn! Nid paranoia yn unig oedd yn peri i mi feddwl mai bod yn sarcastic roedd hi. Aeth yn ei blaen,

'Oherwydd y prosiectau newydd sydd yn yr arfaeth rydym yn bwriadu bwrw'r rhwyd yn ehangach a chyflogi staff cyfieithu newydd i'n cynorthwyo gyda'r baich gwaith a ddaw yn ei sgil. Wrth gwrs, fe fydd angen unigolyn cyfrifol i oruchwylio'r adran newydd, gyffrous hon ac i ateb yn ôl i mi'n uniongyrchol. Oherwydd natur y gwaith, fe fydd yr unigolyn yn cael ei ddyrchafu i raddfa uwch na'r penaethiaid adrannau eraill . . .'

Roedd yna dipyn o symud anesmwyth yn eu seddau yn dilyn hynny, wrth i'r penaethiaid adrannau ymsythu mewn ymgais i edrych yn fwy 'cyfrifol' na'r person nesa. Yr unig gysur i mi oedd yr anghofiwyd amdana i yn y cyffro, nes i Andrea ddechrau siarad eto, hynny yw.

242

'Rwyf eisoes wedi canmol Judith am ei gwaith caled a'i hymrwymiad, ac oherwydd hynny nid wyf yn teimlo bod angen hysbysebu'r 'swydd' newydd. Un enw ac un enw'n unig sydd dan ystyriaeth . . .'

Ro'n i'n meddwl bod fy nghalon am ffrwydro! Beth fyddai'r lleill yn ei feddwl ei bod hi'n fy nyrchafu i – cyfieithydd bach cyffredin? Fe fyddai pawb yn fy nghasáu!

'A'r enw hwnnw yw . . . Lowri Bannister . . .'

Fe fu distawrwydd llethol. Yna, ar ôl sawl eiliad, dechreuodd Andrea glapio ac ymunodd y lleill wysg eu tinau. Do'n i ddim yn gwybod beth oedd yn mynd trwy feddwl Ceri wrth ein gwylio – y fi'n clapio'n swnllyd fel dynes ddwl a'r lleill yn cymeradwyo'n llugoer.

Er gwaetha'i diffyg sensitifrwydd arferol, mae'n bosib bod Andrea wedi sylwi ar y diffyg achos aeth ymlaen i esbonio.

'Mae rheolwr da yn sicrhau'r gorau gan ei staff a dyna'n union mae Lowri wedi ei wneud yn ddiweddar.'

Daeth llun i y mhen ohona i fel pŵdl bach yn cael fy arwain o gwmpas y sioe gan fy mherchennog. Efallai nad pŵdl bach, chwaith. Rhyw greadur mwy. Poni boliog, efallai.

'O't ti'n gwbod 'te,' sibrydais wrth i ni adael.

'Driais i dy rybuddio di,' atebodd Lowri.

Roedd hi ymhell wedi pump erbyn i ni orffen. Ar wahân i Bruce a'i hwfer pwerus, Peredur oedd yr unig enaid byw ar ôl yn y swyddfa o hyd. Roedd yn tap-tapio ar ei allweddfwrdd. Caeodd y laptop yn syth cyn gynted ag y gwelodd fi.

'Pryd wyt ti isie mynd mas 'te? Mas am ddrinc?' gofynnodd.

'O!' Do'n i ddim yn gwybod beth i'w ddweud! Lowri atebodd drosta i.

'Dwi ddim yn credu y byddai Huw yn hapus iawn am hynny.' Roedd hi'n ffug-geryddu fel athrawes ysgol gynradd.

'O, sori. Do'n i ddim yn gwbod bod yna "Huw".'

Edrychai Peredur mor druenus, fyddwn i wedi gwneud rhywbeth i'w gysuro. Rhywbeth ond mynd mas am ddrinc gydag e, sbo.

'Bydd rhaid i ni fynd mas i ddathlu,' meddai Lowri'n llon ar ôl iddo fynd.

Peredur oedd ar fy nghydwybod i.

'Byddai mynd mas am un drinc ddim mor ddrwg â hynny. Dydyn ni ddim i gyd yr un peth, wedi'r cwbwl.' A dy'n ni ddim i gyd yn gallu hudo Brad Pitts a Ken Singhs y byd yma, meddyliais.

'Dim fe. Fy nyrchafiad. Wy eisiau dathlu 'da bach o steil. Wna i adael i chi wbod beth yw'r trefniadau.'

Roedd min yn ei llais a gwyddwn fy mod wedi pechu'n lân. Ces fy nhemtio i esbonio mai diffyg meddwl oedd y rheswm ac nid diffyg awydd i ddathlu. Ddywedais i ddim. Rhaid dysgu pryd i gau'ch ceg.

Roedd Mister Pringles yn fy nisgwyl adre gyda'i fwythau ac Erin gyda gwên a gwydraid mawr o win. Ac roedd neges ar y peiriant ateb oddi wrth Dad a lwyddodd i godi gwên yng nghanol y cwbwl.

(BLîP) Ti'n siŵr bod e ddim yn bansen? –
neu'n hoyw os ti'n lico . . . Pwy ddyn fydde'n
lico dawnsio? Dy fam wedi gorfodi fi i watsho
rhyw raglen ddawnsio ar y teli bocs. Yffarn
dân, sai 'di gweld shwt beth yn fy myw . . .
oedd rhai yn gwisgo mêc-yp a rhyw bethau
sheini amdanyn nhw. Dim dillad y bydde dyn
yn gallu gwneud diwrnod o waith ynddyn
nhw. Mae dy fam wrth ei bodd – a gobeithio
ei fod e Robin ddim yn mynd i roi gormod o
syniade dwl yn ei phen hi. Dyw ei deip e
ddim yr un peth â'n teip ni. A phan rwy'n
dweud 'teip' dwi ddim yn meddwl pansen na
hoyw-beth-ti'n-galw ond nyrs . . . (BLîiiiiP)

'Rhowch eich gwydr i lawr rhwng pob sip.'

Pobol y Gwm – Y diweddara:
Ble mae Daniel? Ble mae Daniel? Ydy e'n ail-feddwl am ffau'r llewod ei berthynas gydag Angela (ei gyn-wraig gafodd affêr gyda Roger, ei frawd)?

(BLîP) Falle bod e ddim yn un 'ohonyn nhw' na'n un 'ohonon ni', ond wy'n bendant ddim yn ei lico fe. Ac mae'n anodd gwbod beth i'w alw e dyddie hyn achos so dy fam yn lico'r ffordd wy'n dweud '*nyrs*' . . . Mae e'n rhoi pob math o syniade dwl yn ei phen hi. A phaid â gofyn i fi beth y'n nhw achos bob tro wy'n mynd mewn i'r stafell maen nhw'n newid y pwnc - (BLîiiiiP)

Fe arswydais pan glywais bod Huw yn coginio *moules* mewn saws *black bean* i ni i swper.

'I ti gael llond dy fola cyn i fi ddechrau holi dy berfedd di.'

Roedd hi'n rhyddhad pan ddaeth y swper at y bwrdd – *moussaka* a salad a bara garlleg.

'Achos, bydda'n onest – dwyt ti ddim yn or-hoff o bysgod.'

'Fydden i ddim yn dweud mod i ddim yn lico pysgod – ' Do'n i ddim yn lico dweud y gwir wrtho.

Chwarddodd Huw a rhoi pryd go fawr ar fy mhlât heb wneud i mi deimlo'n euog am hynny.

Ar ôl swper ffein – a llawn braster – fe eisteddon ni ochr yn ochr ar y soffa. Doedd e ddim beth ry'ch chi'n feddwl! Roedd peiriant recordio mini-disg rhyngom ar y bwrdd coffi a meicroffôn mawr blewog digon mawr i alw 'chi' arno. Ro'n i'n trio peidio â meddwl am ddim byd rhywiol ond roedd hi'n anodd gyda'r 'peth' yna o gwmpas!

'Ti'n siŵr am hyn?' Edrychodd Huw i fyw fy llygaid a gorfodais fy hun i edrych i ffwrdd rhag dangos gormod. 'Dwi ddim isie dy orfodi di,' meddai drachefn.

'Dwyt ti ddim yn fy ngorfodi i. Ni i gyd yn trio colli pwysau yn Tew Cymru, ac os gallwn ni helpu'n gilydd, wel, gorau i gyd.'

Edrychodd Huw arna i'n rhyfedd. Roedd rhywbeth yn ei lygaid oedd debyg i gydymdeimlad, ond do'n i ddim yn siŵr yn union beth oedd e.

Gwasgodd y botwm *play* a chlywais y ddisg yn troelli tu mewn i'r peiriant fel diffyg traul. Gofynnodd Huw lawer o gwestiynau ddigon anodd – 'Sut rwyt ti'n teimlo pan rwyt ti'n gweld darn o fwyd?' . . . 'Pa emosiynau rwyt ti'n eu teimlo pan rwyt ti'n bwyta?' . . . 'Sut rwyt ti'n teimlo ar ôl i ti orffen bwyta?' Do'n i ddim yn ymwybodol fy mod i'n teimlo unrhyw beth yn arbennig a do'n i ddim yn siŵr faint o help oedd fy nghynghorion yn ei ymdrech i golli pwysau. Tybiais bod Huw yn teimlo yr un peth achos roedd yn fy ngwthio'n eitha caled ar ambell beth. Roedd ganddo ddiddordeb mawr yn y math o bethau ro'n i'n hoffi eu bwyta,

'Ti 'di sylwi bod gan y cnau a'r creision a'r *popcorn* a'r *cracers* rywbeth yn gyffredin?' gofynnodd gyda pheth brwdfrydedd.

'Maen nhw'n ffein?' cynigiais.

'Maen nhw i gyd yn fwydydd caled rwyt ti'n gallu eu crenshian. A ti'n gwbod beth mae hynny'n ei feddwl . . .'

'Fy mod i'n mynd i golli pob dant yn fy mhen erbyn mod i'n bedwar deg os na fydda i'n ofalus?'

'Dy fod ti'n grac. Tu mewn i ti yn rhwle ma' yna berson crac iawn. Crac am rwbeth. Ond crac am beth, 'na'r cwestiwn.'

Ac roedd e'n gwestiwn nad oedd gennyf ateb iddo achos do'n i ddim yn ymwybodol mod i'n grac am ddim byd.

'Pryd ddechreuaist ti feddwl bo ti isie colli pwysau?' Gofynnodd Huw y cwestiwn mewn llais tyner. Nid oedd yn swnio fel busnesu.

'Wel, sai erioed wedi bod yn denau. Ond, ar ôl i fi adael ysgol uwchradd falle. Roies i, y, bach o bwysau mlaen bryd hynny.' Nid oedd yn hawdd cyfadde.

'Pan es ti i'r coleg 'te. Wnes di ei chael hi'n anodd gadael cartre? Ai 'na beth oedd y *trigger*?'

Meddyliais beth i'w ddweud yn ateb i hyn. Yn y diwedd dywedais,

'Sai'n meddwl hynny. Dim byd diddorol iawn. Dyna fi.'

Fe wnes ymdrech i chwerthin a chwarddodd Huw. Yna, fe wnaeth rywbeth annisgwyl. Fe nghusanodd i.

'Sori. Sori, Judith. Roedd hynny'n gwbwl amhroffesiynol.'

'Amhroffesiynol?' Roedd hynny'n beth od i'w ddweud.

'Wel, ti'n gwbod beth wy'n meddwl. Fi ofynnodd i ti ddod draw i fy helpu i ar broject – '

'Ffordd ryfedd o ddisgrifio colli pwysau . . .'

'Wel, mae actor yn, y, defnyddio pob profiad mae e'n ei gael yn ei waith . . . yn tynnu ar ei emosiynau – '

'Tra bod y gweddill ohonon ni'n treulio'n bywydau'n trio cuddio'n hemosiynau,' meddais yn drist.

'Mae pobol yn meddwl ein bod ni'n dda am guddio pethau, ond un gwael ydw i. Mae rhai merched . . . wel, Daniel Carr maen nhw isie a dim Huw Teifi . . .'

'Oes yna ferched fel'na?' Ro'n i'n teimlo fy mochau'n cynhesu.

'Fydden nhw ddim isie fi tasen i'n labrwr neu'n sgubo'r hewl!'

Roedd e'n trio bod yn ysgafn ac roedd e'n fy atgoffa o'r amser y gwelodd ei 'ffrind' yn y bwyty.

'Sdim ots gyda fi beth wyt ti. Hyd yn oed y boi sy wedi mynd nôl at ei gyn-wraig ar stori fwya cyffrous y Gwm erioed! . . . Dyw popeth ddim yn gweithio o'n plaid ni drwy'r amser. Drycha arna i a'r gwaith.'

Dywedais wrtho am swydd newydd Lowri, ond ddim am 'Pali Mali a'r Gynhadledd O Bwys'. Ac fe gafodd y ddau ohonom bwl o chwerthin am Andrea Ast a'i gwallt Crystal Tips, a Ceri Johnson a Shep y ci defaid ac annhegwch y sefyllfa, nes ein bod ni'n dost.

'Byddai e'n neis petaen ni'n gallu bod yn onest – ti a fi – ond mae'n anodd weithiau.'

Roedd Huw yn edrych arna i'n ddwys, fel petai'n e'n fy archwilio am rywbeth, do'n i ddim yn gwybod beth. Roedd e'n deimlad annifyr iawn.

'Sai'n siŵr alla i fod . . . ar hyn o bryd,' meddais. 'Falle y bydd hi'n haws bod yn onest pan fyddwn ni'n nabod ein gilydd bach yn well.'

Dwi ddim yn gwybod a oedd wedi fy nghamddeall, ond fe gusanodd fi. Yna, eisteddodd nôl fel petai i weld beth fyddai fy ymateb.

'Ro'n i'n meddwl holi beth-yw-'i-henw-hi – Pat – i ddod draw i drafod ei syniadau hi ar dâp.'

Ro'n i'n methu cuddio fy siom.

'Ond fydda i ddim yn coginio *moussaka* iddi hi.'

Fe gusanodd fi eto. Cusan hir hyfryd. Roedd fy mhen yn troi. Yna, cododd ar ei draed a gafael ynof gerfydd fy llaw a fy helpu i godi. Pan ro'n ni'n sefyll yn wynebu ein gilydd fe ddechreuodd Huw ddatod y botymau ar fy mlows. Cododd ei ben, fel petai i jeco mod i'n hapus, yna tynnodd fy mronnau o'r bra yn dyner a chusanu fy nipls. Ro'n i'n falch iawn bod un o'i ddwylo cryfion yn fy nal o gwmpas fy ngwast neu fe fyddwn i wedi llewygu.

'Naethoch chi fe 'te?' Roedd Erin yn fwy bywiog nag arfer.

'Do, ond dwi ddim yn gwbod shwt mae e'n meddwl y bydd tapio ein sgwrs am golli pwysau yn help.'

'Cael secs o'n i'n feddwl!' Roedd Erin yn gwenu'n ddireidus.

'Erin!'

'Sai'n gwbod pam fod cymaint o ofn secs arnot ti. Ac mae'n ddyletswydd arnot ti i ddweud popeth wrth dy ffrind gore. Yn enwedig ffrind gore sy ddim yn cael secs ei hun y dyddie hyn.'

Roedd hi'n syndod o joli am y peth.

'Do. Hapus?' meddais i gau ei cheg.

'Wwwwwwww!' Roedd hi fel merch fach, wir i chi! 'Ac odi *movie stars* yn gariadon gwell na'r cyffredin? Wnest ti weiddi "Daniel, Daniel" wrth iddo dy gymryd di yn ei freichie a chodi dy sgert – '

Agorais fy ngheg i brotestio.

'Dal sownd. Wna i arllwys gwydraid o win i ni ac wedyn gei di ddweud yr hanes i gyd.'

Yfais y gwin ond roedd Erin yn rhy brysur yn siarad am ei noson hi i fy holi innau am y manylion. Fe ges i gadw'r rheini i fi fy hun ac i fy mreuddwydion.

Roedd esboniad am hwyliau da Erin. Roedd Brei wedi bod yno am ddwy awr dda ar ôl dod i gasglu'r efeilliaid. Roedd hi wedi ei berswadio i ddod i'r swper arbennig i ddathlu dyrchafiad Lowri.

'Sut wnest ti hynny?' Ro'n i'n gweld gobaith i'w perthynas.

'Ofynnodd e pwy oedd yn dod a gytunodd e'n gyndyn.'

'Ti'n meddwl ei fod e'n difaru?'

'Na. Mae e dal yn bendant am hynny.'

(BLîP) Ges i bâr o sgidiau newydd lyfli 'da Jennie Grindell a wir i ti o'n nhw fel newydd. A wy 'di colli pwyse. Wel, sdim rhyfedd. Wy'n iwso rhanne o nghorff 'da

Robin nag ydw i wedi eu hiwso ers
blynyddoedd. Mae Robin yn dweud bod 'da fi
bâr da o goese. A sai'n ame petawn i'n cael
pâr o deits digon trwchus na fyddet ti'n
gweld fy *varicose veins*. Dylet ti dreial e,
ti'mod . . . bach o ymarfer corff. Mae e fel
siot o adrenalin. Awyr iach i'r corff a'r
ymennydd. Wy wedi cael ail gyfle ar ôl y
profiad Bron Cwrdd â Chreawdwr. Mae'n
gwneud i rywun feddwl beth wyt ti isie
gwneud gyda dy fywyd. (BLîiiiiP)

TAMED 24

'Gochelwch rhag fun sizes! *Efallai y byddwch chi'n cael eich temtio i fynd yn ôl i nôl un arall. Gochelwch rhag* family packs! *Fedrwch chi stopio ar un?'*

Pobol y Gwm – Y diweddara:
> Mae Roger (brawd Daniel, gafodd affêr gydag Angela, cyn-wraig Daniel) yn gweld ei gyfle. Ond beth fydd ymateb Angela i frawd ei chyn-ŵr?

Roedd Brei yn blacmelio Erin. Dyma'r telerau. Os byddai hi'n dweud wrth bobol eu bod wedi gwahanu, ni fyddai'n bosib i'r ddau fynd 'nôl at ei gilydd byth. Roedd yn dan-din a dweud y lleia – achos roedd Erin angen cefnogaeth pobol eraill – ac ro'n i bron â dweud rhywbeth, heblaw bod rhaid i mi warchod teimladau Erin, oedd yn dal i garu Brei.

Do'n i ddim wedi dweud wrth Mam am Erin a Brei, na sôn dim bod fy ffrind yn byw gyda mi dros dro. Ond pan oedd hi'n oeraidd ar y ffôn y bore hwnnw feddyliais i'n syth ei bod yn gwybod. Ro'n i'n weddol saff na fyddai Lowri wedi dweud dim. Roedd hi ym merw trefniadau ei pharti i ddathlu'r dyrchafiad ac, felly, rhy brysur i brepian am broblemau bach fel priodas yn chwalu.

'Ma' cwmni 'da ti,' meddai Mam.

'Oes,' atebais gan feddwl am Erin yn syth. Roedd hi'n eistedd yng nghadair Mister Pringles yn trio darllen cylchgrawn *Heat*, a Mister Pringles ar ben y bwrdd gyda'i bên-ôl yn glatsh ar y copi *Heat*. Roedd e fel *Mexican stand-off*.

Yna cofiais nad oeddwn i fod i sôn am Erin a Brei. 'Hynny yw, mae Lowri yma. Alwodd hi . . . i gael coffi,' meddais. Dwi ddim yn gwybod pam na ddywedais i mai Erin oedd wedi galw am goffi! Fe lwyddais i wneud i rywbeth mor ddiniwed â 'ffrind yn galw am goffi' i swnio fel achos o becynnu *crack cocaine*.

'Sdim isie i ti esbonio. Wy'n gwbod pwy sy yna.'

'Pwy ddywedodd wrthoch chi? Mae'r peth i fod yn gyfrinach.' Llwyddodd Mam i wneud i mi deimlo fel croten fach oedd wedi cael ei dal yn dwyn losin.

'Wel, o'n i'n geso hynny. Dad ddywedodd wrtha i,' meddai Mam.

'Dad?' Sut oedd e'n gwybod?

'Ie. Welodd e chi, yn mynd mewn i'r tŷ. Dd'wedes i ddim byd ar y pryd.' Dwi ddim yn amau ei bod yn mwynhau cael y llaw uchaf.

'Welais i mohono fe. Pam na ddaeth e draw i ddweud "helô" 'te?'

'Wel, sai'n meddwl ei fod e'n lico, Judith. Dim gyda chi eich dau yn edrych mor jocôs.'

Roedd agwedd Mam yn gwneud llai a llai o synnwyr i mi. O'n, mi o'n i wedi cadw cyfrinach er mwyn fy ffrind. Ond roedd Mam yn siarad fel petawn i wedi hudo Erin i adael priodas hapus. Fel petawn i wedi dechrau perthynas ag Erin fy hun!

'Wy'n driw i fy ffrindiau, Mam.' Pwysleisiais y gair 'ffrindiau'.

'Dere nawr, Judith. Falle mod i'n perthyn i wahanol genhedlaeth i chi, ond ches i mo ngeni ddoe chwaith. Wy'n gwbod beth sy 'mlân 'da menyw pan mae'n mynd â dyn i'r tŷ yr amser yna. Gweld trueni dros Kenneth odw i – shwt foi neis, a fe'n ddoctor â chwbwl.'

Disgynnodd y geiniog o'r diwedd! Roedd Mam a finnau wedi bod yn siarad ar draws ein gilydd! Nid sôn am Erin oedd hi, ond am Huw. Roedd Dad wedi fy ngweld gyda Huw a finnau i fod yn caru gyda Kenneth.

Dwi ddim yn gwybod pam na wnes i esbonio'n syth. Roedd yna reswm syml pam edrychai fel petai gen i ddau sboner – ac nid achos mod i'n harlot oedd hynny! Rwy'n siŵr y byddwn wedi meddwl am rhyw ffordd o egluro heb dramgwyddo'n ormodol, er na fyddai hynny'n hawdd. (Efallai y byddai'n rhaid gadael perthynas Ken a Lowri ar gyfer rhywbryd eto.) Ond, na! Am ryw reswm fe wnes i adael iddyn nhw feddwl y gwaetha.

'Ffrind oedd e! 'Run peth â chi a Robin.'

'O. 'Run peth â fi a Robin,' meddai, fel petai hi'n deall.

'A sut mae'r gwersi dawnsio?' (Sut oedd hi a Robin ro'n i'n ei feddwl. Byddwn i wedi dweud hynny'n blwmp ac yn blaen petawn i'n ddewrach.)

'Wy wrth fy modd! Ac mae Robin yn bartner da.'

'A beth ma' Dad yn feddwl amdanoch chi'ch dau'n . . . dawnsio?' (Cystal â dweud, 'Beth mae e'n feddwl ohonoch chi a Robin?')

'Bydde Dad wedi gallu dod 'da fi ei hunan. Dyna

ni. Doedd dim diddordeb 'da fe mewn dawnsio.' (Doedd dim diddordeb ganddo ynddi hi.)

'Pawb at y peth y bo.' (Peidiwch â bod yn wirion.)

'Yn gwmws.' (Fi sy'n iawn.)

Fe ddaeth y sgwrs i ben yn go gyflym ar ôl hynny. Brwydrais yn galed i beidio ag ail-fyw'r cyfan gan roi mwy o bwyslais ar ambell air nes bod y ddeialog yn llawn drama ddiangen a finnau'n berwi bod Mam yn busnesu ym mywyd carwriaethol dynes wyth ar hugain oed! Ac roedd hynny cyn i mi ddechrau meddwl amdani hi a Robin! Sylwais yn rhy hwyr ei bod yn rhyfeddol o dawel ynghylch y dawnsio! Gweld bai arna i a hithau . . . ! Hithau . . . ! Yn, yn . . . wel, do'n i ddim yn siŵr beth! Ond yn gwneud rhywbeth, roedd hynny'n saff!

Do'n i ddim yn cwyno, wrth reswm, ond doedd fy sefyllfa gartre ddim yn hollol ddelfrydol. Nid perthynas genfigennus Erin a Mister Pringles oedd yr unig faen tramgwydd. Roedd Brei yn ymwelydd rheolaidd. Fe fyddai'n galw'n ddyddiol, bron fel pe na bai dim wedi digwydd rhyngddo ac Erin. Weithiau, fe fyddwn yn dod adre o'r gwaith ac yn clywed lleisiau'n dod o'r gegin neu'r lolfa. Byddwn yn dod i mewn wedyn yn betrus, gan ofalu mod i'n peswch yn uchel yn gynta. Dyna ble fydden nhw drwyn yn nhrwyn gyda Mister Pringles yn edrych arnynt mewn ffieidd-dod. Fyddwn i ddim yn mynd mor bell â dweud mod i'n teimlo fel gwsberen, ond ar adegau doedd y tŷ ddim fel petai'n gartre i mi, a gobeithio nad yw hynny'n swnio'n rhy gas o gofio gofid Erin.

Nid chwerthin a thynnu coes fyddai'r ddau, ond trafod – a hynny'n ddi-wên, fel arfer. Ro'n nhw mor styfnig â dau asyn, felly doedd yr un ddim am ildio modfedd i'r llall. Rhywbeth fel hyn fyddai natur y sgwrsio,

Brei – 'Doedd y peiriant golchi dillad ddim yn gweithio wthnos ddiwetha . . .'

Erin – 'A dyna ddechre sgwrs ddifyr arall, Brei – dim rhyfedd bo ti mor boblogaidd yn y swyddfa yna.'

'Does dim byd yn bod ar dynnu ymlaen gyda phobol. Ac mae'r peiriant yn gweithio nawr. Fues i yn y *laundrette* yn y cyfamser. Dwi ddim yn gwbod pam mae pobol yn cwyno am waith tŷ. Wy'n ei weld e'n hawdd – ond falle mai fi yw hwnnw.'

'Hawdd iawn pan mae gen ti dy fam a nyrs feithrin i garco'r plant trwy'r dydd. A sut fyddet ti'n gwbod mod i'n cwyno? Doeddet ti byth gartre i wbod beth ro'n i'n ei wneud.'

'Na, achos ro'n i'n ennill arian i gynnal fy nheulu. Ac ro'n i'n dy drysto di i ofalu am bethe yn y tŷ.'

'A wnes i erioed dy siomi di, er bo ti mor blydi berffaith.'

Os byddwn i yn y stafell, fe fyddai'r naill neu'r llall yn troi i edrych arna i, fel petai i gadarnhau'r hyn roedd wedi ei ddweud. Ro'n i'n teimlo fel plentyn yng nghanol ysgariad ei rieni. Ro'n i'n gobeithio nad oedd rhyw ddrwgargoel yn hynny. Ond er gwaetha'r tensiwn arwynebol, ro'n i'n byw mewn gobaith. Ni allwn lai na sylwi bod yna dân yn

257

y dweud hefyd. Petai un ond yn fodlon ildio rhyw fymryn bach . . .

Fe lwyddon ni i berswadio Erin i adael carchar y tŷ trwy hanner awgrymu y byddai Brei yn rhyfeddu at ei ffigwr newydd, petai hi'n stico at y colli pwysau. Roedd hi'n noson brysur yn y clwb a bu raid aros ein tro i gael ein pwyso. Roedd rhai amlwg ar goll – doedd Hannah Metcalfe ddim wedi esgusodi ei hun hyd yn oed. (Wedi rhedeg allan o esgusodion, meddai Lowri.) Jest wrth i mi edrych mlaen at un noson heb Heulwen Darling, fe shifflodd ei ffordd o'r tŷ bach mewn sgert bensel dynn y byddai angen agorwr tun i ddod allan ohoni.

'Peidiwch â gofyn sut wythnos wy 'di chael!' meddai, ac yna aeth yn ei blaen i ddweud wrthym.

Doedd Huw ddim yno a thriais yn galed i beidio â meddwl bod hynny achos ei fod wedi cael 'beth yr oedd ei eisiau' nawr ein bod wedi, wel . . .

'Shaggo.' Gair Erin.

'Dy'n ni ddim wedi . . . hynny . . .' Cochais.

'O'n i'n meddwl eich bod chi wedi! Dyna beth ddywedodd Erin!' Roedd Lowri wrth ei bodd yn cael y llaw uchaf.

'Erin! Wrth pwy arall ti wedi dweud?!' Ro'n i'n methu credu!

'Neb . . . Brei . . .'

'Erin!'

'O'n i'n meddwl y byddet ti wedi dweud wrth Lowri . . .' meddai Erin gan droi'r drol arna i.

'O'n i'n mynd i . . .'

'Dyna ni 'te.'

'A Brei? O't ti'n meddwl mod i'n mynd i ddweud wrth Brei 'fyd?!' Doedd e ddim yn fusnes i hwnnw, do's bosib!

'Sori, Judith.' Plygodd Erin ei phen yn wylaidd.

'O na. Fyddai Judith ddim wedi dweud wrtho fe. Mae hi wrth ei bodd yn cadw cyfrinach,' meddai Lowri.

Llosgai fy ngruddiau, fel petawn i wedi cael bonclust. Edrychais yn hir ar Lowri ond doedd hi'n dangos dim.

Ro'n i wedi colli hanner pwys. (Gwyrth o gofio deiet Erin a finnau!) Roedd Erin wedi rhoi dau bwys ymlaen. (Do'n i ddim yn gweld bai arni'n edliw i ni am ei llusgo hi yno.) Dim newid un ffordd neu'r llall i Lowri. (A doedd hynny ddim yn plesio menyw oedd yn byw i gyflawni rhywbeth newydd o hyd.)

'Chi'n siŵr?' gofynnodd yn siarp i Pat.

'Dyw'r scêls ddim yn dweud celwydd, Lowri.' Roedd Pat yn fwyn ei chysur.

'Dwi ddim yn amau'r scêls. Ond mae pob teclyn mesur yn agored i ddehongliad.'

'Mae'n ddigidol. Wy'n nodi'r rhifau yn fy llyfr nodiadau.'

'Mae p'un ai bydd rhywun wedi colli neu ennill yn ddibynnol ar y rhifau yn eich llyfr nodiadau chi, 'te?'

'Rhifau oddi ar scêls digidol, ydyn . . . Gwrandwch Lowri, pan mae rhywun yn trio colli pwysau . . . dyw e ddim yn hawdd i'w dderbyn pan mae'r pwysau'n aros mlân . . .'

'Yn arbennig pan mae rhywun yn trio colli pwysau'n onest,' meddai Lowri.

Ro'n i'n amheus o gywirdeb y gosodiad yma. Ro'n i'n gwybod bod Lowri'n safio'i *treats* drwy'r wythnos er mwyn cael potel o siampên a phryd tri chwrs da gyda Ken unwaith yr wythnos. A gwyddwn ei bod yn golygu cael sawl potel o siampên yn y parti dathlu dyrchafiad.

'Ei wneud yn onest, yn union,' meddai Pat.

'Trwy fwyta'n gall ac ymarfer corff.' Edrychodd Lowri i fyw llygaid Pat.

'Dyna'r unig ffordd i bobol dew fynd yn . . . o diar, nid eich bod chi'n dew, Lowri, wrth gwrs – na neb arall fan hyn, er wrth gwrs bod rhai isie colli pwysau.' Roedd Pat yn dechrau chwysu.

Camodd Lowri oddi ar y scêls. Roedd hi'n mwynhau ei hun.

'Fy llyfr nodiadau i,' meddai a rhoi'r llyfr â manylion yr hyn roedd hi wedi ei fwyta yn ystod yr wythnos i Pat. 'Bwyd iach, fel y gwelwch chi.'

Porodd Pat drwy'r llyfr.

'Da iawn. Da iawn. Esiampl dda iawn, chwarae teg.'

'Beth ry'ch chi'n awgrymu mod i'n ei wneud 'te – i gyrraedd target, fel chi? . . .'

Ni atebodd Pat i ddechrau a rhaid oedd i Lowri ei chocsio dipyn bach.

'Dewch nawr, Pat, rhaid bod gan rywun o'ch profiad chi wledd o gynghorion i'w cynnig.'

Fe aeth llygaid Pat yn gul fel cyllyll. Edrychodd ar Lowri am hir, ac yna ar y dyddiadur bwyd.

'Llai o fananas,' meddai'n bendant. 'Triwch fwyta llai o fananas.'

Ac aeth Lowri yn ôl at ei sedd. Roedd hi'n ildio, am y tro.

Heulwen Darling oedd nesa. Neidiodd o'i chadair fel petai ar sbring, yn rhyfeddol o awyddus i gael ei phwyso am rywun oedd wedi cael wythnos 'erchyll' (arall) o 'wneud dim byd ond bwyta'. Bwyta awyr iach, yn ôl golwg ei chorff tenau mewn sgert bensel lawr at ei thraed. Yn ei brys, baglodd dros ei bag llaw a chwympodd hwnnw gan chwydu'i berfedd ar y teils carped. Lowri helpodd hi i gasglu'i phethau er ei bod yn ffysian y gallai wneud yn iawn ei hun. Ond roedd Lowri'n mynnu a chododd y brwsh gwallt, y pedometr, y mobeil, fitaminau, rhestr siopa, y lipstic a'r Tampax. Gwridodd Heulwen at ei chlustiau a dwi ddim yn siŵr pam. Yn absenoldeb Huw, menywod o'n ni i gyd y noson honno a does dim byd cywilyddus am gael mislif. Er, fel y dywedodd Erin, fyddwn innau chwaith ddim eisiau i bawb wybod ei bod hi yr amser yna o'r mis.

Roedd pobol yn gallu cael camargraff o Lowri am nad yw hi'n wên deg i gyd. Dydy pobol ddim yn hoffi gonestrwydd – yn enwedig gan fenywod. Ond roedd ei chymwynas â Heulwen yn dangos i eraill bod ganddi galon garedig. A rhaid ei bod hithau'n cael pleser o helpu hefyd achos roedd hi'n gwenu'n braf ar ôl hynny.

Fe lwyddodd hi i wenu drwy'r seremoni. Roedd Sheryl Tizer wedi colli hanner stôn ac fe gyflwynwyd iddi sticer aur Tew Cymru a thun o eirin gwlanog (mewn sudd ffrwythau, wrth gwrs).

'Dyna beth yw *incentive*, ferched,' meddai Lowri, dipyn bach yn sarcastic.

Chwarae teg i Pat. Roedd hi'n gwneud ei gorau i godi'n calonnau tra'n dal i'n hannog i golli braster. Ac os oedd ganddi broblem bwyta (a do'n i ddim yn credu hynny), wel, roedd hi'n haeddu cydym-deimlad. Ond 'na chi . . . ochr arall Lowri.

'Ble mae *loverboy* 'te?' gofynnodd Lowri yn y dafarn. Un ddiod yn unig a honno'n donic calori isel (a'r mymryn lleia o *gin*). Roedden ni'n dathlu dros y penwythnos ac yn safio'n *treats*.

'Gweithio'n hwyr,' meddais yn gelwyddog, achos doedd dim syniad gen i mewn gwirionedd.

'Dyna roedd Brei yn arfer ei ddweud.' Yfodd Erin ei *gin*. Roedd golwg bell i ffwrdd arni.

Ro'n i'n teimlo'n well wedyn, achos roedd Brei yn dweud y gwir. A do'n i ddim eisiau troi'n 'Erin yr ail' a finnau wedi bod yn ei beirniadu hi am baranoia.

Dechreuodd Lowri chwerthin. Gymerodd hi lai o amser i Lowri a finnau berswadio Erin i fentro allan nag y gwnaeth hi i Erin a finnau berswadio Lowri i rannu'r jôc. Yn y diwedd cyfaddefodd iddi gael y gair ola rhyngddi hi a Pat cyn gadael y clwb y noson honno. Ar ôl hir a hwyr fe rannodd ei hergyd ola.

'Well i chi newid eich scêls nawr, Pat, achos rwy'n disgwyl rhoi pwys ymlaen wythnos nesa. Wy'n mynd mas, chi'n gweld. Wedi cael dyrchafiad. Achos mod i wedi gwneud misoedd o waith da, gwaith gonest. Wedyn, wy'n haeddu *treat* – dych chi ddim yn meddwl?'

Mae'n debyg nad oedd Pat yn gwybod beth i'w ddweud na ble i edrych ac, am ryw reswm, roedd hynny wedi plesio Lowri. Oni bai mod i'n ei nabod yn well byddwn yn amau bod ganddi ryw gynllun ar y gweill.

TAMED 25

'Fe gafodd Becks sglod a chod. Fe gafodd Posh salad gwyrdd mawr achos mae hi'n lico cadw golwg ar ei phwysau.'

Pobol y Gwm – Y diweddara:
> Mae Daniel yn ôl yn y Gwm ar ôl brwydro gyda'i gydwybod (parthed Angela, ei gyn-wraig a Roger, ei frawd, gafodd affêr gyda'i gyn-wraig, y mae Daniel nawr yn cael 'affêr' gyda hi ei hun). Ond a oes brwydrau eraill o'i flaen?

Diwrnod tawel oedd dydd Sadwrn fel arfer yn fy nhŷ i. Fe fyddwn i'n dihuno pan o'n i eisiau, ac nid pan oedd y larwm yn dweud bod yn rhaid i mi. Byddwn yn mynd lawr yn fy slipers i fwydo Mister Pringles, yna bwydo fy hun gyda the a thost (yn y drefn honno achos roedd Mister Pringles yn un gwael am aros am ei fwyd), ac yna'n mynd 'nôl i'r gwely i ddarllen y papur.

Nid y bore Sadwrn hwn. Roedd yr efeilliaid wedi bod yn aros dros nos, ac ar ran Erin ro'n i'n falch sobr o hynny. Roedden ni, felly, lan ers hanner awr wedi chwech. Ro'n i'n teimlo fel petawn i wedi cael hanner diwrnod o ofid cyn amser te deg. Dyma fy ngofid penna. Doedd Huw heb ffonio. Dyna oedd y sefyllfa ers wythnos, dwi ddim yn dweud llai. Ond erbyn hynny roedd yn rhaid cydnabod ei fod 'heb ffonio' a hwyrach bod yna arwyddocâd yn hynny.

Er mor falch o'n i bod Erin yn cael gweld Gwern

a Gwen – a'u bod yn blant eitha da, chwarae teg – y gwir oedd ro'n i'n edrych mlaen at weld Brei yn dod i'w casglu am un ar ddeg. Do'n i a Mister Pringles ddim yn gyfarwydd â'r holl halibalŵ, a chyda pharti dathlu dyrchafiad Lowri ymlaen y noson honno roedd eisiau meddwl beth i'w wisgo, neu beth fyddai'n ffito a bod yn fanwl gywir. Ro'n i'n edrych mlaen yn fwy na Mister Pringles at ffarwelio â'r efeilliaid. Roedd hwnnw wedi penderfynu cael llety drws nesa nes iddyn nhw fynd. Ac, yn ôl y sôn, roedd e'n eitha hapus i gael ei dendo gan Mrs Johnson, er gwaetha *habit* deugain-y-dydd honno a'r ffaith ei bod yn mynnu ei alw'n 'Primrose'. Primrose! Wir!!

Roedd yn dweud y cyfan amdana i, mae'n siŵr, mod i heb gywiro'r camsyniad yma'n syth.

'A sut mae hi Primrose?' Mrs Johnson yn holi wrth roi dillad ar y lein fisoedd 'nôl.

'Mister Pringles yw ei enw "E".' Beth fyddai'n haws na hynny? Ond, na! Do'n i ddim yn lico cywiro'r greadures. A nawr roedd hi'n rhy hwyr o lawer i wneud hynny. Meddyliwch mor ofnadwy y byddai'n teimlo ar ôl yr holl fisoedd o gam-ddweud. A beth fyddai'n ei feddwl ohona i yn gadael iddi yn ei hanwybodaeth, dyn a ŵyr!

Beth bynnag, do'n i ddim yn fy hwyliau gorau. Do'n i ddim yn siŵr pwy ro'n i'n ei golli fwya, Huw neu Mister 'Primrose' Pringles. Ond roedd hi'n brysur arna i, rhwng paratoi brecwastau gwahanol i bedwar, chwarae cuddio, adeiladu caer Lego, tynnu llun, glanhau paent oddi ar y llawr, rhagor o dynnu llun, rhagor o lanhau paent oddi ar y wal, bath a gwisgo. A diolch i'r drefn am y prysurdeb achos roedd hi'n gywilydd bod menyw fy oed i yn gofidio ar gownt actor sebon, hyd yn oed os oedd hwnnw'n gariad i mi. Canodd y ffôn pan o'n i'n ymolch yr efeilliaid yn y bath, tra bod Erin yn bendwmpian ar ei gwely, ac am ryw reswm ro'n i wedi anghofio ailosod y peiriant ateb ar ôl gwrando ar negeseuon y noson gynt. Allwn i ddim gadael y plant yn y bath ar eu pennau eu hunain! Heb fod eisiau swnio'n gas, ro'n i'n falch o'r esgus hwnnw, achos ro'n i'n siŵr mai Mam fyddai yno. Pan ganodd y ffôn yr eilwaith, a finnau newydd orffen roi'r hosan olaf ymlaen, ac Erin wedi codi, doedd gen i ddim esgus dilys i beidio ag ateb. Felly, ateb wnes i. Dad oedd yno.

'Ti gartre 'te . . .'

'Odw odw.'

Saib bach a finnau'n gweddïo na fyddai'r efeilliaid yn dechrau gweiddi, rhag gorfod esbonio pam roedd plant bach mewn poen yn fy nhŷ i, a phalu rhagor o gelwydd.

'Ni'n meddwl galw,' meddai Dad ar draws fy meddyliau.

'Grêt.' Gallwn glywed tinc straen yn fy llais. 'Dewch i swper wythnos nesa.' Dweud yn gyflym cyn iddo gael cyfle i gynnig cyn hynny. Fe ddylen i fod yn strêt erbyn hynny, jest abowt! Allwn i ddim côpo y diwrnod hwnnw! Roedd gen i ddigon o waith yn twtio ar ôl dau o blant ac yn paratoi a phincio fy hun at y noson honno.

'Mae Mam wedi gwneud tarten afalau. Fydd hi

wedi sbwylo erbyn wthnos nesa. Fyddwn ni'n galw â hi ar ôl gwneud neges yn y dre.'

'Na,' meddyliais.

'Tua faint o'r gloch fyddwch chi yma?' dywedais. Roedd fy llais yn mynd yn uwch ac uwch. Dwi ddim yn amau mod i'n rhoi dolur gwddw' i mi fy hun achos yr holl straen.

'Hanner awr wedi un ar ddeg. A sdim isie ti fynd i drafferth. Byddwn ni wedi cael dishgled yn y caffi.'

Hanner awr wedi un ar ddeg. Doedd hynny ddim yn rhy ddrwg, meddyliais ar ôl diffodd y ffôn. Roedd Brei yn dod am un ar ddeg. Byddai wedi dod a mynd â'r efeilliaid gydag e erbyn hynny. Ond rhag ofn bod Brei yn cael ei demtio i aros, fe fyddwn yn dweud fy mod i ac Erin ar ein ffordd allan i'r dre. Yna, fe fyddai'n rhaid iddo fynd.

Roedd y cynllun yn berffaith. Roedd Erin eisoes wedi mynegi diddordeb mewn prynu masg clai drudfawr i adfywio'i chroen cyn y parti y noson honno. Felly, ro'n i'n poeni llai nag arfer am bethau a allai fynd o chwith. Mewn ffordd, roedd hi'n lwcus mod i heb feddwl am yr hyn ddigwyddodd, neu fe fyddwn wedi bod yn chwys drabŵd. Fe benderfynodd Erin am chwarter wedi deg y byddai'n mynd â Gwern a Gwen allan i'r parc i chwarae ar y siglenni. Fe addewais i gasglu eu pethau ynghyd cyn i Brei gyrraedd. Do'n i ddim eisiau i ddim byd eu rhwystro rhag gadael. Peth ofnadwy, rwy'n gwybod! Felly, hwyrach mod i'n haeddu beth ddigwyddodd nesa.

Chwarter i un ar ddeg ac ro'n i'n byw mewn gobaith y byddai Brei yn cyrraedd yn gynnar. Hyn er bod Erin heb dychwelyd o'r parc gyda'r plant eto. Ro'n i'n mynd i gwrdd â gofid, braidd. Dychmygais ei bod hi wedi gwneud rhywbeth erchyll – taflu'r efeilliaid i'r llyn at yr hwyaid cyn ei boddi hi ei hun, efallai! (Ro'n i'n gwylio gormod o *Pobol y Gwm*.)

Dwi ddim yn berson morbid fel arfer. Ond ry'ch chi'n clywed cymaint o straeon ofnadwy ar y newyddion. Allwn i ddim peidio â phoeni. Roedd hi'n wir i ddweud nad oedd Erin yn ymddangos fel petai hi'n hiraethu am gwmni'r plant ers i Brei ei gwahardd o'r tŷ. Ond efallai mai olew poeth i'r gwallt oedd ei ffordd hi o ddangos galar! Fy mai i fyddai'r cyfan petaen nhw i gyd yn boddi, am beidio â sylwi bod fy ffrind gorau'n despret!

Dyma'r sefyllfa am ddeg munud i un ar ddeg. Ro'n i'n sefyll yn y cyntedd gyda fy mag llaw ar fy ysgwydd (er mwyn dangos i Brei mod i ar fy ffordd allan). Dwi ddim yn gwybod sut o'n i'n mynd i esbonio diffyg presenoldeb y plant. Pum munud i un ar ddeg. Canodd y gloch. Erin! Diolch i'r drefn. Ond does dim byd mor syml â hynny. Brei oedd yno.

Un ar ddeg o'r gloch. Pum munud wedi un ar ddeg. Chwarter wedi un ar ddeg. Ro'n i'n poeni o ddifri ac yn edrych ar y cloc pan oeddwn yn mentro gwneud hynny. Do'n i ddim eisiau gofidio Brei! Ac roedd Dad a Mam yn siŵr o fod ar eu traed yn y caffi erbyn hynny, yn talu'r bil gydag arian parod cywir. Gwahoddais Brei i'r gegin – ond nid am baned, achos byddai Erin yn siŵr o gyrraedd ac yntau ond newydd ddechrau ei hyfed.

Roedd yn rhaid i ni siarad am rywbeth i lenwi'r

amser heb Erin, heb baned. Y tywydd, mor braf oedd gweld penwythnos, parti dathlu a dyrchafiad Lowri, yr efeilliaid, Erin . . . ro'n i'n dechrau crafu am bethau i'w dweud. Dyna pam y gofynnodd i mi, 'Sut mae Huw?', a straen, dim byd llai, barodd i mi ddweud nad oeddwn yn gwybod, wir, a fe heb fy ffonio.

Gwenodd Brei arna i'n garedig, gan wyro'i ben fel ci yn ceisio deall ei berchennog.

'Falle ei fod e'n dweud y gwir. Falle ei fod e'n brysur,' meddai gan gydymdeimlo ar ôl i mi esbonio'r sefyllfa, ac anodd dweud beth barodd i mi wneud hynny, heb esgeuluso'r manylyn lleia.

'Ti'n meddwl?' Ro'n i eisiau cael fy nghysuro.

'Odw. Mae'r stori fawr yma ganddo nawr. Beth ti'n meddwl sy'n mynd i ddigwydd 'te? Ti'n meddwl bod Roger yn mynd i saethu Angela?'

'O'n i ddim yn gwbod bo ti'n shwt ffan o *Pobol y Gwm*!'

'O, na. Mam sydd. Byth yn ei golli a dweud y gwir. Mae hi ar bige dyddie hyn isie gwbod beth sy'n digwydd. Mae'n siŵr bod ffilmio'r stori fwya yn hanes y Gwm yn mynd â phob awr o'r dydd. Sdim rhyfedd ei fod e heb ffonio.' Gwenodd wên fach arall ac edrych i fyw fy llygaid am amser hir.

Fe wnaeth Brei gystal job o fy argyhoeddi ei fod yn iawn, fe lyncais bob gair. Anghofiais yn lân am ddweud beth ro'n i'n ei wybod trwy Huw – bod *Pobol y Gwm* yn cael ei ffilmio ymhell ar y blaen.

Canodd cloch y drws a rhuthrais i'w agor gan wneud yn siŵr mod i'n cau drws y gegin ar fy ôl.

Ro'n i'n gweddïo mai Erin fyddai yno. Dim rhyfedd mod i heb ennill raffl Tew Cymru. Do'n i ddim yn berson lwcus. Ges i un syrpreis. Nid Mam a Dad oedd yno, ond Mam a Robin. Ro'n nhw ar eu ffordd 'i weld dyn am stafell', yn ôl Robin.

'Mae e'n *hush hush* iawn.' Winciodd arna i. Roedd e'n fwy camp na dyn hoyw!

Cymerais y darten afalau oddi ar Mam ar stepen y drws, gan obeithio bod ganddynt apwyntiad 'i weld dyn am stafell' y funud honno ac nad oedd amser ganddynt i ddod i mewn.

'Dad yn Curry's. Ddwedais i y bydden ni'n aros amdano fe fan hyn,' meddai Mam yn trio edrych dros fy ysgwydd, i'r cyntedd clyd.

'Wy'n mynd mas!' dywedais yn garbwl. Roedd y bag llaw am fy ysgwydd o hyd.

'O,' meddai Mam.

'Dim probs. Ewn ni i Maxine's i weld beth sy yn ei bocs sheini sbarcli.' Yna'n dawelach. '*Jewellery.*' Ro'n i'n ddiolchgar i Robin am yr awgrym hwnnw. Ro'n i'n cynllunio yn fy mhen. Fe fyddwn yn cerdded gyda Mam a Robin nes i ni ddod at y groesffordd. Yna, os bydden nhw'n mynd i'r dde, fyddwn i'n mynd i'r chwith – neu fel arall. Roedd e'n gynllun hyblyg. Yna, byddwn yn troi'r gornel ar ben y ffordd honno, a chadw llygaid nes iddyn nhw fynd o'r golwg, yna gallwn ddychwelyd i'r tŷ. Ffiw! A siawns y byddai Erin yn ei hôl erbyn hynny!

Ro'n i'n ffyddiog y byddai fy nghynllun wedi gweithio petai Brei heb weiddi ar dop ei lais,

'Pwy sy 'na Jude?'

270

'Jude'?! Doedd e byth yn fy ngalw i'n 'Jude'!

Nabyddodd Mam ei lais yn syth.

'Beth ma' fe Breian yn'i wneud yma?' meddai'n gyhuddgar.

Doedd gen i ddim ateb i hynny, ond y gwir sbo. Ffeindiodd Mam ateb ei hun.

'O . . . wy'n gweld,' meddai, gan weld rhywbeth nad oedd yno i'w weld.

'Dim ein lle ni yw busnesu.'

Trio helpu Mam a finnau roedd Robin ac fe ddywedodd y peth yn ddigon llon.

'Pryd ydw i'n busnesu? Wedi dweud dim ar hyd y blynyddoedd.' Geiriau pigog fel cyllyll mewn drôr.

Aeth ias trwydda i. Sylweddolais ei bod hi'n gwybod mwy nad oedd hi wedi'i gydnabod.

'Peidiwch â starfio chi'ch hun cyn mynd i barti. Fe fyddwch chi bron â marw eisiau bwyd ac yn colli pob hunan-reolaeth!

Pobol y Gwm – Y diweddara:
> Dydy bywyd Roger (brawd Daniel, cyn-ŵr Angela) ddim yn werth ei fyw heb Angela (cyn-wraig Daniel, brawd Roger). Mae'n mynd i dŷ Angela i ladd ei hun o flaen y cariadon.

Ro'n i wedi clywed am y bwyty, ond heb fod yno achos mai lle i fynd ar achlysur arbennig oedd e. Roeddech chi'n gwybod ei fod yn lle drud achos roedd ganddo enw Ffrengig. ('Le Restaurant'. Y bwyty i chi a fi.) Hefyd, roedd llieiniau main ar y byrddau ac roedd y byrddau hynny'n rhy agos at ei gilydd nes eich bod yn gorfod bod yn ofalus i beidio â rhoi eich penelin ym mhwdin y fenyw ar y bwrdd nesa atoch.

Heb yn wybod i mi – na Dr Ken, oddi wrth yr olwg bechadurus ar ei wyneb – roedd Lowri wedi gwahodd Caleb Owens, ffrind Ken oedd newydd ysgaru ac ymgynghorydd paediatrig yn yr ysbyty. Roedd yn ddyn llawen, llond ei groen, oedd yn chwerthin yn rhydd ac yn rhwydd. Nid arno fe roedd y bai mod i'n teimlo y gallwn i ladd Lowri y funud honno – a dwi ddim yn amau y byddwn i, wel, ddim wedi ei lladd ond yn sicr wedi dweud rhywbeth wrthi, petai hi wedi bod yno pan eisteddais i lawr a gwynto'r *Brut aftershave for men* lond fy nhrwyn.

Nid ar Caleb roedd y bai am Lowri ac fe driais yn galed i beidio â dangos iddo fy mod yn flin. Ond ro'n i'n falch pan bwysodd e ymlaen dros y bwrdd i gyflwyno'i hun i Erin a Brei. Cefais gyfle i gael fy ngwynt ata i ac i dorri'r garw gyda Dr Ken oedd yn eistedd i'r dde i mi ac yn ogleuo'n fendigedig o *Calvin Klein Eternity.* Ar ôl rhyw ychydig o holi swil yn ôl ac ymlaen fe roddodd Ken y gorau i din-droi.

'Falle bod hyn dipyn bach yn amhroffesiynol . . . ond ti'n iawn, ers i mi dy weld di ddiwetha?' gofynnodd yn llawn gofid.

Y tro diwetha i mi ei weld ro'n i'n gofyn am gael y bilsen. Gwenais arno a nodio fy mhen. Teimlais fy nghalon yn gwingo achos absenoldeb Huw.

'Nid fy syniad i oedd gwahodd Caleb, gyda llaw,' sibrydodd Ken, fel petai'n darllen fy meddwl.

'Paid â phoeni,' atebais.

Ro'n i'n falch nad oedden ni'n eistedd yn y ffenest. Beth fyddai Mam a Dad yn 'i feddwl petaen nhw'n clywed bod gen i ddyn arall eto fyth?

'Ti ffaelu dewis pwy rwyt ti'n syrthio mewn cariad â nhw. Dyna maen nhw'n ei ddweud. Wel, dwi ddim yn meddwl y byddwn i wedi cwympo mewn cariad â Lowri, petai gen i ddewis.' Eisteddodd yn ôl ei sedd ac ymestyn ei fysedd at y bwrdd, fel petai am ei wthio i ffwrdd.

'Mae 'i chalon hi yn y lle iawn, sbo.' Do'n i ddim yn disgwyl gorfod ei hamddiffyn rhag ofnau Ken.

'Dy galon dithe, glei. Weithiau, licen i petai hi'n debycach i ti.'

Chwarddais yn uchel. Ar hynny, saethodd corcyn

siampên i'r awyr. Roedd Lowri wedi cyrraedd, yn ffasiynol o hwyr, wrth gwrs. Edrychai'n hardd tu hwnt mewn ffrog sidan hir at ei thraed. Ro'n i'n genfigennus ohoni'n gallu gwisgo lliw glas mor olau a minnau mewn ffrog ddu eto fyth a sodlau i drio ymestyn tipyn bach ar fy nghoesau sosejys.

Meddyliais bod Lowri wedi trefnu i'r siampên gael ei agor wrth iddi gyrraedd! Andrea yr ail, myn yffar i! Ond nid hi ond Ken oedd wedi trefnu hynny. Roedd e'n beth mor hyfryd i'w wneud. Ac i feddwl bod dyn wedi meddwl am y ffasiwn beth.

Fe gollais fy mhartner siarad am dipyn bach unwaith i Lowri eistedd, ar ôl cymeradwyaeth gwbwl haeddiannol. A chwarae teg i Caleb, oedd wedi gorffen ei glonc ag Erin a Brei, wnaeth e ddim sôn unwaith am ei gyn-wraig. Roedd Ken yr un mor garedig wrth y gwesteion eraill ag wrth Lowri. Ces ei help i gyfieithu'r fwydlen oedd mewn Ffrangeg i gyd nes i Erin dynnu'n sylw at y fersiwn Gymraeg dros y dudalen.

'Mae eisiau geiriadur i ddeall hwnnw,' meddai am y Gymraeg.

'Mae ganddon ni eiriadur Cymraeg yma. Fi!' Roedd Lowri ar ei hail wydraid o siampên yn barod.

'Mae ganddon ni *ddau* eiriadur. Mae Judith yn gyfieithydd penigamp hefyd.'

Allwn i ddim mwynhau gweniaith Dr Ken achos cafodd lond ceg gan Lowri o'm hachos. Noson Lowri oedd hi wedi'r cwbwl.

Ro'n i wedi dod i ymuno yn y dathlu yn yr ysbryd iawn, yn benderfynol o fwynhau hyd yn oed petai'n fy lladd i! Ro'n i wedi prynu pâr newydd o sgidiau at yr achlysur ac wedi talu arian da amdanyn nhw – er gwaetha'r ffaith nad oedden nhw'n fy ffitio. Ond anodd oedd anwybyddu'r gwacter tu mewn. Gallwn roi fy llaw ar y man lle roedd y briw, yn agos at fy nghalon. Roedd rhywbeth ar goll, neu ai 'rhywun' ddylai hynny fod? Roedd Erin ar ben ei digon ar ôl ei dau wydraid siampên hithau.

'T'wel! Ry'n ni'n dwy'n gallu joio'n iawn heb ddynion!' Roedd yn rhwydd iddi hi ddweud hynny â Brei ei gŵr yn eistedd drws nesa iddi. Lle swnllyd oedd 'Le Restaurant', achos bod y byrddau mor agos at ei gilydd, ac achos bod cymaint o bobol yn siarad ar draws ei gilydd, gwydrau'n clindarddach a thafodau'n clecian. Chlywais i mo fy mobeil yn canu'n ddi-baid yn fy mag. Roedd yna siampên, un botel ar ôl y llall. Roedd pawb yn yfed yn wyllt ac yn hapus wrth i mi aros yn ofer am y cwrs cynta. Roedd alcohol yn rhyddhau fy nhafod ac roedd yna bethau ro'n ni eisiau eu dweud. Ond cyn i mi gael cyfle ces pwl o *hiccups* roddodd stop ar unrhyw ddoethinebau – a doedd hynny ddim yn beth drwg, mae'n siŵr.

Addawodd Brei fynd i holi am y cwrs cynta ar ei ffordd i ffonio'i fam. Roedd am wneud yn saff bod yr efeilliaid yn eu gwelyau cyn ei fod yn rhy feddw i boeni a o'n nhw ar eu traed neu beidio. Rhaid bod y signal yn wan yn y bwyty achos fe'i gwelais yn mynd allan ar ôl siarad â'r gweinydd syber. Dwi ddim yn gwybod a oedd yr efeilliaid ar eu gwaetha y noson honno, ond fe ddaeth y bwyd cyn i Brei ddychwelyd. Roedd popeth yn edrych yn hyfryd, ac ni fyddai'n weddus i aelod o glwb golli pwysau ddweud nad oedd

275

digon ar y plât, felly tewi wnes i. Beth bynnag, er mor bert oedd y trimins, fe aeth Brei â'n sylw ni i gyd pan ddychwelodd at y bwrdd â'i wyneb yn wyn fel shîten.

'Yr efeilliaid!' arswydodd Erin.

Stopiodd y mân siarad yn stond.

'Gwaeth na hynny . . . Mae Huw TV wedi marw!' Rhoddodd ei ddwylo bob ochr i'w ben mewn ffug arswyd.

Fe es yn oer trwydda i. Roedd pob aelod o nghorff yn teimlo'n drwm. Yna, clywais Erin yn sgrechian, ffug-sgrechian erbyn ffeindio, achos roedd awel fain wedi dod i mewn trwy gil y drws.

A dyna ble oedd e! Huw Teifi, yn dod i mewn i'r bwyty gyda'r gwynt wedi chwythu'i wallt i un ochr gan ddangos croen ei dalcen, lle roedd e'n dechrau moeli. Teimlais fellten yn fy mwrw yn fy mrest. Ro'n i'n boeth fel tân a nghalon yn boenus, ond doedd e ddim yn boen amhleserus.

Brasgamodd Huw ar draws y bwyty, heb sylwi ar neb na dim arall. Roedd ei lygaid wedi'u hoelio arna i! Pan gyrhaeddodd ein bwrdd, ddywedodd e ddim byd, dim ond rhoi dwy law am fy mochau, fy nhynnu tuag ato a nghusanu'n hir. Diflannodd y boen. Ro'n i ond yn hanner ymwybodol o sŵn clapio a chymeradwyo o nghwmpas. Alla i'm dweud ai fy ffrindiau oedd wrthi, neu a oedd pawb yn y bwyty wedi ymuno yn yr hwyl. Roedd e fel rhywbeth o ffilm! Gwelais yr olygfa olaf o *An Officer and a Gentleman* yn fy mhen a dychmygais glywed Jennifer Warnes yn canu *'Love lift us up where we belong . . .'* a theimlo Huw yn gafael yndda i a ngharїo ymaith. Wrth gwrs, ddigwyddodd hynny ddim. Rhaid oedd iddo feddwl am ei gefn ac yntau'n actor opera sebon o bwys. Yn lle hynny, eisteddodd i lawr wrth fy ochr, ar ôl i Caleb gynnig ei sedd iddo.

'Lle neis.'

'Odi, mae e.'

Roedd y ddau ohonom yn gwenu fel ffyliaid.

'Beth wyt ti'n ei gael? *Frogs' legs?!*' Llygadodd Huw fy nghwrs cynta. 'Wrth gwrs ti'n sylweddoli bod hwnna'n dweud y cyfan amdanot ti, Judith?'

'Odi e?' Edrychais ar y bwyd.

'Melon â saws siocled? Mae'r bwriad da yna, gweler y dewis o felon. Ond, yna, mae'r gwendid, y siocled, achos bo ti'n ei haeddu. Achos bo ti ddim yn meddwl bo ti'n haeddu gwell.'

Roedd hynny'n sioc. Ers pryd roedd e'n fy nabod cystal?

'Ti 'di gweld *Pobol y Gwm* heddiw?' Holodd mewn llais tawel.

'Na, wy wedi bod fan hyn.'

'Gwd, gwd . . .'

'Ond wy wedi tapo fe, wrth gwrs. Sut o't ti'n gwbod y byddwn i fan hyn?!'

'Ges i rif Lowri gan Pat – achos o't ti ddim yn ateb dy ffôn drwy'r dydd.'

Cofiais am y ffôn yn canu yn y tŷ pan o'n i fyny at fy ngheseiliau mewn *bubble bath* a phlant dan dair.

'Syrpreis!' meddai Lowri, yn clustfeinio. 'Cwbwl amhroffesiynol o Pat, wrth gwrs. Rhoi enwau aelodau i aelodau eraill. Beth petai Huw yn *stalker*? Cofia, Huw – byddai Pat wrth ei bodd yn dy gael di'n *stalker*!'

Chwarddodd Huw. Roedd Lowri yn dal i ddyfyrio Pat am roi ei rhif ffôn i Huw.

'Peth anonest iawn i'w wneud.'

'Rhaglen heno. Beth sy'n digwydd? Beth sy'n digwydd?! Alla i ddim aros!' Nid act oedd fy mrwdfrydedd.

Torrodd Lowri ar ein traws. Roedd hi wedi'i dal hi braidd erbyn hyn.

'Hei, Huw! Ti'n gwbod bod Pat yn dy ffansïo di?'

'Wel, y, sori Pat. Ond 'mond un fenyw sy'n mynd â mryd i . . . a Judith yw honno.' Rhoddodd Huw ei fraich gref amdana i a nhynnu tuag ato nes fy mod i'n mochel yn ei gesail.

'Sdim rhyfedd bo ti 'di colli pwyse. Ma' secs yn ffordd dda o golli pwyse.' Roedd Erin a finnau yn y tŷ bach. 'Mae e'n well na smwddo . . . Ond dim cystal ag awr ar y *treadmill* . . . Oni bai bod Sting yn ŵr i ti, wrth gwrs. Wedyn, byddet ti wrthi ddydd a nos yn cael Tantric Secs. Byddet ti'n skinny bilinc!'

Ro'n i'n siŵr bod yna bethau gwaeth mewn bywyd, ond roedd hynny'n swnio'n ddigon gwael. Rwy'n lico rhyw yn iawn. Mae e'n . . . wel, mae e'n neis. Ond mae yna bethau eraill mewn bywyd hefyd. Mae e fel bwyta Pot Noodle. Pleser drygionus, ond pleser. Ond fyddech chi ddim eisiau bod yn bwyta Pot Noodle drwy'r dydd, bob dydd, chwaith – na fyddech chi?

Aeth y ddwy ohonom at y drych a rhoi trwch o finlliw ar ein gwefusau. Dwi ddim yn meddwl ein bod yn gweld y drych yn iawn ar ôl yr holl siampên yna. Do'n i ddim yn gwybod am beth roedd Erin yn meddwl – er y galla i ddyfalu – ond meddwl o'n i faint o amser y gymerai hi i Huw gusanu'r minlliw i gyd oddi ar fy ngwefusau.

Ro'n ni i gyd wedi cael gormod i'w yfed, ond roedd Brei fel petai'n fwy meddw na phawb arall. Roedd e wedi mynd i'w gragen, yn dawel a phwdlyd. Ac roedd e'n cymryd diddordeb anarferol yn lle gorweddai llaw Huw ar fy nghoes. Uchafbwynt y llygadrythu oedd i Brei arwyddo gyda'i fys i Huw agosáu. Yna, sibrydodd yn uchel, achos glywais i ei eiriau'n blaen,
'Byddai ots 'da ti symud dy law?'
Pob clod i Huw, yn hytrach na dweud wrtho lle i fynd i grafu fe symudodd ei law. Ond dim cyn edrych ar Brei yn ddigon heriol. Fe brofodd i mi ei fod dipyn yn llai penboeth na'i gymeriad opera sebon. Ddywedodd Brei ddim byd wrth yr un ohonom wedi hynny. Ni ddywedodd neb air ymhellach am y peth, dim hyd yn oed Erin. Does ryfedd mai dathlu dyrchafiad Lowri oedden ni'r noson honno. Roedd hi'n graff iawn. Fe sylwais arni'n dweud ei dweud wrth Brei cyn i ni adael. Roedden nhw wedi mynd i ryw gornel bach ger yr oergell gwin, felly ni allwn glywed beth ro'n nhw'n ei ddweud. Fe'm trawodd eu bod yn ffraeo. Eto, doedd hynny ddim yn gwneud synnwyr chwaith achos, ar ôl rhyw dipyn bach, gwrando roedd Brei. Mae gen i ryw frith gof ohono a'i wyneb fel y galchen. Yn wir, roedd golwg arno fel petai wedi gweld ysbryd o'r gorffennol.
Yn y diwedd, fe aeth Ken atyn nhw i fusnesu a llusgo Lowri oddi yno. Roedd hi'n dablen! Ond fe

fynnodd archebu potel arall ac rwy'n cofio meddwl ar y pryd rhaid nad oedd ei 'ffrae' â Brei yn rhy ddrwg, achos fe wrthododd Ken ragor o siampên a Brei oedd yr un aeth i'r bar i'w archebu.

Does dim dwywaith yn fy meddwl i bod alcohol yn newid person. Rwy'n lico meddwl amdanaf fy hun fel person ffein, ac rwy'n trio gwneud fy ngorau dros bobol. Rwy'n beio'r siampên y noson honno am i mi roi fy hun yn gynta, fy hun a Huw. Fe wrthodon ni ragor o siampên achos roedden ni ar hast i gael cwmni'n gilydd. Dwi ddim yn amau y byddwn wedi teimlo'n euog iawn drannoeth ar ôl sobri petai'r hyn ddigwyddodd heb ddigwydd i fynd â mryd.

Sleifiodd Huw a finnau allan, tra bod Lowri a Brei yn brysur yn clecio. Fe aethon ni gartre i dŷ Huw i ni gael llonydd a . . . hyd yn oed ar ôl tynnu fy nillad i gyd, fe wnaeth i mi deimlo'n gyfforddus iawn, ac roedd hynny'n dipyn o gamp! Roedd hi'n lleuad lawn tu allan, anffodus iawn, fel arall byddai fy nghorff a'i holl wendidau mewn tywyllwch. Ond roedd Huw i'w weld yn ddigon bodlon gyda'r hyn a welai, yr un gwirion ag e. Tro hyn, fe gusanodd fi dros fy nghorff i gyd, mewn mannau oedd wedi bod yn gudd ers blynyddoedd mawr a ngwneud i'n ddiamynedd i'w deimlo tu mewn i mi!

'Beth ddigwyddodd 'te?' Rwy'n gobeithio i mi adael saib digon parchus rhwng diwedd y caru a dechrau'r holi am hynt stori fawr *Pobol y Gwm*. Do'n i ddim eisiau rhoi'r argraff mai hynny oedd ar fy meddwl a Huw newydd rhoi eitha perfformiad yn y gwely.

Ro'n ni wedi bod yn gorwedd ochr yn ochr. Nawr, fe droiodd Huw ar ei ochr i ngwynebu, gan godi ei ben a'i bwyso ar ei law.

'Wel, fe aeth Roger i dŷ Angela gyda'r bwriad o ddal Angela yn y gwely gyda Daniel – a saethu ei hun o'u blaenau . . .' Ces yr argraff ei fod yn falch i gael rhannu â mi.

'Ond saethodd e ti – hynny yw, Daniel – yn lle hynny?' Ro'n i ar bigau'r drain a thorrais ar ei draws.

Atebodd Huw yn amyneddgar iawn.

'Naddo. Ond doedd Daniel ddim yn gallu gadael i Roger ladd ei hun! Roedd yna strygl i gael y gwn ac yn y dryswch fe daniodd y gwn a – '

'W, wy'n gwybod! Fe saethodd Roger Daniel!'

'Na.'

'O.'

Dechreuodd Huw biffian chwerthin wrth glywed fy siom. Roedd ei lygaid yn serennu arnaf.

'Yn y dryswch, fe daniodd y gwn ac fe saethodd Daniel Roger yn gelain –'

'Na!'

'Do.'

Roedd hi'n stori wych! Yr orau ar Y Gwm erioed!

'Ond . . . ond . . . sut fues ti, sori, sut fuodd Daniel, farw 'te?'

'Wel o'n i, oedd Daniel ffaelu byw gyda'i hun ar ôl saethu'i frawd. Aeth allan i'r nos. Roedd Angela'n crio dros gorff Roger pan glywodd hi'r gwn . . .'

'O! . . . A beth ddigwyddodd wedyn?'

'Wel, wedyn ddaeth miwsig *Pobol y Gwm* ymlaen ac enwau pawb sy'n ymwneud â'r rhaglen.'

'Huw!' Cydiais yn y glustog a dechrau ei bwnio'n chwareus.

'Os ti eisiau gwbod beth sy'n digwydd bydd rhaid i ti jest gwylio rhaglen dydd Llun,' meddai gan chwerthin.

Stopiais y pwnio a rhoi fy nghlustog yn ôl ar y gwely. Do'n i ddim yn gyfarwydd ag ymarfer corff ac ro'n i'n dechrau colli fy ngwynt.

'Mae'n stori drasig,' dywedais ar ôl meddwl am dipyn bach am Roger, Angela a Daniel.

'Beth sy'n drasig yw'r ffordd wy wedi bod yn dy esgeuluso di.' Sythodd Huw fy ngwallt a mwytho fy moch.

'Dwyt ti ddim . . .' I wneud iddo deimlo'n well.

'Dwi ddim wedi dy ffonio di.'

'Jiw, o'n i heb sylwi.'

Chwarddodd y ddau ohonom ar hynny.

'Gobeithio alli di faddau i mi, 'na i gyd.'

'Gallaf, sbo.' Rhois gusan iddo ar ei drwyn, ac yna un arall ar ei geg, ac yna un arall . . .

'Does dim ots 'da ti mod i ddim yn actor sebon enwog, 'te?' meddai ar ôl tipyn bach.

'Paid â bod yn ddwl!'

Gusanon ni eto. Os oedd e'n mynd i ddweud mwy na hynny, mae'n rhaid ei fod wedi newid ei feddwl. Roedd Huw'n cysgu'n braf erbyn i mi gofio mod i heb ei holi beth roedd e'n bwriadu ei wneud, nawr bod ei amser ar Y Gwm ar ben.

A bore trannoeth roedd yna lythyr i mi. Ac ro'n i'n gwybod yn syth oddi wrth pwy roedd y llythyr. Ac anghofiais i bopeth am Huw.

TAMED 27

Bues i'n meddwl yn hir cyn penderfynu beth i'w wneud â'r amlen a'r garden. Achos ro'n i wedi cadw'r ddau dan glatsh mewn drôr.

Fe allwn i fod wedi eu torri'n ddarnau mân a'u taflu gyda'r sbwriel. Fe allwn fod wedi eu malu'n garrai yn y peiriant yn y gwaith. Ond ni allwn fentro hynny chwaith.

Eu llosgi wnes i yn y diwedd, a phrynu bwced pwrpasol i'r gwaith achos nad oes gennyf grât na simne. Hyd yn oed ar ôl i'r tân gilio fe fûm i'n syllu'n hir yn chwilio am neges yn y cymylau mwg neu rhyw air yn y lludw fyddai'n gollwng y gath o'r cwd.

Ond doedd dim byd ar ôl ond oglau cartrefol a fflwcs llwyd, a'r geiriau ar y garden yn procio glo mân hen stori yn fy mhen.

Annwyl Judith,

Mae'n teimlo'n rhyfedd iawn i sgrifennu atat ti – rwy'n cael fy nhemtio i ddweud ar ôl yr holl amser yma. Ond a bod yn onest mae'n teimlo'n rhyfedd i fod yn sgrifennu atat ti o gwbwl.

Efallai dy fod ti'n gofyn i ti dy hun pam rwy'n sgrifennu, felly. Pam na fyddwn i jest wedi codi'r ffôn neu drefnu siarad â ti wyneb yn wyneb, jest ni ein dau.

Y gwir yw nad wyf am fentro gwneud hynny. Dwi ddim yn trystio fi fy hun. Dwi ddim yn trystio fy nheimladau. Ti'n gweld, rwy wedi gweld am y tro cynta sut oedd pethau i ti. Rwy wedi gweld am y tro cynta pam. Paid gofyn i fi

283

sut dwi'n gwybod. Dwi ddim yn barod i fradychu'r un arall.

Ond nawr dwi'n gwybod na alla i ddim mynd yn ôl.

A dwi ddim yn siŵr iawn beth sydd yn fy lladd i fwya . . .

Pam wnest ti beth wnest ti?

Neu, pam oeddet ti'n teimlo na allet fy nhrystio â'r gwir?

Ro'n i'n gwybod yn syth pwy oedd awdur y llythyr. Awdur y llythyr oedd Ger.

TAMED 28

Sut y daeth pethau i ben rhyngdda i â Ger.

Dwi ddim yn siŵr a wnes i gysgu y noson cynt. Ro'n i'n teimlo fel petawn ar ddihun drwy'r nos, meddyliau afiach yn fy styrbo am bobol heb bennau, am waed yn llifo, am fod ar drên a methu stopo.

Yna, yn y bore bach, cysgu cwsg y meirw a sgrech babi y larwm yn fy nihuno. Teimlo fel petawn i wedi meddwi'n swps y noson gynt. Fy mhen yn corco a nghoesau a mreichiau wedi blino. A'r peth gwaetha? Methu dweud.

Gwenu wrth y bwrdd brecwast a thrio peidio â chyfogi'n sych wrth i Mam dendo. Uwd â llaeth cyflawn. Tost a jam. Sudd oren a banana. Dad yn dweud am beidio â ffyso.

'Ma' digon o gig ar y groten.' A gwenu, meddwl ei fod yn helpu.

'Mae hi ar ei phrifiant, 'na pam.' Mam yn gwrthod ildio, hyd yn oed pan nad oedd hi'n iawn.

Bwyta i blesio, i beidio â thynnu sylw ata i fy hun. Cnoi darnau bach, fel petawn i heb gnoi o'r blaen, fy ngheg yn symud yn fecanyddol fel ci tegan. Dim blas ar ddim. Fy mola llawn yn teimlo'n wag. Torri gwynt yn dawel ac oglau nwy ar fy anadl.

Mynd i'r ysgol ar y bws fel arfer a theimlo fel petawn i erioed wedi eistedd yno o'r blaen. Yr un bws, yr un daith, ond pob dim i'w weld yn wahanol. Cyfarchiad grwgnachlyd Glandwr y dreifer, ei siwmper *v-neck* a siaced ei iwnifform fel arfwisg. Alan tal a'i ffrind tawedog yn edrych ar luniau o fronnau merched mewn cylchgrawn. Sahid yn dangos tric gyda dau bishyn deg ceiniog a merched yn giglo. A finnau ar fy mhen fy hun, Lisa Jenkins wrth fy ochr yn mynd mlaen a mlaen am *Take That* a *Top of the Pops*. Teimlo mewn breuddwyd nes i mi weld y Mondeo coch ac yna dihuno.

Ffarwelio â Lisa fel arfer. Hithau'n mynd i gyfarfod â'i sboner am snog a finnau'n esgus mynd at fy ffrindiau innau, ond yn mynd at y car, ato fe. Nid fy sboner. At Dr Roberts. A gwneud stumiau gwên a theimlo llond twll o ofan trwy fy nhin am y dyfodol.

'Wyt ti'n barod?' Cyn dechrau'r injan. Ei ffordd o ofyn a o'n i'n siŵr, ddim wedi newid fy meddwl. Ond sut allwn i newid fy meddwl a finnau'n bymtheg oed a babi deuddeg wythnos yn tyfu yn fy mol?

Doedd hi ddim yn oer yn y stafell aros, ond ro'n i methu stopio crynu. Roedd pobol eraill yno. Menywod, merched . . . gyda'u cariadon, gwŷr, ffrindiau, rhieni. Ro'n i'n eu gweld trwy gornel fy llygaid a finnau'n syllu'n galed ar y llawr teils nes bod yr atomau'n dawnsio o flaen fy llygaid fel sêr.

'Fyddi di'n iawn am funud bach?' Geiriau mwyn Dr Roberts cyn mynd i roi ein manylion. Y ffaith bod gennym apwyntiad ddim yn ein harbed rhag yr aros.

Cacl fy ngalw gan y fenyw yn y dderbynfa.

286

Edrych ar sgrin y cyfrifiadur ac nid arna i wrth roi cyfarwyddiadau trwy'r drws, ar hyd y coridor ar y chwith. A meddwl, dyma ni, a ble mae Dr Roberts? A theimlo naid fy mol. A meddwl eto ai'r babi bach oedd yn gwingo? Fel dyn yn hongian ar raff y crogwr yn sboncio am funud ola ei fywyd.

A mynd drwy'r drws, ar hyd y coridor i'r chwith a chnocio'n dawel gan obeithio nad oedd neb yno. Siom cael ymateb, llais menyw, dim Dr Roberts a bron ffaelu mynd mewn achos bod fy nghoesau mor wan. Siom arall yn gymysg â rhyddhad wrth gael fy ngofyn i eistedd mewn cadair ac ateb rhagor o gwestiynau, fel Dr Roberts. Ticio bocsys ar ffurflen, i gadarnhau ar bapur bod rheswm dilys o ran iechyd y corff/meddwl pam y dylid parhau gyda'r driniaeth. Amddiffyn eu hunain wrth fy arbed innau. Ac arwyddo. Fy llofnod yn selio ei ffawd.

Stafell arall a gorwedd ar wely i weld y babi y tro yma. Pawb ond fi yn cael gweld y babi ar sgrin. Cadarnhau yr hyn rwy'n ei wybod yn barod. 'Ry'ch chi'n feichiog. Deuddeg wythnos.' A Duw mawr, maddau i mi, poeni mwy am y boen nag am yr un bach. Becso'n waeth ar ôl cael y tabledi i leddfu poen. Cael dŵr i'w yfed, ond teimlo pob un yn mynd i lawr fy nghorn gwddw fel cerrig bach yn rholio i lawr tyle serth, allan o reolaeth. Aros i deimlo pob cyhyr yn marw dros dro, fel lapio fy hun mewn cwmwl mawr a hofran. Ac aros. Ond dim yn dod.

Yn fy ngŵn, gŵn hafaidd werdd fel yr Orsedd. Noeth heb fy nicers. Gorwedd ar y gwely yng nghanol y stafell a thrio peidio â meddwl am y cigydd yn bwtshera a'r gwaed dros bob man. Dr Roberts a doctor arall a nyrs i gyd yn mynd o gwmpas eu pethau, yn broffesiynol iawn.

'Cwyd dy goesau, dy draed yn erbyn dy ben ôl, a gad iddyn nhw gwympo naill ochr. ''Na ni. Merch dda.'

Marw o embaras. Pwy ond Ger oedd wedi fy ngweld fel hyn o'r blaen? Do'n i ddim yn pôsio iddo fe, fel merch yng nghylchgronau Alan tal a'i ffrind tawedog. Doedd Ger ddim yn syllu, yn aros i lamu, yn gwybod y byddai'n fy mrifo. Teimlo poen arteithiol. Sioc go iawn fel cawod rewllyd ar ddiwrnod poeth. Meddwl, 'Ai dyna ni? Y cyfan drosodd?'

'Jest nymio ceg y groth.' Yn cael ei ddweud â gwên.

Dim amser i feddwl, i deimlo siom. Poen waetha fy mywyd. Fflach o boen fel mellt, fel ffrwydrad o dan y dŵr yn creu tonnau ffyrnig ar yr wyneb. A gweiddi'n uchel. Synnu fy hun trwy udo. Dangos fy hun.

'Da iawn. Ti'n neud yn dda.' Geiriau caredig y driniaeth galed.

A rhywbeth rhwng fy nghoesau yn gynnes, yn llifo fel tonnau o waed. Trio codi mhen a'r nyrs yn dweud wrtha i am orwedd. Yn sefyll uwch fy mhen fel mod i'n methu gweld. Eisiau llewygu ond methu. Eisiau cysgu ond methu. Yng nghanol y cwbwl, dadebru a chofio gofyn,

'Y babi. Wy eisiau gweld y babi. Plîs ga i weld y babi?'

288

Pennau doeth yn edrych o un i'r llall a Dr Roberts yn trio perswadio,

'Does dim byd i'w weld, wir i ti. Gorwedda am funud fach. Ti'n dal i golli gwaed.'

Dim amser i feddwl am y 'colli gwaed o hyd',

'Y babi! Wy eisiau gweld y babi!'

A'r doctor yn iawn. Doedd dim byd i'w weld. Ro'n i'n disgwyl pen mawr a dwy fraich a dwy goes bychan bach. Ond doedd dim byd ond gwaed a chnawd fel aderyn anffortunus yn dod o beiriant torri coed mân.

Mynd i eistedd i'r stafell wella gyda bricsen o wlân cotwm rhwng fy nghoesau a Dr Roberts yn addo dod â phaned o de i fi.

'Ti'n cymryd siwgr?'

'Dim fel arfer.'

'Well i ti gael siwgr heddiw.'

Eistedd ac ysu am orwedd. Ond ddim yn cael gorwedd. Dim un man i orwedd. Cael rhywbeth fel clustog cynnes i roi yn erbyn fy mol a'r boen fel bwm-bwm bron yn taro yn ei erbyn fel dwrn. Ond roedd y dwrn bach wedi mynd, a methu dychmygu neb yn cicio tu mewn fy mol fyth eto.

Poen yn saethu, pwno yn fy mol a nghefn yn llosgi'n eirias am ennyd. Yna, poen yn lleddfu, yn diflannu, teimlad braf. A dim tan tro nesa. A phoeni dim am y boen, ond am sut i wynebu Mam heb dorri i udo crio fel glaw mewn storm aeaf. Ac wrth i'r cyffuriau weithio, sylweddoli na fyddai neb yn cynnig eli i wella'r boen arall, y byddai'n rhaid i mi leddfu hwnnw fy hun.

TAMED 29

Ymweliad gan Ger

Doedd swatio yn fy ngwely clyd ddim yn ddrwg i gyd, ond ces ormod o amser i feddwl. Gormod o amser i hyrdi-gyrdi'r teledu bach yn y gornel fynd ar fy nerfau. Allwn i ddim canolbwyntio ar ddilyn llinyn unrhyw raglen arni. Gormod o amser i syllu ar y crac o dan y papur wal ar y nenfwd fel gwythïen yn gwthio o dan y croen. Gormod o amser i feddwl am yr un bach o gnawd a gwaed, meddwl amdano fe oedd ddim yn gwybod, meddwl amdanaf i.

Amser yn symud yn farwaidd o hir. Gwneud i mi feddwl sut beth oedd bywyd tragwyddol. Nefoedd oedd bod yn ddigon prysur nes bod amser yn mynd yn gyflym. Uffern oedd rhywbeth tebyg i hyn.

Mam yn dod lan bob hyn a hyn, i ail-lenwi'r botel dŵr poeth a gofyn a o'n i eisiau cymryd rhywbeth at y boen. Doedd dim rhaid dweud llawer wrthi hi pan ddes i adre o'r clinic amser cinio ddydd Llun yn wyn fel shîten. Dyna pam mai un fach o'n i yn cael fy ngeni, roedd Mam wedi cael digon o broblemau mislif ei hun. Ufuddhau'n falch i'w gorchymyn i fynd i'r gwely. Dim ond un peth oedd yn ei phoeni nes mlaen,

'Sut ddest ti adre?'

'Ges i lifft 'da un o'r Chweched.'

Yr ateb annelwig yn ei bodloni'n syth. Roedd hi'n meddwl mod i'n fwy poblogaidd nag o'n i, chwarae teg iddi.

Dihuno ar ôl oriau o gwsg cyffuriau a'r boen yn waeth. Teimlo symudiad rhwng fy nghoesau a rhedeg i'r tŷ bach cyn i'r llif afon sbwylio'r shîts. Ar y tŷ bach, teimlo ofn mawr. Llond twll o ofn. Ofn methu deall beth oedd yn digwydd. Beth fyddai'n digwydd nesa? Ofn, o'n i'n marw? Eisiau gwthio a 'plop' fel carreg yn nŵr y toilet. Dychryn gweld y gwaed a meddwl pob math o bethau dwl. Ai nawr roedd y babi'n dod allan? Oedd y doctor wedi gwneud twll yn fy nghroth? A oeddwn yn colli fy nghroth? Llewygu ar y llawr a dihuno yn y gwely, gyda Dr Roberts wrth fy ochr a meddwl mai angel oedd e, neu freuddwyd.

'Wy'n fodlon mynd â ti i'r ysbyty, ond dwi ddim yn credu bod angen.' Gweld ei lygaid caredig. Clywed ei eiriau llawn awdurdod a theimlo'n well.

'Odi Mam 'ma?'

'Ofynnais i iddi nôl dŵr i ti.'

Y rhyddhad ei fod heb ddweud wrthi. Rhyddhad nad oedd e'n awgrymu fy mod yn dweud achos roedd e'n gwybod sut un oedd hi.

'Diolch,' gan wenu o feddwl bod yna un person oedd ar fy ochr i yn gyfan gwbwl.

Ac ar y pumed diwrnod daeth ymwelydd.

'Well i ti eistedd lan,' meddai Mam yn taro'r gobennydd i'w sythu, yn pwno'r glustog tu ôl i mhen.

Ufuddhau'n ddi-feddwl, er nad o'n i'n siŵr pam. Roedd Katie a finnau wedi rhannu gwely yn ein pyjamas, wedi rhannu cyfrinachau lu. Pan agorodd y drws, ro'n i'n deall. Nid Katie oedd yno ond Ger.

Mam yn codi'i haeliau'n awgrymog a phletio'i gwefus. Neb yn dweud dim, dim hyd yn oed, 'helô'. Ger fentrodd,

'Wedi dod â carden i ti o'r ysgol. Dwi ddim yn gwbod pam mai fi sy 'di cael y job. Achos bod car 'da fi sbo.'

A Mam yn rhoi dau a dau at ei gilydd ac yn gwneud pump a chymryd yn ganiataol mai Ger oedd wedi fy hebrwng o'r ysgol amser cinio dydd Llun.

'Wel diolch am ddod, ond paid â bod yn hir. Mae hi'n blino.' Doedd Mam ddim yn haerllug, ond dywedodd yn gadarn i gael gwared ar yr ymwelydd annisgwyl er mwyn iddi gael mynd ymlaen â'i gwaith.

'Beth fwytaist ti 'te?' Gofyn gwamal ar ôl i Mam ein gadael. Ger yn dal i sefyll. Pellter rhyngom.

Cofio ei fod e'n meddwl mai gwenwyn bwyd oedd arnaf. Dyna'r stori roedd Mam wedi ei dweud er mwyn arbed embaras 'problemau merched'.

'Dwi ddim yn siŵr.' Hynny ddim yn wir, a meddwl am y ddynes yn y gân yn llyncu pry'.

'Co ti 'te.' Paso'r garden i lenwi amser. Finnau'n rhoi fy mys mewn twll bach yn ymyl y 'v' ar gefn yr amlen a'i rhwygo fel cyllell.

'Gobeithio na fyddi di ddim yn siomedig bod dim enwau eraill ar y garden.'

Tri gair.

'Colli ti' a rhes o gusanau o dan ei enw fel croesau ar lyfr syms sâl.

'Wy'n siŵr bod pobol eraill yn meddwl amdanot ti 'fyd.'

'Ond o't ti ddim eisiau iddyn nhw wbod bo ti'n dod 'ma.'

Ei ben yn isel, gwybod ei fod ar fai. Ac yn lle teimlo cyffro ein cyfarfodydd cudd, gweld fy hun fel o'n i go iawn – ei gyfrinach fach frwnt.

'Alla i ddim 'i gadw fe.' Dal y garden led braich a'i wrthod gyda fy holl nerth.

Ei lygaid yn edrych arna i, yn chwilio, yn methu deall. Yna, oedi. Ddim yn siŵr beth i'w ddweud, beth i'w wneud.

'Ti isie i fi fynd?'

'Odw.'

Ffeinal. Fel y drws yn cau yn glatsh ar ei ôl. A'r dagrau wedi sychu erbyn i Mam ddod yn ei hôl gyda'r te croeso.

Sut y daeth Ger a finnau at ein gilydd.

Katie oedd fy ffrind penna yn yr ysgol. Ond roedd
yna ffrindiau eraill. Lisa, cymydog dau dŷ i lawr oddi
wrthym, yr oeddwn yn cael ei chwmni ar y bws. A
Sheila, Gwawr a Nia, y tair yn rhan o'n giang. Os
oedd yna arweinydd yn ein plith, mae'n siŵr mai
Katie oedd honno. Doedd hi ddim yn geffyl blaen
achos ei bod hi'n ast galed, ond o achos ei
ffraethineb naturiol. Roedd hi'n gweld goglais ym
mhob dim a fi oedd ei seid-cic, yn ei hannog trwy fy
chwerthin ac yn cynnig ambell linell fy hun. Os mai
hi oedd y comedïwr, fi oedd y ddynes strêt. Ond do'n
i ddim yn dawel yn y cysgodion chwaith . . .

Roedd hi'n arfer yn ein hysgol ni i'r chweched
dosbarth fod yn gyfrifol am *detention*. Dyna sut y
ffeindiodd pishyn ffit o'r Bedwaredd ei hun yn
rhannu mobeil gyda thipyn o gês o'r Chweched.

Doedd hi ddim yn arfer gennyf i fynd i gwrdd â
thrwbwl. Doedd yr athrawon ddim yn pigo arna i
achos roedd hen ddigon yn fy mhen ac ro'n i'n
gweithio hefyd, pan oedd rhaid.

Ro'n i'n ei nabod fel y mae rhywun yn nabod
pawb sy'n hŷn na nhw yn yr ysgol. Ro'n nhw'n
dweud ei fod yn sboner i Jasmine Doyle, nofwraig
benigamp a sgwenwraig straeon byrion. Yn y ffrwd
Saesneg roedd hi. Ond welais i erioed mo'r ddau
gyda'i gilydd er bod pobol yn dal i sôn amdani hyd
yn oed pan oedd y ddau ohonom yn caru.

Does yna ddim blynyddoedd mawr ers mod i'n ddisgybl ysgol, ond roedd pethau'n wahanol i'r hyn maen nhw nawr. Doedd hi ddim yn norm i ateb nôl i athrawon, er ein bod ni'n cega digon yn eu cefnau. Roedd cosbi corfforol wedi peidio ers rhai blynyddoedd, ond byddai athrawon yn disgyblu trwy fytheirio a bychanu. Doedd hi ddim yn arfer i ddysgu trwy ganmol ac annog, ond trwy gadw disgyblion dan y fawd. Pinacl dysgu da oedd cadw trefn, ac os oedd yna un yn meiddio codi'i ben uwch y pared rhaid oedd ei sathru dan draed yn syth. Do'n ni ddim gwaeth o gael ein trin fel hyn, cofiwch. Roedden ni'n ifanc a balch ac yn hollol argyhoeddiedig ein bod yn well na'r rhan fwya o athrawon.

Y prynhawn hwnnw, ro'n i wedi meddwi ar 'ginio' o'r fan – creision, Mars a chan o Coke – ac ar ddiddanwch Katie. Roedden ni'n dwy'n methu stopio tynnu hwyl drwy'r prynhawn; tynnu lluniau o Mr Elias Maths o'n i, a'i ben bach ar gorff gylfinir, i bortreadu ei ddiffyg direidi a syrffed ei wersi hir, pan drodd yn siarp oddi wrth y bwrdd du ac anelu bys cyhuddgar tuag ata i.

'Beth ddywedoch chi, Judith?'

'Dim byd.' Fe sobrais dipyn bach o gael fy nal, ond dim ond tewi fy afiaith wnes i.

'Glywais i chi, Judith Myfanwy. Nawr . . . beth ddywedoch chi?'

Dwi ddim yn gwybod beth ddaeth drosta i. Do'n i ddim mor hy â hynny fel arfer. Ond fe ddaeth y Gŵr Drwg i eistedd ar fy ysgwydd.

'Sdim rhaid i fi ddweud wrthoch chi 'te, os glywoch chi fi.'

'Oes rhywun wedi clymu dy dafod di?' gofynnodd Ger.

'Dwi ddim i fod i siarad nes i mi orffen y gwaith yma,' atebais gan esgus astudio fy llyfr gwaith yn fanwl. Ro'n i newydd gael fy mhen-blwydd yn bymtheg ac ro'n i'n ecseited bost am hynny.

'Ac wyt ti wastad yn gwneud beth mae pobol yn 'i ddweud wrthot ti?'

'Yn amlwg ddim – neu fyddwn i ddim yma yn y lle cynta.' Ro'n i'n ei herio o ddifri.

'Wel, ti wedi fy siomi i. Wy wedi colli ymarfer trombôn i fod fan hyn. Y peth lleia alli di wneud yw fy helpu i basio'r amser.'

'Y peth lleia alli di wneud yw fy helpu i gyda'r Maths yma a finnau wedi rhoi esgus i ti osgoi chwythu trombôn nes bo ti mas o bwff.' A dweud hynny er mod i'n gwybod bod Ger ym mand yr ysgol.

'Matrix?'

'Ie.'

'Deall dim. Ond wna i dy helpu di.'

Ro'n i'n mwynhau fy hun erbyn hyn.

'Fyddi di ddim lot o help 'te!'

'Synnet ti!' A dyma Ger yn mynd at y ddesg ac yn dechrau pori drwy'r llyfrau arno. Roedd siŵr o fod deg ar hugain ohonyn nhw, yn bentyrrau blêr. A phan ffeindiodd e'r hyn roedd e'n chwilio amdano fe arwyddodd i mi ddod draw. Llyfr gwersi Mr Elias

Maths oedd e, a wir i chi dyna lle roedd y syms wedi eu datrys mewn sgribls anniben.

Roedden ni'n teimlo'n ddrygionus yn copïo'r atebion yn fy llyfr innau – ond gydag ambell wyriad, rhag codi amheuaeth. Ro'n ni ar bigau'r drain y byddai Mr Elias yn dod yn ôl a'n dal, ei gamau trymion yn atseinio ar y grisiau pren tu allan. Ond ddaeth e ddim ac roedd hi'n fuddugoliaeth i'r bobol fach yn erbyn y bobol fawr ac fe deimlodd y ddau ohonom hynny. A dyna pam, rwy'n credu, y gwnaethon ni gusanu. Aeth chwarter awr heibio, mae'n siŵr. Ar y diwedd, dywedodd Ger,

'Wnei di'm dweud wrth neb am hyn?' Siglais fy mhen, heb wybod pam ro'n i'n cytuno.

Fe ddaeth Mr Elias 'nôl bryd hynny ac edrych dros fy ngwaith yn dawedog ac amneidio'i ben. Ddywedodd Ger ddim gair o ffarwel wrtha i na finnau wrtho yntau. Felly, aeth yn batrwm yn ein perthynas.

Fydden ni byth yn dweud 'helô' yn agored wrth ein gilydd, nac yn dangos unrhyw arwydd ein bod yn cydnabod ein gilydd, y byddai unrhyw un arall yn sylwi arno. Ond roedden ni'n dau'n gwybod bod yna ystyr ehangach i ben yn amneidio dipyn bach, rhyw gil-wên neu gyffwrdd braich hyd yn oed. Pob symudiad bach yn rhoi gwefr.

Fe aeth mynd i'w dŷ ar ôl ysgol i gael rhyw yn arferiad. Roedd e'n rhan mor naturiol o'r dydd â chofrestru neu yfed dŵr cyn cysgu. Y tro cynta, ro'n i'n meddwl mod i'n mynd i farw o boen! Ro'n i'n ofnus yr ail waith achos poen y tro cynta, felly, ces sioc bleserus i ganfod bod secs yn eitha neis mewn gwirionedd. Do'n ni ddim yn cael rhyw bob tro chwaith. Fe fydden ni'n gwneud pethau dwl fel mynd i'r parc i esgus bod yn blant bach neu i ben clogwyn i weiddi, ond dim ond os oedden ni'n saff na fyddai neb yn ein gweld.

Y mwya o amser ro'n i'n ei dreulio gyda Ger, y mwya oedd yr awydd i siarad amdano'n mynd. Ro'n i'n lico cadw'n dawel am ein perthynas. Ro'n i'n cael rhyw bŵer cyfrin o gadw pethau i fi fy hun.

Gwniadwraig oedd mam Ger a rhiant sengl, peth lled anarferol yn ein hardal ni bryd hynny. Roedd e'n dwlu arni hi, yn benfelen a glas ei llygaid fel fe. Do'n i ddim yn gwybod llawer mwy amdani na'r hyn welais i mewn lluniau yn ei thŷ, neu yn llygaid ei mab. Ond fues i yn ei thŷ cymen droeon. Roedd hi'n gweithio'n hwyr ac fe fyddwn yn mynd yno i garu cyn mynd adre am swper.

Un noson gofynnodd Ger i mi a o'n i ar y bilsen. Wir, do'n i ddim. A fedrwn i byth fod achos roedd ein meddyg teulu, Dr Roberts, bron fel aelod o'r teulu. Dywedodd Ger y byddai popeth yn oreit achos y byddai e'n ofalus. Felly buodd hi. Pan oedd yr anadlu trwm yn dechrau, fe fyddai'n tynnu ei hun allan, gydag ymdrech, ac yn gwasgaru ei had dros fy mol.

Fe welais fyd gwahanol, byd cyffrous, trwy lygaid Ger. Fe fydden yn bangio ein pennau i *heavy metal* ac yn darllen nofelau arswyd yn uchel. Fe fydden ni'n chwarae *strip jack poker* yn y lolfa â'r llenni ar agor a ninnau'n noeth, yn gwylio ffilmiau Richard

Pryor dro ar ôl tro a chwerthin nes ein bod ni'n sâl. Fe ddaeth â mi allan o fy myd bach plentynnaidd. Roedd hi'n werth talu'r pris o gymoni ar ein holau. Achos roedd mam Ger yn lico dod adre i dŷ twt. Yna, gallai gynhesu ei swper, rhwbio hylif ar ei bysedd briwiedig ac eistedd gyda dwy law ar freichiau'r gadair o flaen ei hoff opera sebon.

Roedd Ger yn berfformiwr o'i gorun i'w sawdl. Gallai fod yn dawel ac yn bwdlyd a nghadw i ar bigau'r drain, ond, fel arfer, fe fyddwn yn ffeindio rhyw ffordd o godi'i ysbryd. Fe fydden ni'n siarad am bopeth.

Roedd e eisiau gwraig a phlant a thŷ mawr, y byddai'n eu cynnal gyda'i sioe un dyn.

Ro'n i eisiau gŵr a phlant a thŷ ar lan y môr, a job fyddai'n talu'n dda ond do'n i ddim yn gwybod beth. Ac ro'n i'n bwriadu rhoi'r gorau i ngyrfa i fagu plant.

Do'n i ddim yn meddwl am funud y bydden ni'n gwneud y pethau yma gyda'n gilydd.

Ond am ryw gyfnod roedden ni'n caru'n gilydd ar y slei. A doedd dim cyffro tebyg i gadw'r gyfrinach. Ro'n i wrth fy modd gyda Ger a'i sbort a'i lygaid glas yn sgleinio arna i, ac roedd yntau wrth ei fodd gyda fi a fy siarad yn fy nghyfer a mronnau a nghluniau mawrion. Sylwodd e ddim ar y peth arall – ar y bol mawr yn pallu stopio tyfu.

'Doed hi arna i fel y dêl. Mae mola bach i fel y bêl.'

Doedd fawr o hwyl ar yr un ohonom yn mynd i'r clwb colli pwysau. Roedd Lowri'n rhy flin i siarad. Dim pip hyd yn oed am ei 'swydd wych' newydd. Roedd Erin wedi trio dod allan ohoni'n llwyr trwy gynnig gael y plant. Ond newidiodd ei meddwl ar y funud ola – a chyda'r plant yn fy lolfa eisoes – a gofyn i Brei ddod i garco am awr. Doedd e ddim yn bleserus ei chlywed yn begian ar y ffôn ac rwy'n meddwl ein bod ni'n dau yn falch pan gadwais i allan o ffordd Brei nes iddi adael y tŷ. A finnau? Ro'n i ar bigau'r drain ers cael y garden ac ers i Erin (y rheswm pam ro'n i wedi gorfod llosgi'r garden) ddweud hyn.

'Wy'n credu bod e'n lyfli bo chi'ch dau gyda'ch gilydd o hyd.'

Roedd e'n swnio fel *compliment* i ddechrau. Ond beth oedd ystyr yr 'o hyd'? Roedd yn rhaid i mi ofyn, wrth gwrs.

'Wel, dyw e ddim yn debygol o ddod nôl o farw'n fyw odi e? Ar Y Gwm wy'n feddwl?' meddai Erin.

Do'n i ddim yn deall, a dywedais hynny.

'Wel, mae e'n gwbod hynny ers sbel. Felly, fe ddwedodd e gelwydd, dofe? Fe dwyllodd e ni i feddwl ei fod e'n actor sebon mowr, pan mewn gwirionedd roedd e, wel, ti sy'n gwbod . . . beth mae e'n wneud nawr?'

Ro'n i wedi bwriadu starfo fy hun cyn y clwb er mwyn pwyso llai ar y dafol – yn arbennig ar ôl i ni i gyd ei gor-wneud hi ym mharti dathlu dyrchafiad Lowri. Ond bwytais i swper mawr o frechdan bara gwyn a chaws a chreision – a banana yn bwdin iach, a bar ffrwythau a hadau am fy mod wedi bod mor iach yn cael banana! (Roedd y bar ffrwythau a hadau'n cynnwys mwy o galorïau na siocled erbyn ffeindio ar ôl i mi astudio'r papur.) Dyna pam benderfynais i adael y gardigan adre i leihau'r pwysau (yn llythrennol) ac fe gyrhaeddais i'r clwb yn crynu.

'Dere Sheryl fach i ni gael dy bwyso di.' Roedd Pat yn ei helfen, ei llygaid yn sgleinio mewn cyffro a'i breichiau a'i dwylo'n mynd i gyd.

Fel arfer, fe fyddwn wedi bod fel cath ar dranau yn poeni bod Pat am gynnau'r fflam fyddai'n tanio tymer Lowri. Ro'n i'n disgwyl tân gwyllt. Ond heno ro'n i ormod ymhlyg yn fy mhoenau fy hun i fynd i gwrdd â gofid ar gownt eraill. Ac ro'n i'n chwys domen bod Huw heb gyrraedd.

'Hanner pwys i ffwrdd! Mae hynny'n golygu bo ti i lawr i wyth stôn a dau bwys!' Roedd hi'n sgrechen siarad ar donfedd stlumod, ffaith yr oedd Beryl casglu arian clwb yn ei danlinellu trwy roi ei dwylo am ei chlustiau bob hyn a hyn. Ond, yn sydyn, fe gododd cywair ei chrawcian fyny i donfedd arall.

'O llongyfarchiadau, Sheryl! Ti wedi cyrraedd target! Glywsoch chi, bawb? Mae Sheryl wedi cyrraedd target a fydd hi'n gallu gwisgo bicini ar y mis mêl yna nawr.'

'Yippi-ffycin-tastic,' oedd ymateb Lowri, ond dan ei gwynt, diolch i'r drefn.

'Wel, beth y'n ni'n dweud? Pawb i gymeradwyo!' Dechreuodd Pat guro dwylo fel dynes ddwl. Lwc nad oedd hi'n gallu gweld ei hun mewn drych. Ymunais yn y curo dwylo'n ddifeddwl, fel y gwnaeth Erin a Heulwen Darling a Hannah Metcalfe (oedd wedi ymddangos fel petai trwy wyrth) a Beryl, ar hyd ei thin. Fel y gwnaeth pawb ond Lowri, oedd yn methu cymeradwyo gan ei bod y funud honno wedi rhoi ei phen ôl yn glatsh ar ei dwylo.

'A beth yw'r gyfrinach, Sheryl? Dere nawr. Dywed wrthon ni i gyd!' Roedd Pat fel athrawes gyffredin sydd wedi hyfforddi disgybl A-seren.

Edrychai Sheryl dipyn bach yn swil ynghanol y sylw.

'Wel . . .' Ro'n i prin yn gallu ei chlywed. Roedd ei llais mor fain â llinyn ei wast. 'Wel, dwi ddim yn gwbod a dweud y gwir.'

Doedd Pat ddim yn rhy hapus gyda hyn.

'Dere mlân, Sheryl fach. Rhaid bo ti wedi gwneud rhwbeth yn wahanol i golli'r holl bwysau yna.'

'Dim ond hanner stôn mae hi wedi'i golli,' hisiodd Lowri oedd wedi methu colli hanner stôn ei hun.

'Rhaid bod gennyt ti rhyw gyfrinach,' meddai Pat i'w sbarduno.

Pesychodd Sheryl yn uchel.

'Wy wedi bwyta'n iach a mynd i'r gampfa dair gwaith yr wythnos.'

Dyna'r peth diwetha roedden ni eisiau ei glywed!

Agorodd Pat ddyddiadur bwyd Sheryl. Do'n i

ddim yn siŵr ond meddyliais i mi weld Sheryl yn arswydo wrth iddi ddechrau darllen ar goedd.

'Dyma ni. Gwrandwch ar hyn, ferched. Fel hyn mae ei gwneud hi! Brecwast – Weetabix a llaeth *semi-skimmed* . . . O, ardderchog! Cinio – Ryvita a tiwna a iogwrt braster isel . . . O, Sheryl. Mi wyt ti'n seren fach! Swper – *Chicken Korma*? *Pilau Rice* a *Keema Naan*? Hufen ia a photel o win . . .?' Roedd Pat yn gegrwth. A dyna pryd y dechreuodd Lowri gymeradwyo. A, wir, o fewn dim roedd pawb wedi ymuno â hi.

Pwy a ŵyr beth aeth trwy feddwl Huw pan ddaeth i mewn drwy'r drws a chlywed hanner dwsin o fenywod yn gweiddi'n wyllt. Hwyrach ei fod fel actor wedi breuddwydio am y peth droeon ar un amser, cyn i'w wallt ddechrau teneuo, cyn i'w sêr ddechrau pylu. Doedd e ddim yn ymddangos fel petai'n poeni rhyw lawer. Daeth i mewn ac eistedd i lawr yn ddiffwdan. Cododd ei ben arna i a gwenu ac fe wnaeth fy mol naid tin-dros-ben er fy ngwaetha. Ro'n i'n disgwyl i Pat i'w alw mlaen – er ein bod ni i gyd yn disgwyl cael ein pwyso. Ond, wir, trodd Pat ei chefn a'r enw nesa iddi alw oedd enw Heulwen Darling, oedd ar ei ffordd nôl o'r tŷ bach, ffefryn arall oedd yn llwyddo i golli'n gyson. Ac fe wnaeth honno sbloet o gamu ar y scêls, gan wneud yn siŵr bod pob llygad arni.

Roedd Heulwen wedi colli pwys – a chollais innau fy amynedd pan ddechreuodd ymddwyn fel *diva* mewn drama neuadd bentre.

Yr unig beth oedd Hannah Metcalfe wedi'i golli oedd sawl noson glwb, cymaint felly nes i Beryl ddweud y byddai'n rhatach iddi ailymuno fel *new joiner* na thalu am bob dosbarth roedd wedi'i fethu. Ond o leia byddai gwybod ei bod wedi magu pedwar pwys yn dipyn o hwb iddi fod bach mwy ffyddlon. Doedd Erin heb golli nac ennill dim, ac ro'n i'n eitha ples mai dim ond un pwys ro'n i wedi ei roi mlaen o gofio cyffro'r diwrnodau diwetha. Ddangosais i mo hynny i Pat, achos do'n i ddim yn meddwl bod 'teimlo'n bles mai dim ond un roeddech chi'n roi mlaen' yn ysbryd clwb colli pwysau rywffordd.

Ro'n i'n dyfalu bod Lowri'n ofni'r gwaetha hefyd, achos pan ddaeth ei thro fe ddwedodd wrth Huw am fynd gynta. Ro'n i'n disgwyl y byddai llygaid Pat yn pefrio at hyn – yn arbennig ar ôl i Lowri ddweud yn y parti bod Pat yn ei ffansïo (a wir, do'n i ddim wedi sylwi). Ond roedd hi'n reit ffwr-bwt ag e.

'Ti byw 'te.' A dweud yn sych. Byddai wedi bod yn beth ofnadwy i'w ddweud petai e wedi marw.

Gwenodd Huw a gwyro'i ben fel crwt bach. Dwi ddim yn meddwl ei fod yn gwybod yn iawn beth i'w ddweud fyddai'n ei phlesio.

'Roedd Daniel yn gymeriad da. Ges i lot o storïau cryf gan Y Gwm dros y blynyddoedd, mentrodd.'

Ond doedd hynny ddim yn ei phlesio,

'A beth sy nesa? Hollywood?' A chyn iddo gael cyfle i ateb. 'Wy'n gwbod beth sy nesa. Mae gen i gysylltiadau yn y diwydiant hefyd.'

Dechreuodd fy nghalon guro'n gyflym. Oedd Pat yn dweud y gwir?

Camodd Huw ar y scêls.

'Beth wyt ti'n ei wneud?' gofynnodd Pat yn siarp.

304

'Cael fy mhwyso – os yw hynny'n iawn?' Roedd Huw yn trio bod yn ŵr bonheddig.

'Huw bach! Does dim rhaid i ni esgus rhagor. Ni'n dau'n gwbod bo ti ddim yma achos bo ti isie colli pwysau. Rwyt ti yma achos bo ti'n gwneud ymchwil ar gyfer rhaglen ddogfen am golli pwysau.'

Teimlais fel petai rhywun wedi taflu peiriant pwysau'n glewt at fy mol. Meddyliais am yr holl bethau ro'n i wedi eu dweud yn gyfrinachol wrth Huw gan feddwl mai rhannu o'n i, mai dyna oedd yn rhaid ei wneud i gadw perthynas!

Ai dyna'r oll oeddwn iddo fe? Ymchwil?!

Roedd y gynulleidfa'n gwylio'n astud, fel petaent wedi bachu'r seddau gorau ar gyfer sioe y flwyddyn.

Roedd Huw yn benderfynol o gael dweud ei ddweud.

'Sdim llawer o *leading men* tew ar y teledu. A chan fy mod i'n gwbod ei bod hi'n a-men i mi yn Y Gwm a mod i'n heneiddio, roedd angen i mi ddechrau gofalu ar ôl fy hun a mhwysau . . .'

'A'r rhaglen ddogfen am golli pwysau?' Roedd llygaid Pat yn fflachio.

'Nes mlân daeth y cyfle i wneud rhaglen am golli pwysau. Digwydd sôn wrth rywun mod i wrthi'n slimo ac roedd hwnnw'n nabod rhywun arall â slot wag i'w lenwi. Fel'na mae pethau'n digwydd yn y diwydiant. Bywyd ansicr yw e.' Dwi ddim yn gwybod at bwy roedd e'n cyfeirio'i araith ddiwetha – ati hi Pat neu ata i yn y gynulleidfa. Ochneidiodd a chamu oddi ar y scêls fel paffiwr wedi cael ei guro.

Roedd fy nghalon yn gwaedu drosto. Daeth Pat i uchafbwynt yr olygfa.

'Wel y diawl bach dan-din! Y twyllwr bach celwyddog! Y bastad bach anonest!'

Fe ddywedodd hi bopeth y dylwn i fod wedi'i ddweud. A phwy gynigiodd fod yn llais i Huw? Neb llai na Lowri.

'Fy nhro i sy nesa.' Camodd tua'r blaen.

'Ie, dewch chi Lowri ar y scêls. Mae Huw wedi gorffen.'

Nodiodd Huw ei ben yn ufudd. Ond gafaelodd Lowri yn ei fraich a'i stopio rhag mynd oddi yno â'i ben yn ei blu.

'Beth yw'r hen ddywediad yna am dai gwydr a cherrig, Pat . . .?'

'Sai'n gwbod.' Edrychai Pat yn annifyr.

'Mae'n amlwg eich bod chi'n meddwl ei bod hi'n bwysig iawn i "fod yn onest" a "pheidio â thwyllo". Felly, rhyfedd iawn bo chi'n gallu galw eich hun yn rheolwr colli pwysau.'

'Dd'wedes i! Mae hi'n *bulimic*,' sibrydodd Erin yn gyffrous. Allwn i ddim rhannu ei chyffro achos do'n i ddim yn gwybod beth i'w feddwl am ddim.

'Does dim rhyfedd bo chi'n dweud pethau mor anffodus wrthon ni bob wythnos. Does dim syniad 'da chi, oes e? Does dim problem colli pwysau wedi bod ganddoch chi erioed!'

Gallwn deimlo'r ias drydanol yn sgubo trwy bawb. Heulwen Darling oedd y fwya anniddig, fel iâr yn dodwy wy.

'Ddywedodd Huw ddim wrthon ni am farwolaeth Daniel Carr achos doedd e ddim yn *cael* dweud! Roedd e yn ei gytundeb! *So what?* A beth os yw e'n

306

gwneud rhaglen ddogfen am golli pwysau? *So what?*
Mae'n rhaid i bawb ennill crystyn – '

'A dyna wy'n ei wneud hefyd.' Torrodd Pat ar ei thraws, ond roedd hi bron yn ei dagrau.

'Trwy dwyllo – ond mae'n amod gyda'r cwmni . . . rhaid bod pob rheolwr wedi ennill y frwydr colli pwysau ei hun. Welais i dy droli di. Dwyt ti ddim wedi bod yn dew erioed, wyt ti?'

Crymodd Pat ei phen a mwmial rhywbeth.

'Beth?' gwaeddodd Lowri a dangos pam ei bod yn rheolwr mor effeithiol ei hun.

Cododd Pat ei phen rhyw fymryn bach.

'Wy'n gallu bwyta beth bynnag wy eisiau heb roi owns ymlaen . . .'

A dyna'r sioc a ddenodd ebychiad mwya'r noson.

Daeth Lowri yn ôl i'w sedd, ond dim ond i gasglu'i phethau . . . wel, dim ond i gasglu'i phethau ac i sibrwd yng nghlust Heulwen Darling. Glywais i beth ddywedodd hi hefyd, bob gair.

'Welais i'r tabledi dŵr yn dy fag, felly wy'n gwbod amdanot ti hefyd, Heulwen. Dim rhyfedd dy fod ti'n mynd i'r tŷ bach cyn cael dy bwyso bob tro. Cofia beth ddywedodd Sheryl Tizer. Bwyta'n iach ac ymarfer corff – a pheidio â theimlo'n euog am ambell drît. Cofia di, wy'n credu dy fod ti bach yn hen i wisgo bicini fy hun.'

Ac roedd yn rhaid i mi wenu.

Ar ôl hynny, fe fynnodd Lowri ein bod yn mynd adre'n syth a ches i ddim cyfle i ddatrys pethau gyda Huw un ffordd neu'r llall.

'Gwyn neu goch? Sdim hast arnot ti fynd 'nôl at Ken, Low?' Dyna i gyd ddywedais i.

Torrodd Lowri i lefain y glaw. Llefain caled o'i chrombil. Do'n i ddim yn gwybod beth i'w wneud achos do'n i ddim wedi ei gweld yn dangos emosiwn o'r blaen – a dwi ddim yn meddwl hynny'n gas achos ro'n i'n meddwl ei fod e'n grêt bod ganddi gymaint o hunan-reolaeth. A rhaid bod Erin yn teimlo'r un mor lletchwith â mi achos safodd y ddwy ohonon ni yno, yn syllu fel dwy ddelw, nes i'r crio stopio mor sydyn ag y dechreuodd. Yna, yn ddideimlad, fe ddywedodd Lowri y newyddion wrthym.

'Mae Ken wedi cwpla 'da fi.'

'Ond pam?' gofynnodd Erin, unwaith iddi ddod dros y sioc. Roedd y crych yn ei llygaid yn dangos nad oedd hi'n gallu dod dros y peth. A fi? Ro'n i'n dechrau deall. Ac ro'n i'n syfrdan am fy rhesymau fy hun.

Doedd hi'n ddim syrpreis nad oedd Lowri mewn hwyliau i ateb cwestiynau'n ufudd.

'Fe allai golli ei swydd o'm herwydd i,' meddai.

'Wneith e ddim colli ei swydd.' Triais yn galed i'w chysuro – ac i gau ei cheg rhag iddi adael y gath o'r cwd. Ond doedd dim yn tycio.

'Shwt wyt ti'n gwbod?' arthiodd a phenderfynais gau fy ngheg a gadael i'r anochel ddigwydd.

'Ti'n meddwl bo ti mor blydi perffaith!' Do'n i ddim yn gweld bai am Lowri am fod yn ypset, ond roedd hynny'n annheg braidd. 'A dwyt ti ddim, wyt ti? Er bod Ken wedi dy roi ar bedestal.'

'Dyw e ddim, Lowri fach! Ti ma' Ken yn ei charu. Teimlo'n flin drosta i mae Ken, 'na'i gyd.'

A Lowri'n gweiddi wedyn, dros y lle i gyd, fel na allai'r tŷ i gyd lai na'i chlywed.

'Teimlo'n flin drosto ti! Pam? Achos bo ti wedi cael babi?!'

'Gest ti fabi.' Nid Erin siaradodd ond Brei. Roedd e wedi dod i sefyll yn y cysgod ger y drws. Nid gofyn yr oedd e, ond dweud. Achos roedd e'n gwybod ers parti dathlu dyrchafiad Lowri.

Roedd y llythyr oddi wrth Ger. Dyna o'n ei alw nawr, achos dyna sut ro'n i'n ei nabod. GER. G ER. Gŵr Erin.

Roedd y llythyr oddi wrth Brei.

Pwy oedd yn gwybod am yr erthyliad oni bai amdana i a Dr Roberts? Do'n i ddim wedi dweud wrth Brei mod i'n erthylu ein babi. Do'n i ddim wedi dweud wrth Brei bod yna fabi o gwbwl. Ond ro'n i wedi gorfod dweud wrth un arall. A hynny'n ddiweddar iawn.

Pan es i i'r syrjeri i ofyn am gael mynd ar y bilsen i mi gael caru gyda Huw, ro'n i wedi ffeindio bod yna bris i'w dalu am brescripsiwn, am garu heb ganlyniadau. Y pris oedd gwybodaeth. A thalais i'n ddrud. Roedd Dr Ken am i mi ateb rhestr hir o gwestiynau – i wneud yn siŵr ei bod hi'n ddiogel i mi gymryd y bilsen ac iddo yntau gael gwarchod ei hun. Un o'r cwestiynau oedd, 'Ydych chi erioed wedi bod yn feichiog?' Gallaf ddychmygu pa ateb yr oedd yn ei ddisgwyl gan y fenyw dawel y cytunodd i fod yn 'sboner' iddi sbel nôl achos nad oedd ganddi gariad ei hun. Fe driodd yn galed i guddio'i syndod. A bu bron iawn iddo lwyddo, ond bod ei ofal amdanaf wedi bod yn amlwg fyth oddi ar hynny.

Teimlais fy nhu mewn yn gymysg i gyd. Ro'n i'n trio'n galed i beidio â chasáu Dr Ken am ddweud wrth Lowri mod i wedi erthylu babi. Ond ro'n i'n gwybod mai dyna roedd wedi'i wneud. Ro'n i'n gwybod hynny cyn gynted ag y gwelais i'r garden. Wrth ei ddarllen cofiais am Lowri a Brei yn ffraeo yn y parti. Do'n i ddim yn gwybod beth oedd wedi codi yn ei phen i ddweud, ond allwn i byth fod yn rhy galed ar fy ffrind. Gwyddwn mai dweud yn ei diod wnaeth hi. Ac os oedd hi'n eiddigeddus o ofal Dr Ken amdanaf, rhaid i minnau ysgwyddo'r bai am hynny.

'Pryd gest ti fabi?' Edrychodd Erin arna i fel petai'n fy ngweld am y tro cynta. Roedden ni'n ffrindiau gorau ers blynyddoedd a do'n i ddim wedi dweud wrthi am y peth pwysica oedd wedi digwydd i mi erioed.

Roedd fy ngwddw mor sych ro'n i bron iawn â methu siarad.

'Ches i ddim . . . Allwn i byth gael babi . . .' Roedd pob gair fel cyfogi carreg i fyny fy nghorn gwddw.

'Gafodd hi erthyliad!'

Os oedd Erin yn syllu arna i fel ar anrheg newydd sbon, roedd Lowri'n methu edrych arna i o gwbwl.

'Ofnadwy!' Roedd dagrau yn llygaid Erin. 'Yn yr

ysgol o't ti?' Roedd hi mor dyner, yn ffrind mor driw.

'Oedd dy fam yn gwbod?' Camodd Brei o'r cysgod.

Siglais fy mhen. Roedd hynny'n haws na siarad.

'Est ti drwyddo fe ar dy ben dy hunan bach!' Teimlai Erin drosta i i'r byw ac roedd hynny'n waeth na gweiddi.

'Gest ti erthyliad achos bo ti ffaelu dweud wrth neb bod ti'n disgwyl. Petait ti wedi dweud, bydden i wedi dy helpu di.' Roedd llygaid Brei yn galed fel ei eiriau.

'Gad hi fod, Brei! Pwy fusnes yw e i ti ta beth?' Cododd Erin ei braich i nghofleidio. Yna, rhyw hanner ffordd rhwng gwneud a pheidio, rhaid ei bod hi wedi meddwl eto am beth ddywedodd Brei.

'Pam y byddet ti isie helpu Judith?' Troiodd at ei gŵr. 'Dim ti oedd tad y babi . . .'

Stopiodd ei llaw rhyw hanner ffordd, a chyda holl nerth ei chynddaredd fe dynnodd y llaw y tu ôl iddi fel petai'n chwarae tennis. Brei gafodd y fonclust gynta. Ond roedd y nesa i mi.

Oedd, roedd y cerdyn oddi wrth Ger. Achos dyna sut ro'n i'n ei nabod ers iddo briodi fy ffrind. GER. G Er. Gŵr Erin.

Roedd y cerdyn oddi wrth Brei, a Brei oedd tad y baban bach na chafodd fod yn fabi.

TAMED 32

'Mae'n rhaid i ni roi'r gorau i feddwl bod bwyd yn beryglus. Mae peidio â bwyta yn gallu lladd.'

Mis yn ddiweddarach

Doedd hi ddim yn beth hawdd i fyw yn fy nghroen yn gwybod sut roedd Erin yn teimlo. Ac roedd ganddi resymau hollol ddilys dros gredu iddi gael ei thwyllo gan ei gŵr, gan ei ffrind gorau. Roedd hynny'n fy lladd, achos mae'n gas gen i gwympo mas gyda neb. Hyd yn oed pobol nad wyf yn eu nabod yn dda. Hyd yn oed pobol sy'n haeddu cael eu rhoi yn eu lle.

Roedd yn rhaid chwilio am ryw gysur yn rhywle, a ches hwnnw o'r ffaith nad oedd Brei na finnau wedi bwriadu camarwain Erin. Pan ges fy nghyflwyno i Brei am y tro cynta gan Erin, fe ddylen ni fod wedi dweud yn syth ein bod yn nabod ein gilydd yn yr ysgol, ein bod yn gariadon cudd ar un adeg. Ond ddywedodd Brei ddim byd ac, felly, ddywedais innau ddim chwaith. Yna, roedd yn debyg i'r sefyllfa gyda'r gymdoges yn galw "Primrose" ar wryw pybyr fel Mister Pringles, roedd rhywun wedi colli ei gyfle rhyw ffordd. A'r mwya yr oedd amser yn mynd yn ei flaen, y gwaetha oedd y gyfrinach.

Roedd e'n wahanol gyda'r babi. Peidio â dweud yn fwriadol wnes i gyda hwnnw.

Fe symudodd Erin o'r tŷ y noson honno, y noson ar ôl y clwb colli pwysau mwya cyffrous erioed, ac fe

gysgodd y nos yn y stafell sbâr yn ei chartre hi a Brei. Doedd ganddi fawr o ddewis drannoeth ond ffonio'i mam a mynd at honno dros dro, a'r efeilliaid gyda hi y tro yma, er bod hynny'n golygu symud i ganol cefn gwlad. Dim hylifau wyneb drud na thriniaethau newydd iddi hi, a newid ysgol feithrin i Gwern a Gwen.

Weithiau, mae'n well tewi. Peidio â dweud rhai gwirioneddau, er mwyn arbed poen. Ro'n i wedi mynd i gredu hynny. Oherwydd hynny, roedd hi wedi mynd yn anodd i mi ddweud pob mathau o bethau.

Ond sylweddolais yn ddigon cyflym y byddwn yn colli ffrind mynwesol petawn i ddim yn codi'r ffôn ar Erin, a gorfodais fy hun i wneud hynny â fy ngwynt yn fy nwrn. Rwy'n falch i ddweud ein bod yn siarad nawr ac rwy dal yn obeithiol y byddwn yn ffrindiau eto rhyw ddiwrnod.

Roedd Erin a'r efeilliaid yng nghefn gwlad gyda'i mam o hyd, ac er mor anodd oedd hynny arni, doedd hi ddim yn chwilio am fflat yn y dre. Roedd yna lygedyn o obaith i'r briodas achos hynny. Rwy'n gwybod gan Erin ei bod hithau a Brei yn canlyn ar hyn o bryd. Ond roedden nhw wedi penderfynu peidio â chael rhyw nes iddyn nhw ddod i nabod ei gilydd yn well.

Ro'n i newydd gael gwared ar Erin. A byddai Mister Pringles yn siŵr o fod yn ychwanegu 'gwynt teg ar ei hôl', achos roedd golwg frenhinol arno ar ei orsedd yn llyfu ei hun yn urddasol. Ond feddyliais i am

funud ein bod ar fin cael lojer newydd pan landiodd Mam a Robin ar y stepen drws un bore Sadwrn. Roedd golwg wyllt ar y ddau – Robin yn edrych o'i gwmpas i bob cyfeiriad fel petai *hitman* ar ei ôl, a Mam â'i gwallt twt arferol fel nyth brân.

'Wedi dod i rannu'r newyddion y'n ni,' meddai Mam yn gyffrous a helpu'i hun i ddishgled gryf a bisgeden cyn i mi gael cyfle i gynnig.

'Ble mae Dad heddiw?' mentrais ofyn tra bod Mam yn dyfyrio nad oedd gennyf fisgedi siocled, dim ond rhyw 'hen bethau plaen'.

'Pwy a ŵyr? Yng nghanol ei bethe ei hunan, alli di fentro.' Siglodd ei phen a chnoi un o'r 'hen bethau plaen' gydag awch. 'Dyna pam y'n ni 'ma', t'wel. Ti'n siŵr o fod yn geso bod rhwbeth ar y gweill . . .'

Teimlai fel petai hi wedi rhoi llaw ar fy nghalon. Ro'n i wedi bod yn dyfalu pob mathau o bethau. Ond ro'n i wedi gobeithio mai meddwl gormod oedd fy mhroblem i erioed.

'Do, wy wedi dyfalu.' Ro'n i'n swnio'n fwy digyffro nag o'n i'n ei deimlo.

'A beth wyt ti'n meddwl o dy fam, 'te?' Robin oedd yn holi tro yma. Roedd ei lygaid yn pefrio.

Rwy'n falch na wnes i ruthro i ddweud sut ro'n i'n ei deimlo am y ffaith bod fy mam yn bwriadu gadael fy nhad er mwyn mynd i fyw at 'nyrs'. Rhoddodd hynny gyfle i Mam achub y blaen arnaf.

'Ry'n ni wedi arwyddo bore 'ma! Dyna pam mae golwg mor anniben arnon ni. Redon ni'r holl ffordd

o'r asiantaeth dai!' Tynnodd Mam grib o'i bag a dechrau tacluso tipyn bach ar ei mwng.

'*Walking in the air!*' meddai Robin gan siglo'i wallt yntau'n stroclyd.

'Arwyddo'n barod? Ry'ch chi wedi symud yn gyflym.' Ro'n i'n gynnwrf i gyd tu mewn.

'Does dim amser i'w wastraffu yn ein hoedran ni.'

'*Speak for yourself*, Missus . . .'

'Yn fy oedran i, 'te.'

Estynnodd Mister Pringles ei goesau a'i freichiau gan riddfan yn uchel fel hen ddyn. Doedd e ddim yn rhannu eu cyffro chwaith.

'Well i ti ddymuno'n dda i ni 'te – yn y fenter newydd . . .'

Ro'n i'n gwybod bod Mam yn gallu bod yn wynebgaled, ond roedd hyn yn anhygoel.

'Dwyt ti ddim wedi dweud ein henw newydd eto!' Roedd Robin yn neidio lan a lawr yn ei sedd fel bachgen bach.

Sylweddolais nad oeddwn yn gwybod beth oedd cyfenw Robin – y cyfenw y byddai Mam yn ei gymryd unwaith iddyn nhw briodi. Ro'n i'n ofni'r gwaetha achos roedd Robin yn ddigon gwahanol.

'*Rob and Brends Crikey Reiki – Alternative Health for your Long Term Wealth.*' Sgrechiodd Robin yn llon.

Roedd yna ddistawrwydd llwyr am hir. Roedd fy nghalon yn rasio o hyd. Ond y rhyddhad! Do'n nhw ddim yn priodi! Dechrau busnes o'n nhw!

'Dyw hi ddim yn lico'r enw.' Robin oedd y cynta i siarad.

'Achos bod e'n Saesneg. Wel, gei di Judith y gwaith o ffeindio cyfieithiad Cymraeg!'

'Beth ti'n ddweud 'te?' Robin yn fy annog i'w canmol.

'Ie, beth ti'n weud? Ti'n falch bo dy fam yn *entrepeneur*?'

'Wy wrth fy modd, wir i chi! Wy wrth fy modd.' Roedd hi'n anodd peidio â chrio!

Roedd Mam a Robin yn barod i fynd. Edrychodd Robin arna i ac edrych eto.

'Ti 'di gwneud rhywbeth i dy wallt,' meddai.

'Ei olchi fe, dyna i gyd.'

'*Blusher* newydd 'te?'

Blusher! O gofio popeth oedd wedi digwydd, y peth diwetha ar fy meddwl oedd colur.

'Wel, mae rhywbeth yn wahanol amdanot ti . . .'

'Wy wedi colli bach o bwysau.' Fe bwysleisiais y 'bach' – achos mai dyna oedd y gwir, ac nid achos mod i ofn Mam.

'Colli pwyse!' ebychodd.

Rwy'n dweud wrthych chi, byddai'n well ganddi mod i'n bwriadu lawnsio fy hun i'r gofod ar gefn barcud!

'Ie. Dyna ble gwrddais i â Huw ac ry'n ni wedi dod yn dipyn o ffrindiau.'

'Ma' *boyfriend* 'da ti!' meddai Robin.

'Mae sawl un 'da hi!' Sniffiodd Mam yn snichlyd.

'Nag oes, Mam. Ffrind yw Kenneth Singh. Ffrind da iawn hefyd. Ond mae Huw a finnau'n fwy na ffrindiau, wel, o'n ni beth bynnag . . .'

'Lovers' tiff?'

'Rhywbeth fel'na.'

Roedd gan Mam fwy o ddiddordeb yn y garwriaeth na'r problemau carwriaethol.

'A dyna pwy welodd Dad yn mynd mewn i'r tŷ yn hwyr y nos?' gofynnodd.

'Ie.'

'Felly mae e wedi bod yma . . . ?'

Doedd bosib ei bod am roi pregeth i mi am gadw fy hun yn bur a hithau'n 'dawnsio' gyda Robin ers wythnosau. Ond nid dyna oedd yn poeni Mam, erbyn ffeindio.

'Ac mae'r cwrci blewog yna wedi cael ei gyfarfod e cyn dy fam?'

'Ond mae Mister Pringles yn byw yma,' meddais.

'Hy! Y peth gorau wnest ti oedd torri ei bishyn e bant.'

'Mam!' Roedd hi wedi mynd yn rhy bell ac fe ddywedais i hynny! Roedd dewis eich geiriau'n ofalus i beidio â brifo rhywun yn un peth. Ond roedd hi'n well dweud yn ddiffwdan, os am osgoi camddealltwriaeth.

Roedd Robin wedi mynd drwy'r drws pan arhosodd Mam ar y rhiniog.

'Wy'n gobeithio y byddwch chi'n hapus. Falle y galli di symud mlân o'r diwedd.'

'Chi'n gwybod, on'd y'ch chi?' Ro'n i wedi amau ers i mi ddod nôl o'r clinic yn sâl y diwrnod hwnnw.

'Odw.'

'Odi Dad yn gwbod?'

'Nagyw. Paid â becso am hynny nawr, Judith fach. Daw fory eto.'

A wir, rwy'n meddwl mai dyna'r peth neisa mae hi wedi'i ddweud wrtha i erioed.

Does neb yn gofyn am gael gofid, ond mae rhyw adegau du yn dangos i chi pwy yw'ch ffrindiau. Roedd Lowri wedi cadw cefn Huw er fy mwyn yn y clwb colli pwysau gorau erioed, ac rwy'n ddiolchgar tu hwnt iddi am hynny, beth bynnag ddigwyddodd wedyn.

Gan Lowri y clywais i bod Pat wedi colli'i swydd reoli gyda Tew Cymru – a'i bod wedi cael swydd newydd fel hyfforddwr ffitrwydd yn y *Mixed Fitness Suite* yng nghanol y dre.

'Ble mae hwnnw 'te?' Do'n i erioed wedi clywed am y lle.

'Drws nesa i'r *Chinese Takeaway*.' Roedd Lowri'n gwybod popeth fel arfer.

Ac ro'n innau'n gwybod ble roedd e wedyn.

Ro'n i'n falch bod Pat yn hapus, achos ro'n i'n teimlo'n euog am hynny hefyd.

'Mae hi wrth ei bodd,' meddai Lowri wrth i mi cael *gin* a tonic calori isel amser cinio achos ei fod yn well i ni na gwin.

'Achos ei bod hi'n gallu bod yn fwy actif?' Gallwn ei dychmygu'n cael budd o'r peiriannau ymarfer corff.

'Wrth ei bodd achos mae mwy o ddynion yno! Ac mae'n actif iawn, nabod Pat!'

Roedd Lowri wedi bod yn ffrind da i mi, yn fy helpu i baratoi ar gyfer y cyfweliad swydd newydd –

ei hen swydd hi. Fe ddylen i gael gwybod ddydd
Llun a fydda i wedi ei chael neu beidio.

Ro'n i'n dawel hyderus . . .

Hi Lowri oedd wedi rhoi hwb i mi yn y cyfeiriad
iawn gyda Huw hefyd, a hynny er ei bod yn dal i
alaru am ymadawiad Ken ar daith rownd y byd.

'I helpu pobol llai ffodus – *typical* o Ken, *real
sucker*,' meddai Lowri.

'I fendio'i galon,' atebais.

'A shwt mae Huw dyddiau yma?' I droi'r drol y
gofynnodd hi hynny.

'Sut alla i faddau iddo fe? Glywaist ti beth
ddywedodd Pat. Fe dwyllodd e ni i gyd.'

'Pwy ffyc sy'n becso beth ddywedodd Pat? A
bydda'n onest, Judith, odi celwydd Huw yn waeth
na'r celwydd dd'wedaist ti wrth Brei – a ti'n dal i
obeithio y bydd e'n maddau i ti . . .'

Fe roddodd hynny'r nerth i mi gymryd y cam
cynta a ffonio Huw. Do'n i ddim yn dal i feddwl mai
lle'r dyn oedd arwain perthynas erbyn hynny.

'Beth am hwn?'

Edrychais ar y *mannequin* yn y ffenest ac yna ar
Lowri fel petai hi wedi mynd yn dwlali bost.

'Mae ffrogiau siwmper yn ffasiynol iawn tymor
yma. Dwi ddim yn awgrymu bo ti'n mynd yn
goesnoeth fel Kate Moss, ac efallai y byddai'n well i
ti osgoi *ballet pump*s a chael bach o sawdl yn lle
hynny . . . ond gyda *leggings* du ac *ankle boots* . . .'

'*Ankle boots*?'

'Ffasiwn mawr yr hydref. Fyddwn ni i gyd yn

taflu ein bŵts pen-glin. Wy'n siŵr y byddi di'n falch iawn o glywed hynny!'

Ac mi fyddwn i – petawn i'n berchen ar bâr yn y lle cynta.

Roedd Lowri fel ci ag asgwrn.

'Dere mlaen, Jude! Bydd yn ddewr. Dere i drio rhywbeth newydd. Ti wedi colli pedwar pwys, wedi'r cwbwl . . .'

'Dau bwys,' meddais.

'Gollaist ti bedwar.' Roedd Lowri'n bendant.

'Do, ond rois i ddau yn ôl. Felly, dau. Dau dwi wedi eu colli.' Does dim lot o ots 'da fi beth mae'r scêls yn dweud. Sut rwy'n teimlo sy'n bwysig.

Roedd y ddol fenyw yn y ffenest yn denau ac yn osgeiddig tu hwnt yn nillad newydd yr hydref. Yna, dychmygais yr un dilledyn mewn seis 16 ac am ffigur *petite* (o ran taldra'n unig) a *Rubenesque* (o ran popeth arall).

'Meddylia am lygaid Huw. Bydd e ffaelu cadw'i ddwylo iddo'i hun pan fydd e'n dy weld di yn honna nos Sadwrn . . .' Roedd Lowri'n gwthio'n galed.

'Na,' meddais mewn llais cadarn. Ac ar hynny, tewais.